Italiano 3ª Edição Para leigos

SAUDAÇÕES

- **Buongiorno!** (bu-on-*djior*-no) (*Olá!* e *Bom dia!*)
- **Arrivederci!** (a-ri-ve-*der*-tchi) (*Adeus!*) [formal]
- **Ciao!** (*tcha*-o) (*Olá!* e *Tchau!*) [informal]
- **Salve!** (*sal*-ve) *(Olá!* e *Tchau!*)* [neutro]
- **Buonasera!** (bu-o-na-*se*-ra) (*Boa tarde!* e *Boa noite!* — ao chegar) [formal]
- **Buonanotte!** (bu-o-na-*no*-te) (*Boa noite!* — ao partir) [informal]
- **Mi chiamo...** (mi ki-*a*-mo) (*Meu nome é...*)
- **Come sta?** (*ko*-me sta) (*Como vai?*) [formal]
- **Come stai?** (*ko*-me *sta*-i) (*Como vai?*) [informal]
- **Bene, grazie.** (*be*-ne *gra*-tzi-e) (*Bem, obrigado.*)

SENDO GENTIL

- **Per favore.** (per fa-*vo*-re) (*Por favor.*)
- **Per piacere.** (per-pi-a-*che-re*) (*Por favor.*)
- **Grazie.** (*gra*-tzi-e) (*Obrigado.*)
- **Prego!** (*pre*-go) (*De nada.* ou *Certo.* — usado em diversas situações)
- **Non c'é di che.** (non tché di ke) (*Por nada.*)
- **Mi dispiace.** (mi dis-pi-*a*-tche) (*Lamento.* e *Desculpe.*)
- **Mi scusi.** (mi *sku*-zi) (*Com licença.*) [formal]
- **Scusi, un informazione, per favore.** (*sku*-zi, un in-for-ma-tzi-o-ne, per fa-*vo*-re) (*Com licença, uma informação, por favor.*)
- **Scusa.** (*sku*-za) (*Com licença.* ou *Desculpe.*) [informal]

Italiano 3ª Edição Para leigos

- **Permesso?** (per-*me*-so) (*Posso?* ou *Com licença.*)
- **Sì** (sí) (*Sim.*)
- **No** (no) (*Não.*)

FRASES INTERROGATIVAS

- **Parla portoghese?** (*par*-la por-to-*gue*-ze) (*Fala português?*)
- **Chi?** (ki) (*Quem?*)
- **Cosa?** (*ko*-za) (*O quê?*)
- **Quando?** (ku-*an*-do) (*Quando?*)
- **Dove?** (*do*-ve) (*Onde?*)
- **Perché?** (per-*ke*) (*Por quê?*)
- **Come?** (*ko*-me) (*Como?*)
- **Quanto?** (ku-*an*-to) (*Quanto?*)

DIAS DA SEMANA

Dia/Abreviação	Pronúncia	Tradução
Domenica/do.	do-*me*-ni-ka	*domingo*
Lunedì/lun.	lu-ne-*di*	*segunda-feira*
Martedì/mar.	mar-te-*di*	*terça-feira*
Mercoledì/mer.	mer-ko-le-*di*	*quarta-feira*
Giovedì/gio.	djio-ve-*di*	*quinta-feira*
Venerdì/ven.	ve-ner-*di*	*sexta-feira*
Sabato/sab.	sa-*ba*-to	*sábado*

Italiano

Para leigos

3ª Edição

Italiano

para
leigos

3ª Edição

Teresa Picarazzi

Francesca Romana Onofrie

Karen Möller

ALTA BOOKS
E D I T O R A
Rio de Janeiro, 2017

Produção Editorial Editora Alta Books	**Gerência Editorial** Anderson Vieira	**Marketing Editorial** Silas Amaro marketing@altabooks.com.br	**Gerência de Captação e Contratação de Obras** autoria@altabooks.com.br	**Vendas Atacado e Varejo** Daniele Fonseca Viviane Paiva comercial@altabooks.com.br
Produtor Editorial Claudia Braga Thiê Alves	**Supervisão de Qualidade Editorial** Sergio de Souza			**Ouvidoria** ouvidoria@altabooks.com.br
Produtor Editorial (Design) Aurélio Corrêa	**Assistente Editorial** Christian Danniel			

Equipe Editorial	Bianca Teodoro	Juliana de Oliveira	Renan Castro	Illysabelle Trajano
Tradução Lisandra Coelho	**Copidesque** Wendy Campos	**Revisão Gramatical** Alessandro Thomé Flávia Midori	**Revisão Técnica** Izabel Costa *Mestre em literatura italiana pela UFRJ*	**Diagramação** Joyce Matos

Erratas e arquivos de apoio: No site da editora relatamos, com a devida correção, qualquer erro encontrado em nossos livros, bem como disponibilizamos arquivos de apoio se aplicáveis à obra em questão.

Acesse o site www.altabooks.com.br e procure pelo título do livro desejado para ter acesso às erratas, aos arquivos de apoio e/ou a outros conteúdos aplicáveis à obra.

Suporte Técnico: A obra é comercializada na forma em que está, sem direito a suporte técnico ou orientação pessoal/exclusiva ao leitor.

Dados Internacionais de Catalogação na Publicação (CIP)
Vagner Rodolfo CRB-8/9410

O58i   Onofri, Francesca Romana

     Italiano para leigos / Francesca Romana Onofri, Karen Antje Moller, Teresa L. Picarazzi ; traduzido por Lisandra Coelho. 2. ed. - Rio de Janeiro : Alta Books, 2016.
     366 p. ; 17cm x 24cm.

     Tradução de: Italian For Dummies, 2nd Edition
     Inclui índice e anexo.
     ISBN: 978-85-508-0037-0

     1. Línguas. 2. Idiomas. 3. Italiano. I. Moller, Karen Antje. II. Picarazzi, Teresa L. III. Valente, Wendy Sauerbronn de Campos. IV. Título.

                CDD 450
                CDU 811.131.1

Rua Viúva Cláudio, 291 — Bairro Industrial do Jacaré
CEP: 20.970-031 — Rio de Janeiro (RJ)
Tels.: (21) 3278-8069 / 3278-8419
www.altabooks.com.br — altabooks@altabooks.com.br
www.facebook.com/altabooks — www.instagram.com/altabooks

ALTA BOOKS
E D I T O R A

Sobre as Autoras

Teresa Picarazzi possui bacharelado pela Skidmore College, e mestrado e doutorado em Literatura Italiana pela Rutgers University. Por muitos anos lecionou italiano, literatura e cultura italiana em diversas universidades, incluindo a University of Arizona, a Wesleyan University e a Dartmouth College. Dirigiu, ainda, programas de estudos de intercâmbio e do idioma italiano em algumas delas. Durante os últimos seis anos, lecionou italiano na Hopkins School em New Haven, Connecticut.

Em suas horas vagas, Teresa gosta de cozinhar e de ler. Ela mora em Fairfield, Connecticut, com a filha, o marido, o cachorro Toby e os gatos Mittens e Governor. A família passa os verões em Ravenna, Itália.

Depois de seus estudos universitários em linguística e língua e literatura espanhola e inglesa, **Francesca Romana Onofri** viveu muitos anos no exterior para melhorar sua compreensão das culturas e línguas de diferentes países. Na Espanha e na Irlanda, trabalhou como professora de italiano e espanhol, bem como tradutora e intérprete em eventos culturais. Na Alemanha, foi responsável pela comunicação e eventos especiais em um museu de arte moderna, mas mesmo assim nunca deixou de lado sua paixão pelos idiomas: foi instrutora e professora de italiano no Opera Studio da Opera House de Colônia, e fez traduções — especialmente no campo das artes. De volta à Itália, Francesca editou vários livros de italiano para a Berlitz e trabalha como tradutora de livros de arte, bem como organizadora de eventos culturais e educadora.

Karen Möller atualmente estuda linguística, literatura e cultura italiana e inglesa. Antes de entrar para a academia, Karen trabalhou no campo das relações públicas e escreveu artigos para todos os tipos de revistas de moda e jornais. Recentemente teve a oportunidade de trabalhar para a Berlitz Publishing em projetos ítalo-germânicos, incluindo manuais de verbos, vocabulário e gramática e livros de exercícios de italiano.

Dedicatória

Gostaria de dedicar este livro aos meus pais, Mary e Domenico.

— Teresa Picarazzi

Agradecimento da Autora

Gostaria de agradecer ao meu marido, Giancarlo, e à minha filha, Emilia, pela paciência e pelo apoio enquanto eu trabalhava neste livro, e aos meus alunos, do presente e do passado, pela curiosidade e pelo amor por tudo que é italiano. Gostaria ainda de agradecer ao pessoal da Wiley por tornar este livro realidade: o editor de aquisições, Michael Lewis, por me contatar; a editora de projetos, Susan Hobbs, por me guiar com todo cuidado em todos os passos do processo; e aos editores técnicos, Alícia Vitti e Christiana Thielmann, por me fazerem enxergar alguns aspectos do idioma e da cultura italiana por uma nova perspectiva.

— Teresa Picarazzi

Sumário Resumido

Sumário

Introdução

Conforme a sociedade se torna mais e mais globalizada, saber dizer pelo menos algumas palavras em outros idiomas abre as portas para a comunicação. Ser capaz de uma breve conversa em situações de imersão cultural pode enriquecer ainda mais sua experiência. Você pode planejar uma viagem para a Itália a negócios ou a lazer. Pode ter amigos ou vizinhos que falem outros idiomas ou pode querer retornar às suas raízes aprendendo um pouco do que é falado hoje no país de onde vieram seus ancestrais.

Sejam quais forem suas razões para aprender italiano, *Italiano Para Leigos* pode tornar isso mais fácil. Dois experts em ajudar os leitores a adquirir conhecimento — o Berlitz, composto por especialistas no ensino de línguas estrangeiras, e a Alta Books, editora da série best-seller *Para Leigos* — uniram-se para produzir um livro que lhe dá as habilidades necessárias para a comunicação básica em italiano. Não estamos prometendo fluência aqui, e sim um nível de comunicação básica que permita que você seja compreendido. Se tiver que cumprimentar alguém, comprar um ingresso ou fazer um pedido em um restaurante, em italiano, você não precisará procurar nada além de *Italiano Para Leigos*.

Sobre Este Livro

Esta não é uma aula para a qual você precise ir se arrastando duas vezes por semana por um período determinado. Você pode usar *Italiano Para Leigos* da forma que quiser, seja porque deseja aprender algumas palavras e frases que o ajudem a se virar ao visitar a Itália, seja apenas para ser capaz de dizer "Olá, tudo bem?" para seu vizinho italiano. Consulte este livro no seu próprio ritmo, lendo o quanto quiser, na hora em que quiser. Também não é necessário seguir a ordem dos capítulos; basta ler as seções de seu interesse.

Nota: Se você nunca estudou italiano antes, talvez seja melhor aprender os capítulos da Parte 1 antes de atacar os últimos.

Convenções Usadas Neste Livro

Para facilitar a navegação, definimos algumas convenções:

» Os termos em italiano estão em **negrito** para que se destaquem.

» A pronúncia aparece em tipo normal com as sílabas tônicas em *itálico*. As traduções também aparecem em *itálico*.

» Conjugações verbais (listas que mostram as formas de um verbo) são dadas nas tabelas nesta ordem: a forma para "eu", "você" (singular, informal), "ele/ela/Sr./Sra." (formal), "nós", "vocês" e "eles". As pronúncias seguem na segunda coluna. A seguir, um exemplo usando o verbo **parlare** (par-*la*-re) (*falar*). As traduções na terceira coluna têm todas as três formas, mas para poupar espaço, mostro apenas a primeira:

Conjugação	Pronúncia	Tradução
io parlo	*i*-o *par*-lo	*Eu falo*
tu parli	tu *par*-li	*Você (informal) fala*
lei/lui/Lei parla	lei/lui/lei *par*-la	*Ela/ele/Sr. (Sra.) (formal) fala*
noi parliamo	noi par-li-*a*-mo	*Nós falamos*
voi parlate	voi parl-*la*-te	*Vocês falam*
loro parlano	*lo*-ro *par*-la-no	*Eles/vocês falam*

A aprendizagem de idiomas é muito peculiar, então este livro inclui alguns elementos que outros *Para Leigos* não possuem. A seguir, os novos elementos que você encontrará:

» **Diálogos "Tendo uma Conversa":** A melhor forma de aprender um idioma é vendo e ouvindo como ele é utilizado na conversação, então incluímos diálogos ao longo do livro. Eles vêm sob o cabeçalho "Tendo uma Conversa". Ouça e repita esses diálogos quantas vezes quiser. Tanto nos áudios quanto no livro, eles ajudarão você na pronúncia correta.

» **Quadros-negros "Palavras a Saber":** Memorizar palavras-chave e frases também é importante no aprendizado de idiomas, então juntamos as palavras importantes de um capítulo (ou de uma seção dele) em um quadro-negro, com o cabeçalho "Palavras a Saber".

» **Atividades "Diversão & Jogos":** Você pode usar as atividades "Diversão & Jogos" para reforçar alguns conceitos que aprendeu no capítulo. Esses jogos de palavras são formas divertidas de avaliar seu progresso.

Note ainda que, como cada idioma tem sua própria maneira de expressar ideias, as traduções em português para os termos italianos podem não ser exatamente literais. Queremos que você saiba a essência do que está sendo dito, não apenas quais palavras estão sendo ditas. Por exemplo, a frase **Mi dica** (mi *di*-ca) pode ser traduzida literalmente como "Diga-me", mas na verdade ela significa "(Como) Posso ajudar?".

Penso que...

Para escrever este livro, precisamos fazer suposições sobre quem você é e o que deseja de *Italiano Para Leigos*. Estas são nossas suposições:

» Você não sabe nada de italiano — ou, se estudou um pouco do idioma, não lembra muita coisa.

» Você não está procurando um livro que o torne fluente em italiano; apenas quer aprender algumas palavras, frases e construções de sentenças para poder se comunicar de forma básica no idioma.

» Você não quer memorizar longas listas de vocabulário ou várias regras gramaticais chatas.

» Você quer se divertir e, ao mesmo tempo, aprender um pouco de italiano.

Se essas afirmações se aplicam a você, encontrou o livro certo!

Como Este Livro Está Organizado

Este livro está dividido por tópicos em partes, e as partes, em capítulos. As próximas seções mostram que tipo de informações você encontrará em cada parte.

Parte 1: Começando

Esta parte permite que você tenha sua primeira experiência com algumas noções de italiano: como pronunciar letras, números, palavras e assim por diante. Até reforçamos sua confiança fazendo com que relembre algumas palavras em italiano que você já deve conhecer. Finalmente, esboçamos o básico da gramática italiana que talvez você precise conhecer ao trabalhar os futuros capítulos do livro.

Parte 2: Italiano em Ação

Nesta parte você começa a aprender e a usar o italiano. Em vez de se concentrar em pontos gramaticais, como fazem muitos livros de idiomas, aqui você vai focar situações cotidianas, como compras, refeições, bate-papo, diversão, informações e objetos.

Parte 3: Italiano em Movimento

Esta parte dá as ferramentas necessárias para pôr seu italiano na estrada, seja para viajar ou passear, para usar o transporte público, para encontrar uma hospedagem ou para lidar com emergências.

Parte 4: A Parte dos Dez

Se estiver procurando partes pequenas, facilmente digeríveis, de informações sobre o idioma, esta é para você. Aqui você pode encontrar dez formas de aprender italiano rapidamente, dez expressões úteis em italiano, dez coisas que nunca devem ser ditas em italiano, entre outras.

Parte 5: Apêndices

Esta parte do livro inclui informações importantes que podem ser usadas como referência. Incluímos tabelas que mostram como conjugar verbos regulares e irregulares. Fornecemos ainda uma lista das faixas de áudio que vem com este livro, para que você possa encontrar os diálogos e acompanhá-los com o áudio. Finalmente, trazemos um minidicionário nos formatos italiano-português e português-italiano. Se aparecer uma palavra que você não conheça ou se precisar dizer algo em italiano, pode procurar lá. As respostas para as seções "Diversão & Jogos" também estão aqui.

Ícones Utilizados Neste Livro

Você pode estar procurando por informações específicas ao ler este livro. Para facilitar que você as encontre, colocamos os seguintes ícones na margem esquerda das páginas:

DICA

Este ícone destaca dicas que podem facilitar a aprendizagem do italiano.

LEMBRE-SE

Para garantir que você não esqueça informações importantes, este ícone serve como lembrete, um laço no seu dedo.

FALANDO DE GRAMÁTICA

Os idiomas são cheios de peculiaridades que podem induzi-lo ao erro se você não estiver prestando atenção. Este ícone indica discussões dessas estranhas regras gramaticais.

SABEDORIA CULTURAL

Se estiver procurando informações e conselhos sobre cultura e viagens, procure por este ícone.

ÁUDIO

As faixas de áudio que acompanham este livro tornam possível ouvir falantes de italiano nativos para que você possa compreender melhor como o idioma soa. Este ícone marca os diálogos "Tendo uma Conversa" que estão disponíveis nos áudios. É uma forma fantástica de praticar sua pronúncia.

Você pode encontrar os arquivos de áudio online de forma gratuita. Basta entrar em www.altabooks.com.br e buscar pelo nome do livro ou ISBN.

De Lá para Cá, Daqui para Lá

O aprendizado de um idioma tem a ver com meter a cara e tentar (não importa quanto sua pronúncia seja ruim). Então, mergulhe de cabeça! Comece pelo início, escolha o capítulo que você ache mais interessante ou dê play nos áudios e ouça alguns diálogos. Pule as partes que desviem sua atenção (como a pronúncia fonética e as traduções depois de lê-las uma primeira vez): quanto mais você pensar em italiano, mais natural o idioma soará para você. Em breve você saberá responder "Si!" quando alguém lhe perguntar: "Parla italiano?"

Começando

1

Ciao! Viu? Você já entende um pouco de italiano, embora possa achar que estejamos nos despedindo antes mesmo de ter dito "oi". A verdade é que **ciao** significa tanto "oi" quanto "tchau".

Nestes quatro primeiros capítulos vamos apresentar a você os fundamentos do italiano: o Capítulo 1 ajuda a desenvolver sua pronúncia e o Capítulo 2 traz dicas de gramática italiana básica. Você aprende a dizer "olá" e "adeus", assim como a apresentar outras pessoas e a si mesmo no Capítulo 3. Então, no Capítulo 4, você aprende a dizer as horas, a ter noções de tempo, a marcar compromissos em sua agenda e a pedir números de telefones. Então, andiamo! (an-*dia*-mo) (Vamos lá!)

Capítulo 1

A Pronúncia das Palavras

Provavelmente você sabe que o italiano é uma língua românica, o que significa que o idioma, assim como o espanhol, o francês, o português e algumas outras línguas, é "filho" do latim. Houve um tempo em que o latim era o idioma oficial em grande parte da Europa, porque os romanos dominavam aquela área. Claro, antes de os romanos chegarem, as pessoas falavam suas próprias línguas, e a mistura destas com o latim produziu muitos dos idiomas e dialetos falados ainda hoje.

Se você conhece uma das línguas românicas — e é claro que você já está em vantagem, pois fala português —, verá que diversas palavras são muito parecidas e até iguais. Mas, assim como membros da mesma família podem ser bastante parecidos e ter personalidades completamente distintas, isso também acontece com os idiomas. Pessoas em diferentes regiões falam de modo muito diferente por motivos históricos e sociais, e, mesmo que o italiano seja sua língua oficial, a Itália tem uma rica variedade de dialetos. Alguns são tão distantes do italiano que pessoas de diferentes regiões não conseguem se entender.

Independentemente do número de sotaques e dialetos, você ficará feliz em saber que todo mundo entende o italiano que você fala e que você entenderá o deles. Os italianos normalmente não falam em seus dialetos com pessoas de fora de sua região.

Você Já Sabe Algumas Coisas em Italiano!

Embora os italianos tenham muito orgulho de sua língua, eles permitiram que algumas palavras inglesas invadissem. Eles falam, por exemplo, em *gadgets*, *jogging*, *feeling* e *shock*; usam com frequência a palavra *okay*; e uma vez que os computadores entraram em suas vidas, dizem "**cliccare sul mouse**" (kli–*ka*–re sul mouse) (clicar o mouse). Finalmente, há **lo zapping** (lo *zap*–ping), que significa zapear os canais da TV. Estas são apenas algumas da enxurrada de palavras inglesas que entraram no idioma italiano.

Do mesmo modo, muitas palavras italianas são famosas em países falantes de outras línguas. Você consegue pensar em algumas?

Que tal...

>> **pizza** (*pi*-tza)

>> **spaghetti** (spa-*gue*-ti)

>> **tortellini** (tor-te-*li*-ni)

>> **mozzarella** (mo-tza-*ré*-la)

>> **espresso** (es-*pré*-so)

>> **cappuccino** (ka-pu-*tchi*-no)

>> **tiramisù** (ti-ra-mi-*su*)

A propósito, você sabia que *tiramisù* significa literalmente "me puxe para cima"? Isso se refere ao fato de o doce ser feito com *espresso* italiano bem forte.

Você já deve ter ouvido palavras de outras áreas além da gastronomia, como:

>> **amore** (a-*mo*-re): essa é a palavra "amor" sobre a qual tantas canções italianas falam.

>> **avanti** (a-*van*-ti): é usada como "entre!", "vamos lá!" ou "mexa-se!"

>> **bambino** (bam-*bi*-no): é um menino. O equivalente feminino é **bambina** (bam-*bi*-na).

>> **bravo!** (*bra*-vo): essa palavra é dita adequadamente apenas para um homem. A uma mulher, deve-se dizer **"brava!"** (*bra*-va). Para um grupo de pessoas, diz-se **"bravi!"** (*bra*-vi); se o grupo for composto apenas por mulheres, deve-se dizer **"brave!"** (*bra*-ve).

>> **ciao!** (*tcha*-o): a palavra significa tanto "olá" quanto "adeus".

» **scusi** (*sku*-zi): essa palavra significa "com licença" e "desculpe" e é usada por pessoas que não se conhecem bem ou com quem se fala formalmente. Diz-se "scusa" (*sku*-za) com pessoas conhecidas e crianças.

Você já ouviu pelo menos algumas dessas expressões, não é? São só um gostinho das várias palavras e frases que você conhecerá neste livro.

Cognatos

Além das palavras que invadiram o nosso idioma, o italiano e o português têm muitos cognatos. Cognato é a palavra de uma língua que tem a mesma origem de uma palavra em outra língua e que pode soar parecida. Você pode perceber imediatamente o que são os cognatos a partir dos exemplos a seguir:

» **aeroporto** (a-e-ro-*por*-to) (*aeroporto*)

» **attenzione** (a-ten-tzi-*o*-ne) (*atenção*)

» **comunicazione** (ko-mu-ni-ka-tzi-o-ne) (*comunicação*)

» **importante** (im-por-*tan*-te) (*importante*)

» **incredibile** (in-kre-*di*-bi-le) (*incrível*)

Você entende muito mais italiano do que pensa. O italiano e o português têm muitos de cognatos. Para demonstrar, leia essa historinha com algumas palavras em italiano. Elas são tão semelhantes às palavras em português que é possível compreendê-las facilmente.

Parece **impossibile** (im-po-*si*-bi-le) que ele esteja agora no **aeroporto** (a-e-ro-*por*-to) em Roma. Ele sempre quis vir a esta **città** (tchi-*ta*). Quando sai à rua, primeiro ele chama um **taxi** (*ta*-ksi). Ele abre sua sacola para ver se tem o remédio que o **dottore** (do-*to*-re) lhe prescreveu. Atravessando esse **terribile traffico** (te-*ri*-bi-le *tra*-fi-ko), ele passa por uma **cattedrale** (ka-te-*dra*-le), algumas **sculture** (skul-*tu*-re) e muitos **palazzi** (pa-*la*-tzi). Tudo isso é muito **impressionante** (im-pre-si-o-*nan*-te). Ele sabe que será um passeio **fantastico** (fan-*tas*-ti-ko).

Expressões populares

Todas as línguas têm expressões usadas com tanta frequência que elas quase se tornam rotina. Por exemplo, quando você dá algo a alguém e a pessoa diz "Obrigado", você responde automaticamente "De nada!". Esse tipo de expressão popular é parte inseparável dos idiomas. Quando você conhece essas expressões e sabe usá-las, está no caminho certo de se tornar um falante fluente.

ÁUDIO

A seguir estão algumas expressões populares em italiano (Faixa 2):

- » **Accidenti!** (a-tchi-*den*-ti) (*Nossa! Droga!*)
- » **Andiamo!** (an-di-*a*-mo) (*Vamos!*)
- » **Che c'è?** (ke *tché*) (*Que houve?*)
- » **D'accordo? D'accordo!** (da-*kor*-do) (*Concorda? Concordo!*)
- » **E chi se ne importa?** (e ki se ne im-*por*-ta) (*Quem se importa?*)
- » **È lo stesso** (*é* lo *ste*-so) (*Dá na mesma. Tanto faz.*)
- » **Fantastico!** (fan-*tas*-ti-ko) (*Fantástico!*)
- » **Non fa niente.** (non fa ni-*en*-te) (*Não tem importância. Não se preocupe.*) Usa-se **"Non fa niente"** quando alguém pede desculpas a você.
- » **Non c'è di che.** (non *tché* di ke) (*De nada!*)
- » **Permesso?** (per-*me*-so) (*Posso entrar? Posso passar?*) Os italianos usam essa expressão todas as vezes que cruzam a porta para entrar em uma casa ou ao passar por uma multidão.
- » **Stupendo!** (stu-*pen*-do) (*Maravilhoso! Fabuloso!*)
- » **Va bene!** (va *be*-ne) (*Ok!*)

Declamando: Pronúncia Básica

O italiano proporciona muitas oportunidades para que sua língua faça acrobacias. Isso é muito divertido, pois a língua oferece alguns sons novos. Nesta seção, damos algumas dicas básicas de pronúncia que são importantes tanto para navegar pelo livro quanto para uma boa articulação. Primeiro, gostaríamos de propor um acordo. Ao lado das palavras em italiano, você verá a pronúncia entre parênteses. Nas próximas seções damos algumas dicas úteis sobre como ler essa pronúncia — ou seja, como pronunciar as palavras em italiano. A questão é que devemos estar de acordo sobre quais letras se referem a quais sons. Você precisa seguir esse código por todo o livro.

Nas pronúncias, separamos as sílabas com um hífen, assim: **casa** (*ka*–za) (*casa*). Além disso, vamos colocar a sílaba tônica em itálico, o que significa que você colocará o acento da palavra na sílaba em itálico (veja a seção "Uso Adequado das Sílabas Tônicas", mais adiante neste capítulo, para mais informações sobre sílabas tônicas). Se você aprender a pronúncia correta neste capítulo, começando pelo alfabeto, pode até prever as pronúncias oferecidas e ler as palavras como um nativo.

O Alfabeto

ÁUDIO

Qual a melhor maneira para começar a falar um idioma do que se familiarizar com o alfabeto? A Tabela 1-1 mostra todas as letras, assim como seus sons. É essencial aprender como pronunciar o alfabeto italiano para que você seja capaz de pronunciar corretamente todas as palavras novas que aprenderá. Ouça e repita a Faixa 1 quantas vezes precisar para conseguir reproduzir os sons. Em longo prazo, isso irá ajudá-lo a ser compreendido ao se comunicar no idioma. Observe que há apenas 21 letras no alfabeto italiano: não existem j, k, w, x e y (mas estas invadiram algumas palavras usadas hoje em dia na Itália).

TABELA 1-1   O Alfabeto Italiano

Letra	Pronúncia	Letra	Pronúncia
a	a	b	bi
c	tchi	d	di
e	e	f	*e*-fe
g	dji	h	*a*-ka
i	i	j	i *lun*-ga
k	*ka*-pa	l	é-le
m	*e*-me	n	*e*-ne
o	o	p	pi
q	ku	r	é-rre
s	*e*-se	t	ti
u	u	v	vu
w	do-*pi*-a vu	x	*i*-quis
y	i-*pi*-si-lon	z	*dze*-ta

Vogais

Comecemos com as letras fáceis: as vogais. Elas são fáceis, porque o som não é assim tão diferente da fonética do português.

O italiano tem cinco vogais: *a, e, i, o, u*. As seções a seguir mostram como pronunciar cada uma delas.

A vogal "a"

Em italiano, a letra *a* tem apenas uma pronúncia. Pense apenas no som do *a* na palavra em português *casa*. O som do *a* italiano é exatamente assim.

Transcrevemos o *a* italiano como (*a*), como exibido anteriormente em **casa** (*ka-za*) (*casa*). Aqui vão outros exemplos:

- » **albero** (*al*-be-ro) (*árvore*)
- » **marmellata** (mar-me-*la*-ta) (*geleia*)
- » **sale** (*sa*-le) (*sal*)

A vogal "e"

Tente pensar no som da palavra *telhado*. Esse som é muito próximo do *e* italiano. Neste livro transcrevemos o som do *e* como (*e*). Por exemplo:

- » **sole** (*so*-le) (*sol*)
- » **peso** (*pe*-zo) (*peso*)
- » **bere** (*be*-re) (*beber*)

A vogal "i"

O *i* italiano é pronunciado igual ao português, como na palavra *igreja*. Aqui vão alguns exemplos:

- » **cinema** (*tchi*-ne-ma) (*cinema*)
- » **bimbo** (*bim*-bo) (*menininho*)
- » **vita** (*vi*-ta) (*vida*)

A vogal "o"

O *o* italiano é pronunciado como em português na palavra *piano*. Listamos a pronúncia como (*o*). Tente nas seguintes palavras:

- » **domani** (do-*ma*-ni) (*amanhã*)
- » **piccolo** (*pi*-ko-lo) (*pequeno*)
- » **dolce** (*dol*-tche) (*doce*)

A vogal "u"

O *u* italiano soa como o *u* em português. Portanto, usamos (*u*) para transcrever o *u* italiano. Aqui algumas palavras de exemplo:

- » **tu** (*tu*) (*você*)
- » **luna** (*lu*-na) (*lua*)
- » **frutta** (*fru*-ta) (*fruta*)

Similaridades de pronúncia

Você encontrará algumas vogais combinadas cujos sons são muitos parecidos com o modo como as usamos. Por exemplo:

» oi como em oi: **noi** (noi) (*nós*)
» ai como em baila: **dai** (dai) (*[você] dá*)
» i como em tia: **diva** (*di*-va) (*diva*)
» ei como em beijo: **lei/Lei** (lei/Lei) (*ela/Sr./Sra.*)
» au como em aura: **auto** (*au*-to) (*carro*)

Consoantes

O italiano tem as mesmas consoantes que o português. A maioria é pronunciada igual, mas outras têm diferenças perceptíveis. Vamos começar com as fáceis. Algumas são pronunciadas de forma idêntica:

» **b:** como em **bene** (*be*-ne) (*bem*)
» **d:** como em **dare** (*da*-re) (*dar*)
» **f:** como em **fare** (*fa*-re) (*fazer*)
» **l:** como em **ladro** (*la*-dro) (*ladrão*)
» **m:** como em **madre** (*ma*-dre) (*mãe*)
» **n:** como em **no** (*no*) (*não*)
» **p:** como em **padre** (*pa*-dre) (*pai*)
» **t:** como em **treno** (*tre*-no) (*trem*) (quando o t for dobrado, exagere no som, como em **spaghetti** (spa-*gue*-ti), marcando bem o t.
» **v:** como em **vino** (*vi*-no) (*vinho*)

Finalmente, há algumas consoantes que não existem de fato em italiano, exceto em palavras estrangeiras que entraram no idioma.

» **j:** existe em palavras como ***jogging, junior*** e ***jeans***.
» **k:** encontrada em palavras como ***okay, ketchup*** e ***killer***.
» **w:** encontra-se em algumas palavras estrangeiras (a maioria de origem inglesa), como ***whisky, windsurf*** e ***wafer***.
» **x:** as palavras com "x" derivam, em sua maioria, do grego. Exemplos incluem **xenofobia** (xe-no-fo-*bi*-a) (*xenofobia*) e **xilofono** (xi-*lo*-fo-no) (*xilofone*).
» **y:** normalmente aparece em palavras como ***yogurt, hobby*** e ***yacht***.

Agora vejamos as consoantes que são pronunciadas de forma diferente do português.

A consoante "c"

O *c* italiano tem dois sons, dependendo da letra que o segue:

» **C forte:** quando o *c* é seguido por *a*, *o*, *u* ou qualquer consoante, ele é pronunciado como em *carro*. Transcrevemos essa pronúncia como (k). Exemplos: **casa** (*ka*-za) (*casa*), **colpa** (*kol*-pa) (*culpa*) e **cuore** (ku-o-re) (*coração*), **che** (ke) (*que*), **chiesa** (*kie*-za) (*igreja*) e **chiave** (*kia*-ve) (*chave*).

» **C suave:** quando o *c* for seguido por *e* ou *i*, pronuncia-se como em *tchau*; portanto, damos a pronúncia (tch). Exemplos: **cena** (*tche*-na) (*jantar*), **cibo** (*tchi*-bo) (*comida*) e **certo** (*tcher*-to) (com certeza).

O *c* antes de *i* que seja seguido de *a*, *o* ou *u* também soa como tch, e o *i* é fracamente pronunciado. Exemplos são **ciao** (*tcha*-oh) (*olá; tchau*), **cioccolato** (tcho-ko-*la*-to) (*chocolate*) e **ciuccio** (*tchu*-tcho) (*chupeta*).

Esse esquema de pronúncia parece terrivelmente complicado, mas não é tão difícil assim. Aqui apresentamos isso de outra forma, que você pode usar como um apoio à memória:

c + i ou e = tch

c + i (seguido de a, o, u) = tch, mas o i é fracamente pronunciado

c + o, u, a ou consoante = k

A consoante "g"

O *g* italiano se comporta como o *c*. Portanto, também depende da letra que o segue:

» **G forte:** quando o *g* é seguido de *a*, *o*, *u* ou qualquer consoante, ele é pronunciado como em *gato*. Transcrevemos essa pronúncia como (g). Exemplos: **gamba** (*gam*-ba) (*perna*), **gomma** (*go*-ma) (*borracha*) e **guerra** (*gue*-ra) (*guerra*).

A letra *g* seguida de *h* antes de *e* e *i* tem o som parecido com o dígrafo *gu* (gue, gui). Exemplos são **spaghetti** (spa-*gue*-ti) (*espaguete*), **ghiaccio** (*guia*-tchi-o) (*gelo*) e **ghirlanda** (guir-*lan*-da)

» **G suave:** quando o *g* for seguido por *e* ou *i*, pronuncia-se como o d da palavra *dia*, pronunciado por cariocas (dji-a); portanto, escreveremos a pronúncia como (dj). Exemplos incluem **gentile** (djen-*ti*-le) (*gentil*), **giorno** (*djior*-no) (*dia*) e **gelosia** (dje-lo-*zi*-a) (*ciúme*).

O **g** seguido de *i* depois por **a**, **o** ou **u** segue a mesma orientação que o **c**, o *i* é fracamente pronunciado e a pronúncia é a mesma (dj). Exemplos são **giacca** (*djia*-ka) (*paletó*), **gioco** (*djio*-ko) (*jogo*) e **giudice** (*dijiu*-di-tche) (*juiz*). Aqui está outro esquema para ajudar a lembrar das pronúncias:

g + a, o, u, consoante = g

g + h (seguido de i ou e) = gui, gue

g + e, i = dj

| gamba | gomma | guerra | ghiaccio | spaghetti | = g |
| gentile | giorno | giacca | gioco | giudice | = dj |

A consoante "h"

A consoante **h** tem a função de mudar o som do **c** e do **g** antes das vogais **e** e **i**, como descrito anteriormente. Aparece também em expressões inglesas, como *hostess*, *hit* e *hobby*, e em algumas formas do verbo **avere** (a-*ve*-re) (*haver*), mas é <u>sempre</u> mudo.

A consoante "q"

O **q** existe apenas junto com o **u** seguido por outra vogal; ou seja, você sempre verá o dígrafo *qu*, como em português. O **q** é pronunciado como (k), e **qu**, portanto, é pronunciado como (ku). Exemplos: **quattro** (ku-*a*-tro) (*quatro*), **questo** (ku-*es*-to) (*isto*) e **quadro** (ku-*a*-dro*) (*quadro*).

A consoante "r"

O **r** italiano é trinado no topo alveolar, que é a parte da frente de seu palato, logo atrás dos dentes frontais. É preciso praticá-lo. No começo, você pode achar que a pronúncia não é possível, mas a prática leva à perfeição!

Aqui estão algumas palavras para ajudar a praticar:

» **radio** (*ra*-di-o) (*rádio*)

» **per favore** (per fa-*vo*-re) (*por favor*)

» **prego** (*pre*-go) (*de nada, ok*)

A consoante "s"

O **s** às vezes é pronunciado como em **só**. Nesse caso, daremos a pronúncia (s). Em outros casos, é pronunciado em **zero**, então listaremos (z) como pronúncia.

Exemplos: **pasta** (*pas*-ta) (*massa*), **solo** (*so*-lo) (*apenas*), **chiesa** (*kie*-za) (*igreja*) e **gelosia** (dje-lo-zi-a) (*ciúme*).

A consoante "z"

O som do **z** é bastante semelhante ao da palavra **zebra**, mas com um **d** colocado no início, como em **zio** (*dzi*-o) (*tio*). Tente. Quando o **z** é duplicado, ele é pronunciado de forma mais marcada, como *tz*, como em **tazza** (*ta*-tza) (*xícara, caneca*). Quando o **z** é seguido pela letra **i**, ele também tem o som de *tz*, como em **nazione** (na-tzi-o-ne) (*nação*).

Consoantes duplicadas

Quando nos deparamos com consoantes duplicadas em italiano, é preciso prolongar o som da consoante em questão. A parte difícil é que não há pausa entre elas.

A duplicação da consoante costuma mudar o significado da palavra. Então, para garantir que seu italiano seja compreensível, enfatize bem as consoantes duplicadas. Para que você pronuncie corretamente as palavras com consoantes duplicadas, escrevemos a primeira consoante no fim de uma sílaba e a outra no início da sílaba seguinte, por exemplo:

» **nono** (*no*-no - pronúncia breve) (*nono*)

» **nonno** (*no*-no - pronúncia longa) (*avô*)

» **capello** (ka-*pe*-lo - pronúncia breve) (*cabelo*)

» **cappello** (ka-*pe*-lo - pronúncia longa) (*chapéu*)

Mas não se preocupe demais com a pronúncia das consoantes duplicadas, pois, em uma conversa, o contexto ajuda a compreender o sentido da palavra que você quer usar. Tente mais uma vez:

» **bello** (*be*-lo) (*lindo*)

» **caffè** (ka-*fé*) (*café*)

» **occhio** (*o*-kio) (*olho*)

» **spiaggia** (spi-*a*-djia) (*praia*)

Encontros de consoantes

Alguns encontros consonantais têm sons especiais em italiano. Aqui estão eles:

» **gn** é pronunciado como o dígrafo *nh*. Exemplo: **gnocchi** (*nho*-ki).

» **gl** é pronunciado no fundo da garganta, como o som de *lh*. Exemplos: **gli** (lhi) e **famiglia** (fa-*mi*-lhia) (*família*).

>> **sc** é pronunciado como na palavra inglesa **scooter** quando estiver antes de **a**, **o**, **u** ou **h** — ou seja, como em **scala** (*ska*-la) (*escala*), **sconto** (*skon*-to) (*desconto*) e **scuola** (sku-*o*-la) (*escola*). Antes de **e** e **i**, é pronunciado como o **ch** em **cheque**. Exemplos: **scena** (*che*-na) (*cena*), **scesa** (*che*-za) (*descida*) e **scimmia** (*chi*-mi-a) (*macaco*).

Uso Adequado das Sílabas Tônicas

Acento tônico é a marca audível que se coloca em determinada sílaba ao falar. Uma sílaba sempre recebe mais acento que as demais (um lembrete: neste livro usamos o *itálico* para identificar a sílaba tônica).

Algumas palavras dão uma dica sobre sua sílaba tônica: elas têm um acento gráfico (´) ou (`) sobre uma de suas letras. Aqui estão alguns exemplos:

>> **caffè** (ka-*fe*) (*café*)

>> **città** (tchi-*ta*) (*cidade*)

>> **lunedì** (lu-ne-*di*) (*segunda-feira*)

>> **perché** (per-*ke*) (*por quê*)

>> **però** (pe-*ro*) (*mas*)

>> **università** (u-ni-ver-si-*ta*) (*universidade*)

>> **virtù** (vir-*tu*) (*virtude*)

Só as vogais podem ter acento, e em italiano todas as vogais no final de uma palavra podem ter acento (`). Se não houver, uma dica um tanto rudimentar é que as palavras em italiano tendem a ter o acento tônico na penúltima sílaba. Mas há muitas regras e exceções para listar aqui!

>> O acento mostra onde fica a sílaba tônica.

>> Felizmente, poucas palavras têm a mesma grafia e apenas o acento como elemento diferencial. Mas isso pode ser uma distinção muito importante, como no exemplo a seguir:

e *(e)* (e) e **è** *(é)* (*ele/ela é*) são distinguíveis apenas pelo acento na vogal, assim como no português.

LEMBRE-SE

Usando Gestos

Os italianos adoram enfatizar a fala com gestos. Há gestos, por exemplo, para expressar os seguintes sentimentos: **Ho fame** (o *fa*-me) (*Estou com fome*), **Me ne vado** (me ne *va*-do) (*Estou saindo*) e **E chi se ne importa?** (e ki se ne im-*por*--ta) (*E quem se importa?*). Não é necessário dizer que existe também uma enxurrada de gestos rudes.

Infelizmente, é muito difícil descrever gestos, pois a linguagem corporal do italiano faz parte da cultura deles. Também é necessário fazer as expressões faciais corretas ao realizar esses gestos. Além disso, esses gestos devem ser naturais e espontâneos, e você já deve ter visto alguns ao observar o modo de vida dos italianos. Ainda assim, não podemos permitir que você deixe de conhecer alguns gestos práticos e úteis para usar ao conversar com nativos. Cumprimentos e despedidas, por exemplo, são acompanhados por um abraço e um beijo. Os italianos procuram contato direto quando se cumprimentam. Quando não se tem muita intimidade, aperta-se as mãos. Mas, quando se conhece bem uma pessoa ou se tem um bom sentimento de imediato, beije o rosto, encostando a sua bochecha na dela (não encoste os lábios de fato).

NESTE CAPÍTULO

Construindo sentenças simples

Palavras masculinas e femininas

Descobrindo o uso dos pronomes

Usando "você" corretamente

Explorando os verbos regulares e irregulares

Desvendando o tempo presente

Capítulo 2

Mergulhando nos Elementos Básicos do Italiano

E ste capítulo examina o básico da gramática italiana e apresenta a você os blocos de construção das sentenças. Pense nesses blocos como estruturas que vão ajudar você a construir frases, parte por parte. Neste capítulo mostramos gênero e número, além da conjugação de alguns verbos para que você comece a se comunicar em italiano.

Formando Sentenças Simples

Falar fluentemente uma língua estrangeira requer muito trabalho. É muito mais fácil comunicar-se de forma simples. Mesmo que você conheça apenas algumas palavras, é possível ser bem-sucedido em situações comuns, como em restaurantes e hotéis.

Formar sentenças simples é... simples. A estrutura básica de uma sentença em italiano é *sujeito-verbo-objeto*, assim como no português. Nos próximos exemplos vemos como funciona essa estrutura:

» **Carla parla inglese**. (*kar*-la *par*-la in-*gle*-ze*)* (*Carla fala inglês.*)

» **Pietro ha una macchina**. (pi-*e*-tro a *u*-na *ma*-ki-na) (*Pietro tem um carro.*)

» **L'Italia è un bel paese**. (li-*ta*-li-a *e* un bel pa-*e*-ze) (*A Itália é um belo país.*)

Lidando com os Gêneros das Palavras (Artigos, Substantivos e Adjetivos)

O gênero determina a construção dos artigos definidos e indefinidos, substantivos e adjetivos. É essencial saber o gênero dos substantivos, pois isso determinará qual artigo e qual adjetivo usar para acompanhá-los — todos esses elementos estão interconectados. Por sorte, grande parte da gramática segue um esquema divertido que pode ser usado em qualquer situação. Quanto mais substantivos você memorizar, mais fácil será criar sentenças de forma eficiente.

Substantivos e gênero

Todos os substantivos têm gênero (masculino ou feminino) e número (singular ou plural). Você precisa saber disso para ser capaz de criar (e compreender) frases, fazer a concordância verbal correta e usar artigos e adjetivos. A boa notícia é que os substantivos seguem um padrão previsível. A seguir mostramos como formar o singular e o plural de substantivos masculinos e femininos. Veja se consegue inferir as regras apenas olhando o quadro.

Substantivo feminino singular	a (a)	**una casa** (*u*-na *ka*-za) (*uma casa*)
Substantivo feminino plural	e (e)	**due casa** (*du*-e *ka*-ze) (*duas casas*)
Substantivo masculino singular	o (o)	**un libro** (un *li*-bro) (*um livro*)
Substantivo masculino plural	i (ii)	**due libri** (*du*-e *li*-bre) (*dois livros*)
Substantivos masculino/ feminino singular	e (eh)	**un esame** (m) (un e-*za*-me) (*um exame*)/ **una lezione** (f) (u-na le-tzi-o-ne)
Substantivo masculino/ feminino plural	*i* (i)	**due esami** (*du*-e e-*za*-me) (*dois exames*)/due lezioni (f) (*du*-e le-tzi-o-ne)

Então, as regras são:

» Substantivos femininos normalmente terminam em **a** no singular e em **e** no plural.

» Substantivos masculinos normalmente terminam em **o** no singular e em **i** no plural.

» Há substantivos masculinos e femininos que terminam em **e** no singular e em **i** no plural. Você precisa memorizar o gênero para compreender corretamente.

DICA

Uma dica: qualquer palavra terminada em **–ione** (como **nazione** [na-tzi-o-ne] é feminina.

É mais simples do que você pensava, não? Está preparado para algumas exceções na forma de substantivos invariáveis? Esses substantivos têm apenas uma forma: são iguais tanto no singular quanto no plural. Veja se consegue adivinhar as regras para esses substantivos a seguir.

» **un caffè** (m) (un ka-*fe*) *um café* / **due caffè** (*du*-e ka-*fe*) *dois cafés*

» **un bar** (m) (un bar) *um bar* / **due bar** (*du*-e bar) *dois bares*

» **una bici** (f) (*u*-na *bi*-tchi) *uma bicicleta* / **due bici** (*du*-e *bi*-tchi) *duas bicicletas*

» **uno zoo** (m) (*u*-no dzoo) *um zoológico* / **due zoo** (*du*-eh dzoo) *dois zoológicos*

As regras para os três primeiros tipos de substantivos invariáveis são:

1. Substantivos terminados em vogal tônica, como **caffè** (ka-*fe*) e **città** (tchi-*ta*) (*cidade*), são invariáveis.

2. Substantivos terminados em consoante (são raros!), como **bar** (*bar*) e **film** (*filme*), são invariáveis.

3. Substantivos reduzidos, como **zoo**, **bici**, **radio** (*ra*-di-o) e **cinema** (t*chi*-ne-ma) (*cinema*), são invariáveis.

Artigos indefinidos

Você notou os artigos indefinidos equivalentes a "um" ou "uma" que precedem todos os substantivos previamente mencionados? Eles estão sempre no singular. Em italiano, os artigos indefinidos concordam em gênero. Você deve considerar qual a primeira letra do substantivo que ele precede. A Tabela 2-1 mostra os artigos indefinidos e alguns exemplos.

TABELA 2-1 Artigos Indefinidos (Gli articoli indeterminativi) (lhi ar-ti-*ko*-li in-de-ter-mi-na-*ti*-vi)

Feminino - Femminili (fe-mi-*ni*-li)	Masculino - Maschili (*mas*-ki-li)
una ragazza (*u*-na ra-*ga*-tza) (*uma garota*)	**un ragazzo** (un ra-*ga*-tzo) (*um garoto*)
un'amica (u-na-*mi*-ka) (*uma amiga*)	**un amico** (u-na-*mi*-ko) (*um amigo*)
una zia (*u*-na dzi-a) (*uma tia*)	**uno zio** (*u*-no dzi-o) (*um tio*)
una studentessa (*u*-na stu-den-*te*-sa) (*uma estudante*)	**uno studente** (*u*-no stu-*den*-te) (*um estudante*)

Você reparou as letras iniciais de cada substantivo? Então as regras para os artigos indefinidos são:

» **una** antes de todos os substantivos femininos começados por consoante

» **un'** antes de todos os substantivos femininos começados com vogal

» **un** antes de todos os substantivos masculinos começados com vogais e consoantes

» **uno** antes de todos os substantivos masculinos começados com **s impuro** (s + consoante), **z, gn, ps, st**: **zio** (*dzi*-o) (*tio*); **gnomo** (*nho*-mo) (*gnomo*); **psicologo** (psi-*ko*-lo-go) (*psicólogo*); **studente** (stu-*den*-te) (*estudante*).

Artigos definidos

É claro que não saímos por aí falando de coisas singulares o tempo todo. Assim como o português, o italiano requer um artigo definido antes de um substantivo, na maioria dos casos. Por exemplo, se quiser dizer "A Sicília é interessante", você precisa preceder a palavra Sicília com um artigo: **"La Sicilia è interessante"** (la si-*chi*-li-a e in-te-re-*san*-te). O mesmo serve para os seguintes substantivos: "O amor é cego" (**L'amore è cieco**) (la-*mo*-re e *che*-ko).

A Tabela 2-2 mostra uma lista de artigos que você deve tentar memorizar. Os artigos definidos em italiano concordam em número e gênero com os substantivos que os precedem. Assim como acontece com os artigos indefinidos, a letra que inicia o substantivo também determina qual artigo usar.

TABELA 2-2 **Artigos Definidos (Articoli determinative) (ar-ti-*ko*-li de-ter-mi-na-*ti*-vi)**

Feminino (a)		Masculino (o)	
Singular	Plural	Singular	Plural
l' (*l*)		**lo** (*lo*)	
la (*la*)	**le** (*le*)	**l'**	**gli** (*lhi*)
		il (*il*)	**i** (*i*)

Veja alguns exemplos de artigos definidos. Você consegue identificar um padrão?

la casa/le case (la *ka*-za/le *ka*-ze) (*a casa, as casas*)

l'amica/le amiche (la-*mi*-ka/le a-*mi*-ke) (*a amiga, as amigas*)

il libro/i libri (il *li*-bro/i *li*-bri) (*o livro, os livros*)

lo zio/gli zii (lo *dzi*-o/lhi dzi) (*o tio, os tios*)

lo studente/gli studenti (lo stu-*den*-te/lhi stu-*den*-ti) (*o estudante, os estudantes*)

Veja os dois exemplos a seguir. Os artigos definidos não aparecem na tradução, mas são necessários em italiano:

Gli amici vengono a cena. (lhi a-*mi*-tchi *ven*-go-no a *tche*-na) (*Amigos estão vindo para o jantar.*)

Mi piacciono le lasagne! (mi *pia*-tcho-no le la-*za*-nhe) (*Eu gosto de lasanha!*)

Adjetivos

O recurso de gênero dos substantivos se estende a outras categorias gramaticais, incluindo pronomes e adjetivos. Primeiro vejamos os adjetivos.

Um adjetivo é uma palavra que descreve um substantivo — seja uma pessoa, objeto ou animal — com uma qualidade ou característica. (Saiba mais sobre eles nos capítulos 3, 8 e 16.) Existem dois tipos de adjetivos em italiano: o primeiro tem quatro terminações, e o segundo tem duas.

O primeiro tipo concorda em número e gênero com o substantivo que está modificando, portanto termina em **o**, **a**, **i**, **e**, como mostrado a seguir com o adjetivo **italiano** (i-ta-li-*a*-no) (*italiano*):

> » **il ragazzo italiano** (il ra-*ga*-tzo i-ta-li-*a*-no) (*o rapaz italiano*)
>
> » **i ragazzi italiani** (i ra-*ga*-tzi i-ta-li-*a*-ni) (*os rapazes italianos*)
>
> » **la ragazza italiana** (la ra-*ga*-tza i-ta-li-*a*-na) (*a moça italiana*)
>
> » **le ragazze italiane** (le ra-*ga*-tze i-ta-li-*a*-ne) (*as moças italianas*)

Outros adjetivos típicos com as quatro terminações incluem **spagnolo** (spa--*nho*-lo) e **giallo** (*djia*-lo) (*amarelo*).

O segundo tipo apenas concorda em número (e não em gênero) e termina em **e** no singular e em **i** no plural. O adjetivo **grande** (*gran*-de) (*grande*) é um desses. Eles são válidos tanto para os substantivos masculinos quanto para os femininos. No plural de ambos os gêneros, a terminação muda de -e para -i — por exemplo, **grandi** (*gran*-di) (*grandes*). Outros adjetivos que apenas concordam em número incluem **francese** (fran-*tche*-ze) (*francês/a*) e **verde** (*ver*-de) (*verde*).

> » **l'esame facile** (le-*za*-me fa-*tchi*-le) (*o exame fácil*)
>
> » **gli esami facili** (lhi e-*za*-mi fa-*tchi*-li) (*os exames fáceis*)
>
> » **la prova facile** (la *pro*-va fa-*tchi*-le) (*a prova fácil*)
>
> » **le prove facili** (le *pro*-ve fa-*tchi*-li) (*as provas fáceis*)

Em italiano, a posição do adjetivo não é muito rígida. Na maioria dos casos, o adjetivo segue o substantivo. No entanto, alguns podem preceder o substantivo, como **bello** (*be*-lo) (*belo/bonito*), **buono** (*buo*-no) (*bom*) e **cattivo** (ka-*ti*--vo) (*mau*).

Palavras a Saber

ésame (m)	e-za-me	exame
prova (f)	pro-va	prova
ragazzo/a (m/f)	ra-ga-tzo/a	rapaz/moça
studente (m)	stu-den-te	estudante (masculino)
studentessa (f)	stu-den-te-sa	estudante (feminino)
casa (f)	ka-za	casa
libro (m)	li-bro	livro
amica (f/sing.)	a-mi-ka	amiga
amiche (f/pl)	a-mi-ke	amigas
amico (m/sing)	a-mi-ko	amigo
amici (m/pl)	a-mi-tchi	amigos (plural masculino ou misto)
caffè (m)	ka-fe	café
bici (f)	bi-tchi	bicicleta (bike)

Falando sobre Pronomes

Um pronome representa um nome ou substantivo. Ao falar sobre João, por exemplo, pode-se substituir o nome por **ele**. Costumamos usar os pronomes para evitar repetições.

Pronomes pessoais

Existem diversos tipos de pronomes pessoais. No momento, os mais importantes são os *pronomes do caso reto*: *eu*, *tu* (*você*), *ele/a*, *nós*, *vós* (*vocês*), *eles/as*. Toda forma verbal se refere a um desses pronomes, como mostra a próxima seção. A Tabela 2-3 lista os pronomes do caso reto.

TABELA 2-3 **Pronomes Pessoais do Caso Reto**

Pronome	Pronúncia	Tradução
io	*i-*o	*eu*
tu	tu	*você* (informal)
lui	*lu-*i	*ele*
lei	lei	*ela*
Lei	lei	*Sr./Sra.*
noi	*no-*i	*nós*
voi	*vo-*i	*vocês*
loro	*lo-*ro	*eles/elas*

Os italianos costumam suprimir os pronomes do caso reto, pois a terminação do verbo já mostra quem é o sujeito. Use um pronome pessoal do caso reto apenas para contrastar, enfatizar ou quando o pronome estiver sozinho.

» Contraste: **Tu tifi per il Milan, ma io per la Juventus.** (tu *ti-*fi per il *mi-*lan ma *i-*o per la iu-*ven-*tu) (*Você torce pelo Milan, mas eu torço pelo Juventus.*)

» Ênfase: **Vieni anche tu alla festa?** (*vie-*ni *an-*ke tu *a-*la *fes-*ta) (*Você também vem à festa?*)

» Posição isolada: **Chi è? Sono io.** (ki e *so-*no *i-*o) (*Quem é? Sou eu.*)

O uso do "você": formal e informal

Você provavelmente já sabe que muitos idiomas contêm os modos formal e informal para se dirigir às pessoas. Em italiano é preciso respeitar essa importante característica. Use o informal **tu** (tu) (tu/você) com amigos próximos, jovens, crianças e membros da família. Entretanto, ao falar com pessoas que não conhece bem (chefe, atendentes de loja, garçom, professor etc.), você deve se dirigir de modo formal — ou seja, usando **Lei** (lei) (*Sr./Sra*). Conforme for adquirindo intimidade, passe a usar o modo informal. De acordo com o costume, os mais velhos é que devem iniciar o uso do **tu**.

FALANDO DE GRAMÁTICA

Tu requer a forma verbal da segunda pessoa do singular — por exemplo, **tu sei** (tu sei) (*você é*). **Lei** é a terceira pessoa do singular, **lei è** (lei é) (*você é* [formal singular]).

Os exemplos a seguir mostram as formas de "você":

> » Singular informal: **Ciao, come stai?** (tchi-*a*-o *ko*-me *sta*-i?) (*Olá, como vai você?*)

> » Singular formal: **Buongiorno, come sta?** (bu-on-dji-*or*-no *ko*-me sta) (*Bom dia, como vai?*)

> » Plural informal: **Ciao, come state?** (tchi-*a*-o *ko*-me *sta*-te) (*Olá, como vão vocês?* [ao se digirir a um grupo de pessoas])

Verbos

Parece haver um número infinito de verbos em italiano. Eles parecem ser a cola que liga diferentes partes do discurso. Algumas pessoas tentam se virar usando apenas infinitivos (verbos que não foram conjugados), mas você deve entender e se sentir confiante ao falar. Então aprenda os padrões dos verbos regulares e irregulares neste capítulo (e também no Apêndice A), para poder conhecer os tempos passado, presente e futuro. Conhecê-los dá uma base sólida para construir as sentenças, se comunicar e ser compreendido!

Introdução aos verbos regulares e irregulares

Qual a diferença entre os verbos regulares e irregulares? Os verbos regulares seguem um padrão determinado em sua conjugação: eles se comportam da mesma forma que outros verbos da mesma categoria. Portanto, é possível prever a forma de um verbo regular em qualquer pessoa de qualquer tempo. Por outro lado, não é possível prever verbos irregulares — eles se comportam de maneira singular.

Verbos regulares

É possível dividir os verbos italianos em três categorias, de acordo com a terminação de seu infinitivo. Elas são *-are*, como em **parlare** (par-*la*-re) (*falar*); *-ere*, como em **vivere** (*vi*-ve-re) (*viver*); e *-ire*, como em **partire** (par-*ti*-re) (*partir*). Os verbos nessas categorias podem ser tanto regulares quanto irregulares. Observe os pronomes do caso reto que concordam com os verbos; lembre-se de qual forma você irá precisar.

As próximas tabelas mostram a conjugação de três verbos regulares e a tradução da primeira pessoa do singular:

Conjugação	Pronúncia	Tradução
parlare	par-*la*-re	*falar*
io parlo	*i*-o par-lo	*eu falo*
tu parli	tu *par*-li	*tu falas (você fala)*
lui/lei/Lei parla	*lu*-i/lei/lei par-la	*ele/ela/o Sr./a Sra. fala*
noi parliamo	*no*-i par-li-*a*-mo	*nós falamos*
voi parlate	*vo*-i par-*la*-te	*vós falais (vocês falam)*
loro parlano	*lo*-ro par-*la*-no	*eles/elas falam*
vivere	*vi*-ve-re	*viver*
io vivo	*i*-o *vi*-vo	*eu vivo*
tu vivi	tu *vi*-vi	*tu vives (você vive)*
lui/lei/Lei vive	*lu*-i/lei/lei *vi*-vi	*ele/ela/o Sr./a Sra. vive*
noi viviamo	*no*-i vi-vi-*a*-mo	*nós vivemos*
voi vivete	*vo*-i vi-*ve*-te	*vós viveis (vocês vivem)*
loro vivono	*lo*-ro *vi*-vo-no	*eles/elas vivem*
partire	par-*ti*-re	*partir*
io parto	*i*-o *par*-to	*eu parto*
tu parti	tu *par*-ti	*tu partes (você parte)*
lui/lei/Lei parte	*lu*-i/lei/lei *par*-te	*ele/ela/o Sr./a Sra. parte*
noi partiamo	*no*-i par-ti-*a*-mo	*nós partimos*
voi partite	*vo*-i par-*ti*-te	*vós partis (vocês partem)*
loro partono	*lo*-ro *par*-to-no	*eles partem*

É possível aplicar esses padrões a todos os verbos regulares, como **mangiare** (man-*djia*-re) (*comer*), **giocare** (djio-*ka*-re) (*jogar*), **ripetere** (ri-*pe*-te-re) (*repetir*), **prendere** (*pren*-de-re) (*pegar*) e **aprire** (a-*pri*-re) (*abrir*). Alguns verbos regulares se comportam um pouco diferente, mas isso não os torna irregulares. Em alguns casos — por exemplo, verbos terminados em **−ire** — inserem-se as letras **−isc** entre a raiz e a terminação, como nesse exemplo de **capire** (ka-*pi*-re) (*entender/compreender*):

Conjugação	Pronúncia	Tradução
io capisco	*i*-o ka-*pis*-ko	*eu entendo*
tu capisci	tu ka-*pi*-chi	*tu entendes (você entende)*
lui/lei/Lei capisce	*lu*-i/lei/lei ka-*pi*-che	*ele/ela/o Sr/a Sra. entende*
noi capiamo	*no*-i ka-pi-*a*-mo	*nós entendemos*
voi capite	*vo*-i ka-*pi*-te	*vós entendeis (você entedem)*
loro capiscono	*lo*-ro ka-*pis*-ko-no	*eles entendem*

Outros que seguem este padrão são **finire** (fi-*ni*-re) (*finalizar*) e **preferire** (pre--fe-*ri*-re) (*preferir*). Para mais verbos que seguem o padrão **isc**, veja o Apêndice A.

Verbos irregulares

Dois verbos importantes usados como verbos auxiliares são irregulares: **avere** (a-*ve*-re) (*haver/ter*) e **essere** (e-se-re) (*ser*).

Conjugação	Pronúncia	Tradução
avere	a-*ve*-re	*haver/ter*
io ho	*i*-o o	*eu tenho*
tu hai	tu *ai*	*tu tens (você tem)*
lui/lei/Lei ha	*lu*-i/lei a	*ele/ela/o Sr./a Sra. tem*
noi abbiamo	*no*-i a-bi-*a*-mo	*nós temos*
voi avete	*vo*-i a-*ve*-te	*vós tendes (vocês tem)*
loro hanno	*lo*-ro *a*-no	*eles têm (vocês têm)*
essere	e-se-re	*ser*
io sono	*i*-o *so*-no	*eu sou*
tu sei	tu sei	*tu és (você é)*
lui/lei/Lei è	*lu*-i/lei e	*ele é*
noi siamo	*no*-i si-*a*-mo	*nós somos*
voi siete	*vo*-i si-e-te	*vós sois (vocês são)*
loro sono	*lo*-ro *so*-no	*eles são*

Tendo uma Conversa

Cindy está visitando Florença pela primeira vez. Ela se perdeu e pede informações a um guarda de trânsito para encontrar seu hotel. (Faixa 3)

Cindy:	**Scusi, ho una domanda.**
	sku-zi o *u*-na do-*man*-da
	Com licença, tenho uma pergunta.

	Parla inglese?
	par-la in-*gle*-ze
	Você fala inglês?

Guarda:	**No, ma Lei parla italiano!**
	no ma lei *par*-la i-ta-li-*a*-no
	Não, mas você fala italiano!

Cindy:	**Parlo poco ma capisco di più.**
	par-lo *po*-ko ma ka-*pis*-ko di piu
	Falo um pouco, mas entendo mais.

	Mi sono persa.
	mi *so*-no *per*-sa
	Estou perdida.

Guarda:	**Dove deve andare?**
	do-ve *de*-ve an-*da*-re
	Para onde quer ir?

Cindy:	**Non posso trovare il mio albergo.**
	non *po*-so tro-*va*-re il *mi*-o al-*ber*-go
	Não consigo encontrar meu hotel.

Guarda:	**Ha una piantina di Firenze?**
	a *u*-na pian-*ti*-na di fi-*ren*-ze
	Você tem um mapa de Florença?

Cindy:	**Sì eccola qua.**
	si *e*-ko-la kua
	Sim, aqui está.

Ecco! (*e*-ko) *Aqui está! Pronto!* é usado apenas quando se está apontando para uma coisa. É possível usá-lo também com um pronome de caso oblíquo: **"Dov' è la mia borsa?" "Eccola!"** (do-*ve* la *mi*-a *bor*-sa *e*-ko-la) (*Onde está minha bolsa? Aqui está ela!*). **"Gigio, dove sei?" "Eccomi!"** (*dji*-djio do-*ve* sei *e*-ko-mi) (*Gigio, onde você está? Estou aqui!*)

É comum ouvir a expressão em um hotel: **Ecco la sua chiave** (*e*-ko la *su*-a *kia*-ve) (*Aqui está sua chave!*). E em uma cafeteria: **Ecco i due cappucini!** (*e*-ko i *du*-e ka-pu-*tchi*-ni) (*Aqui estão os dois cappuccinos!*)

Usos idiomáticos de *avere*

Embora o verbo *avere* signifique ter/haver, com o sentido de possuir, ele costuma ser usado como quando usamos o verbo "estar" em português (estar com fome, estar com sede, estar com calor, estar com frio). Em italiano, essas expressões significam literalmente ter fome, ter sede, ter calor, ter frio. A Tabela 2-4 enumera algumas expressões idiomáticas comuns com *avere*.

TABELA 2-4   Usos Idiomáticos de *Avere*

Expressão	Pronúncia	Tradução
avere fame	a-*ve*-re *fa*-me	*estar com fome*
avere sete	a-*ve*-re *se*-te	*estar com sede*
avere caldo	a-*ve*-re *kal*-do	*estar com calor*
avere freddo	a-*ve*-re *fre*-do	*estar com frio*
avere sonno	a-*ve*-re *so*-no	*estar com sono*
avere voglia di	a-*ve*-re *vo-lhi*-a di	*estar com vontade de*
avere bisogno di	a-*ve*-re bi-*zo*-nho di	*precisar*
avere torto	a-*ve*-re *tor*-to	*estar errado*
avere ragione	a-*ve*-re ra-dji-o-ne	*estar certo*
avere anni	a-*ve*-re *a*-ni	*ter certa idade*

Outros verbos irregulares comuns são **andare** (an-*da*-re) (*ir*), **venire** (ve-*ni*-re) (*vir*), **dire** (*di*-re) (*dizer/contar*), **fare** (*fa*-re) (*fazer*), **dare** (*da*-re) (*dar*) e **uscire** (u-*chi*-re) (*sair*):

Conjugação	Pronúncia	Tradução
andare	an-*da*-re	*ir*
io vado	*i*-o *va*-do	*eu vou*
tu vai	tu vai	*tu vais (você vai)*
lui/lei/Lei va	*lu*-i/lei/lei va	*ele/ela/o Sr./a Sra/ vai*
noi andiamo	noi an-*di-a*-mo	*nós vamos*
voi andate	voi an-*da*-te	*vós ides (vocês vão)*

(continua)

Conjugação	Pronúncia	Tradução
loro vanno	*lo*-ro *va*-no	*eles vão*
venire	ve-*ni*-re	*vir*
io vengo	*i*-o *ven*-go	*eu venho*
tu vieni	tu *vie*-ni	*tu vens (você vem)*
lui/lei/Lei viene	lu-i/lei/lei *vie*-ne	*ele/ela/o Sr./a Sra. vem*
noi veniamo	noi ve-ni-*a*-mo	*nós vimos*
voi venite	voi ve-*ni*-te	*vós vendes (vocês vêm0*
loro vengono	*lo*-ro *ven*-go-no	*eles vêm*
dire	*di*-re	*dizer/contar*
io dico	*i*-o *di*-ko	*eu digo*
tu dici	tu *di*-tchi	*tu dizes (você diz)*
lui/lei/Lei dice	lu-i/lei/lei *di*-tche	*ele/ela/o Sr./a Sra. diz*
noi diciamo	noi di-*tcha*-mo	*nós dizemos*
voi dite	voi *di*-te	*vós dizeis (vocês dizem)*
loro dicono	*lo*-ro di-*ko*-no	*eles dizem*
fare	*fa*-re	*fazer*
io faccio	*i*-o *fa*-tchio	*eu faço*
tu fai	tu fai	*tu fazes (você faz)*
lui/lei/Lei fa	lu-i/lei/lei fa	*ele/ela/o Sr./a Sra. faz*
noi facciamo	noi fa-tchi-*a*-mo	*nós fazemos*
voi fate	voi *fa*-te	*vós fazeis (vocês fazem)*
loro fanno	*lo*-ro *fa*-no	*eles fazem*

Assim como o verbo **avere**, a Tabela 2-5 mostra alguns usos idiomáticos interessantes do verbo **fare** (*fazer*) que não podem ser traduzidos literalmente.

TABELA 2-5   ## Usos Idiomáticos de *Fare*

Expressão	Pronúncia	Tradução
fare domanda	*fa*-re do-*man*-da	*candidatar-se a um emprego ou a uma universidade*
fare una domanda	*fa*-re *u*-na do-*man*-da	*fazer uma pergunta*
fare una passeggiata	*fa*-re *u*-na pa-se-dji-*a*-ta	*dar um passeio*
fare una pausa	*fa*-re *u*-na *pau*-za	*fazer uma pausa*
fa bel/cattivo tempo	*fa* bel/ ka-*ti*-vo *tem*-po	*fazer bom/mau tempo (clima)*
fa caldo/freddo	*fa kal*-do/ *fre*-do	*fazer calor ou frio*
fare un giro	*fa*-re un *dji*-ro	*dar uma volta*
fare fotografie	*fa*-re fo-to-gra-*fi*-e	*tirar fotografias*

Depois, temos mais alguns verbos irregulares muito comuns que é melhor memorizar.

Conjugação	Pronúncia	Tradução
dare	*da*-re	*dar*
io do	*i*-o do	*eu dou*
tu dai	tu dai	*tu dás (você dá)*
lui/lei/Lei dà	*lu*-i/lei/lei da	*ele/ela/o Sr./a Sra. dá*
noi diamo	noi di-*a*-mo	*nós damos*
voi date	voi *da*-te	*vós dais (vocês dão)*
loro danno	*lo*-ro *da*-no	*eles dão*

Da mesma forma, o verbo **dare** (*dar*) tem alguns usos idiomáticos. Por exemplo, em vez de dizer que "fará um exame", você deve dizer **dare un esame** (*da*-re un e-*za*-me).

Conjugação	Pronúncia	Tradução
uscire	u-*chi*-re	*sair*
io esco	*i*-o *es*-ko	*eu saio*
tu esci	tu *e*-chi	*tu sais (você sai)*
lui/lei/Lei esce	*lu*-i/lei/lei *e*-che	*ele/ela/o Sr./a Sra. sai*
noi usciamo	noi u-chi-*a*-mo	*nós saímos*

(continua)

Conjugação	Pronúncia	Tradução
voi uscite	voi u-*chi*-te	*vós saís (vocês saem)*
loro escono	*lo*-ro es-ko-no	*eles saem*

Tendo uma Conversa

Fabio ligou para Giacomo para conversar e colocar as novidades em dia. (Faixa 4)

Fabio: **Ciao, Giacomo, sono Fabio.**
tcha-o dji-*a*-ko-mo *so*-no *fa*-bi-o
Olá, Giacomo, é o Fábio.

Giacomo: **Uè, Fabio, come va?**
u-*e fa*-bi-o *ko*-me va
Ei, Fabio, como vai?

Fabio: **Benone! Studio molto in questi giorni.**
be-*no*-ne *stu*-di-o *mol*-to in *ku-es*-ti-dji-*or*-ni
Ótimo! Estou estudando muito esses dias.

Giacomo: **Dai l'esame di filozofia lunedì?**
dai le-*za*-me di fi-lo-zo-*fi*-a lu-ne-*di*
Você vai fazer o exame de filosofia na segunda-feira?

Fabio: **Si, e ho ancora 120 pagine da leggere.**
si e o an-*ko*-ra *tchen*-to-*ven*-ti *pa*-dji-ne da *le*-dje-re
Sim, e ainda tenho 120 páginas para ler.

Ma ho bisogno di fare una pausa, di uscire.
ma o bi-*zo*-nho di *fa*-re *u*-na *pau*-za di u-*chi*-re
Mas hoje eu preciso fazer uma pausa e sair.

Cosa fai stasera?
ko-za fai sta-*se*-ra
O que você vai fazer hoje à noite?

Giacomo: **Esco con Anna.**
es-ko kon *a*-na
Vou sair com a Anna.

Fabio: **Dove andate?**
do-ve an-*da*-te
Aonde vocês vão?

Giacomo: **Se fa bello, andiamo a mangiare in collina.**
se fa *be*-lo an-di-*a*-mo a man-*djia*-re in ko-*li*-na
Se fizer tempo bom, vamos jantar no campo. (Lit: na colina, na serra)

Perchè non venite anche tu e Daniela?
per-*ke* non ve-*ni*-te *an*-ke tu e da-ni-*e*-la
Por que você e a Daniela não vão?

Fabio:	**Buon'idea!**
	bu-o-ni-*de*-a
	Boa ideia!

Vedo cosa dice Daniela e ti richiamo fra mezz'ora.
ve-do *ko*-za *di*-tche da-ni-*e*-la e ti ri-ki-*a*-mo fra me-*tzo*-ra
Vou ver o que a Daniela acha e ligo para você em meia hora.

Giacomo:	**D'accordo. Ciao a dopo!**
	da-*kor*-do *tcha*-o a *do*-po
	Certo, falo com você mais tarde!

Fabio:	**Ciao!**
	tcha-o
	Tchau!

Dever, querer, poder

Os verbos modais são uma espécie de verbos auxiliares. Eles são três — **dovere** (do-*ve*-re) (*dever*), **volere** (vo-*le*-re) (*querer*), **potere** (po-*te*-re) (*poder*) — e, quando conjugados, os verbos que vêm depois aparecem no infinitivo. Por exemplo:

» **Devo fare la spesa.** (*de*-vo *fa*-re la *spe*-za) *Preciso fazer compras (comida).*

» **Voglio dormire!** (*vo*-lhi-o dor-*mi*-re) *Quero dormir!*

» **Posso andare a bere?** (*po*-so an-*da*-re a *be*-re) *Posso ir pegar uma bebida?*

Conjugação	Pronúncia	Tradução
dovere	do-*ve*-re	*dever*
io devo	*i*-o *de*-vo	*eu devo*
tu devi	tu *de*-vi	*tu deves (você deve)*
lui/lei/Lei deve	*lu*-i/lei/lei *de*-ve	*ele/ela/o Sr./a Sra. deve*
noi dobbiamo	noi do-bi-*a*-mo	*nós devemos*
voi dovete	voi do-*ve*-te	*vós deveis (vocês devem)*
loro devono	*lo*-ro *de*-vo-no	*eles devem*
volere	vo-*le*-re	*querer*
io voglio	*i*-o *vo*-lhi-o	*eu quero*

(continua)

Conjugação	Pronúncia	Tradução
tu vuoi	tu vuoi	*tu queres (você quer)*
lui/lei/Lei vuole	*lu*-i/lei/lei vu-*o*-le	*ele/ela/o Sr./a Sra. quer*
noi vogliamo	noi vo-lhi-*a*-mo	*nós queremos*
voi volete	voi vo-*le*-te	*vós quereis (vocês querem)*
loro vogliono	*lo*-ro vo-lhi-*o*-no	*eles querem*
potere	po-*te*-re	*poder*
io posso	*i*-o *po*-so	*eu posso*
tu puoi	tu pu-oi	*tu podes (você pode)*
lui/lei/Lei può	*lu*-i/lei/lei puo	*ele pode*
noi possiamo	noi po-si-*a*-mo	*nós podemos*
voi potete	voi po-*te*-te	*vós podeis (vocês podem)*
loro possono	*lo*-ro *po*-so-no	*eles podem*

Apresentando os Tempos Simples: Passado, Presente e Futuro

As pessoas não usam apenas o tempo presente para falar. Às vezes é necessário relatar o que foi feito ontem ou planejar o que se fará amanhã. Esses três tempos (passado, presente e futuro) não são gramática muito sofisticada — apenas o básico.

» **Ieri ho mangiato un gelato.** (*ie*-ri o man-dji-*a*-to un dje-*la*-to) (*Ontem eu tomei um sorvete.*)

» **Mangio un gelato.** (*man*-dji-o un dje-*la*-to) (*Tomo um sorvete.*)

» **Domani mangerò un gelato.** (do-*ma*-ni man-dje-*ro* un dje-*la*-to) (*Amanhã tomarei um sorvete.*)

Você verá mais desses tempos no Capítulo 10 (presente perfeito) e no Capítulo 12 (futuro).

Tendo uma Conversa

Emilia e Cristina são duas estudantes que caminham pela primeira vez da nova escola para casa.

Cristina: **Ho una nuova bici rossa!**
o *u*-na nu-*o*-va *bi*-tchi *ro*-sa
Eu tenho uma bicicleta vermelha nova!

Emilia: **La mia è sempre quella veccchia.**
la *mi*-a e *sem*-pre *kue*-la *ve*-ki-a
Eu ainda tenho a minha velha.

Cristina: **Quella azzurra? È carina.**
kue-la a-*dzu*-ra e ka-*ri*-na
A azul? Ela é bonita.

Mi piacciono i miei nuovi insegnanti.
mi pi-*a*-tcho-no i mi-ei *nu*-*o*-vi in-se-*nhan*-ti
Eu gosto dos meus novos professores.

Emilia: **Quanti anni ha la tua nuova insegnante di matematica?**
kuan-ti *a*-ni a la *tu*-a nu-*o*-va in-se-*nhan*-te di ma-te-*ma*-ti-ka
Quantos anos tem a sua nova professora de matemática?

Cristina: **Non lo so. Forse quaranta.**
non lo so *for*-se kua-*ran*-ta
Eu não sei. Talvez 40.

È brava!
e *bra*-va
Ela é boa!

Emilia: **Anch'io sono contenta della nuova scuola.**
an-*ki*-o *so*-no kon-*ten*-ta *de*-la nu-*o*-va *sku*-*o*-la
Também estou feliz com a nova escola.

Vuoi fare un giro in centro?
vu-oi *fa*-re un *dji*-ro in *tchen*-tro
Você quer dar uma volta no centro?

Cristina: **Sì ma dobbiamo metterci il casco.**
si ma do-bi-*a*-mo *me*-ter-tchi il *kas*-ko
Sim, mas teremos que usar nossos capacetes.

Emilia: **Va bene.**
va *be*-ne
Certo.

Ce l'ho qua.
tche lo kua
Ele está aqui.

Cristina: **Dove andiamo?**
do-ve an-di-*a*-mo
Aonde vamos?

Emilia:	**Ho fame! Pizza o gelato?**
	o *fa*-me *pi*-tza o dje-*la*-to
	Estou com fome! Pizza ou sorvete?
Cristina:	**Gelato, naturalmente!**
	dje-*la*-to na-tu-ral-*men*-te
	Sorvete, claro!
Emilia:	**Andiamo!**
	an-di-*a*-mo
	Vamos!

Palavras a Saber

albergo	al-<u>ber</u>-go	hotel
piantina	pi-an-<u>ti</u>-na	mapa
mi sono persa	mi <u>so</u>-no <u>per</u>-sa	estou perdida
casco	<u>kas</u>-co	capacete
gelato	dje-<u>la</u>-to	sorvete
insegnante	in-se-<u>nhan</u>-te	professor
va bene	va <u>be</u>-ne	certo/está bem
d'accordo	da-<u>kor</u>-do	certo/concordo
ciao	<u>tcha</u>-o	oi/tchau
mi piace	mi pi-<u>a</u>-tche	eu gosto (algo no singular)
mi piacciono	mi pi-<u>a</u>-tcho-no	eu gosto (algo no plural)
anch'io	an-<u>ki</u>-o	eu também
pausa	<u>pau</u>-za	pausa
domanda	do-<u>man</u>-da	pergunta
stasera	sta-<u>se</u>-ra	esta noite
dove	<u>do</u>-ve	onde
quanti anni ha	ku-<u>an</u>-ti <u>a</u>-ni a	quantos anos tem . . . ?

Diversão & Jogos

A seguir você encontrará diversas palavras em italiano que conheceu neste capítulo. Encontre e circule as palavras da lista! As respostas estão no Apêndice D.

```
A   R   Q   D   R   P   U   F   C   M   N   D
V   O   L   E   R   E   A   A   T   G   H   O
E   S   A   D   H   C   O   M   L   Z   E   V
R   S   D   B   I   F   E   E   S   A   M   E
E   O   I   L   P   A   R   T   I   R   E   R
T   B   E   W   E   R   N   R   D   I   R   E
O   D   A   L   B   E   R   G   O   E   S   T
Z   S   M   Q   C   F   V   G   V   S   L   R
I   C   I   B   A   X   E   T   E   S   U   M
O   A   C   S   R   Z   K   R   D   E   B   O
T   P   A   U   S   A   E   U   P   R   A   D
U   I   T   A   L   I   A   N   O   E   J   L
F   R   A   G   A   Z   Z   A   N   T   K   A
Y   E   N   D   Q   U   A   L   R   I   L   C
```

albergo	facile
amica	fame
avere	fare
bici	italiano
caldo	partire
capire	pausa
dire	ragazza
dove	rosso
dovere	sete
esame	volere
essere	zio

Capítulo 3

Buongiorno! Saudações!

Buongiorno! (buon-*djior*-no) (*Olá!*)

Sabe quantas vezes você diz "olá" em um único dia? Provavelmente com uma frequência maior do que percebe. Ao interagir com as pessoas, a conexão costuma ser iniciada com um cumprimento — e esse cumprimento pode ter um grande impacto na primeira impressão. Este capítulo explica como cumprimentar e se despedir e como complementar um cumprimento com uma conversa básica.

Saudações e Despedidas Comuns

Os italianos gostam de contato direto e de conhecer pessoas novas. Costumam ser extrovertidos e receptivos com quem tenta falar seu idioma. Além disso, tendem a ser bastante respeitosos e educados.

Antes de entender a forma de cumprimentar pessoas em italiano, você deve se familiarizar com as saudações e as despedidas mais comuns. Por exemplo:

>> **Ciao** (*tcha*-o) *Oi e tchau: informal*

Ciao, Claudio (*tcha*-o *klau*-di-o) *Oi, Claudio! Tchau, Claudio!*

>> **Salve** (*sal*-ve) *Oi e tchau: neutro, mais formal que o "Ciao!"*

Salve ragazzi! (*sal*-ve ra-*ga*-tzi) *Oi, pessoal!*

Salve é um vestígio do latim. Na época de César, os romanos usavam muito.

>> **Buongiorno** (buon-*djior*-no) *Bom dia: formal*

Buongiorno, signora Bruni! (buon-*djior*-no si-*nho*-ra *bru*-ni) *Bom dia, Sra. Bruni!*

Buongiorno é o cumprimento mais formal. Sempre que estiver em dúvida, use essa palavra. **Buongiorno** também pode ser usado para se despedir. Escuta-se frequentemente ao deixar uma loja italiana.

>> **Buonasera** (buo-na *se*-ra) *Boa tarde, boa noite: formal*

Buonasera, signor Rossi! (buo-na *se*-ra si-*nhor ro*-si) *Boa tarde, Sr. Rossi!*

Usa-se **buonasera** após as duas da tarde, tanto para cumprimentar quanto para se despedir. Preocupe-se apenas com o horário!

>> **Buonanotte** (buo-na-*no*-te) *Boa noite!* (Usado apenas ao partir ou ao ir dormir)

Buonanotte ragazzi! (buo-na-*no*-te ra-*ga*-tzi) *Boa noite, rapazes!*

>> **Buona giornata!** (buo-na djior-*na*-ta) *Tenha um bom dia!*

Usa-se essa frase quando se está partindo ou ao se despedir de alguém ao telefone.

>> **Buona serata!** (buo-na se-*ra*-ta) *Tenha uma boa noite!*

Assim como **buona giornata**, **buona serata** é usado quando se está partindo ou ao se despedir ao telefone, caso a pessoa seja sua amiga. Segundo o costume italiano, **buona serata** é usado após as duas da tarde.

> » **Arrivederci** (a-ri-ve-*der*-tchi) (*Até logo*)
>
> **Arrivederci, signora Eva!** (a-ri-ve-*der*-tchi si-*nho*-ra e-va) *Até logo, Sra. Eva!*

Decidindo entre ser formal ou informal

No Capítulo 2 mostramos que, quando se usa "você", existem algumas diferenças entre o uso dos pronomes **tu**, **voi**, **Lei** e **Loro** e os verbos.

LEMBRE-SE

Uma importante característica da cultura italiana é que há duas maneiras diferentes de se dirigir às pessoas.

> » Usa-se a maneira formal — **Lei** (lei) (*Sr./Sra.*) — ao se dirigir a desconhecidos: em relações de negócios ou profissionais (garçons, lojistas), agentes públicos e pessoas acima de você na hierarquia, como supervisores, professores, instrutores, idosos e assim por diante. (Com crianças ou entre jovens usa-se a maneira informal **tu**).
>
> » Quando se conhece melhor alguém, dependendo de seu relacionamento, é possível mudar para o modo informal — **tu** (tu) (*você*). Também se usa o informal com membros da família, amigos e, como já mencionado, com crianças.

Respondendo a uma saudação

Ao responder a uma saudação em português, geralmente se pergunta "Tudo bem?" como forma de dizer "oi" — não se espera uma resposta. Em italiano, porém, você deve responder. A seguir, seguem formas comuns de responder a saudações específicas.

Saudação formal e resposta

Saudação: **Buongiorno, signora, come sta?**
buon-*djior*-no si-*nho*-ra *ko*-me sta
Olá, senhora, como vai?

Resposta: **Benissimo, grazie, e Lei?**
be-*ni*-si-mo *gra*-tzie e lei
Muito bem, obrigada. E a senhora?

Saudação informal e resposta

Saudação: **Ciao, Roberto, come stai?**
tcha-o ro-*ber*-to *ko*-me *stai*
Oi, Roberto, como vai?

Resposta: **Bene, grazie, e tu?**
be-ne *gra*-tzie e *tu*
Bem, obrigado. E você?

Outra saudação típica, embora informal, e a resposta

Saudação: **Come va?**
ko-me *va*
Como estão as coisas?

Resposta: **Non c'è male.**
Non tche *ma*-le
Nada mal.

Especificando o reencontro

Às vezes, você quer dizer mais do que apenas tchau e especificar quando irão se encontrar outra vez. As expressões a seguir são comuns e podem ser usadas isoladamente como despedida:

A presto! (a *pres*-to) (*Até breve!*)

A dopo! (a *do*-po) (*Até mais tarde!*)

A domani! (a do-*ma*-ni) (*Até amanhã!*)

Ci vediamo! (tchi ve-di-*a*-mo) (*Até mais!*)

É possível combinar **Ci vediamo** com outras frases. Por exemplo:

Ci vediamo presto! (tchi ve-di-*a*-mo *pres*-to) (*Vejo você em breve!*)

Ci vediamo dopo! (tchi ve-di-*a*-mo *do*-po) (*Vejo você mais tarde!*)

Ci vediamo domani! (tchi ve-di-*a*-mo do-*ma*-ni) (*Vejo você amanhã!*)

Apresentações

É importante ser capaz de se apresentar a alguém e de responder a perguntas sobre você e de onde vem.

SABEDORIA CULTURAL

Uma consideração importante é usar o primeiro nome ou o sobrenome, bem como registros formais ou informais. Em uma situação profissional, normalmente se usa o sobrenome; já em reuniões particulares, as pessoas costumam dizer o primeiro nome. O fato de alguém lhe dar o primeiro nome, porém, não significa que você deve se dirigir a ele com o informal **tu** (tu) (*você*); é bastante comum usar o primeiro nome como um modo de tratamento formal. Geralmente, a pessoa mais velha é que propõe trocar o modo de tratamento de formal para informal.

Apresentando-se

Queremos apresentar a você um verbo reflexivo importante, **chiamarsi** (ki-a--mar-si) (*chamar-se*), usado para se apresentar e perguntar os nomes dos outros. Aqui está a conjugação do verbo no tempo presente:

Conjugação	Pronúncia	Tradução
mi chiamo	mi ki-*a*-mo	*Meu nome é*
ti chiami	ti ki-*a*-mi	*Seu nome é*
si chiama	si ki-*a*-ma	*O nome dela/dele/Seu nome é*
ci chiamiamo	tchi ki-a-mi-*a*-mo	*Nossos nomes são*
vi chiamate	vi ki-a-*ma*-te	*Seus nomes são*
si chiamano	si ki-a-*ma*-no	*Os nomes deles/as são*

Pratique estes exemplos com o verbo **chiamarsi**. Se você mudar a entonação e a ordem das palavras, poderá perguntar o nome de alguém em vez de apenas dizê-lo.

> » **Ciao (ou Buongiorno), mi chiamo Eva.** (*tcha*-o [Buon-*djior*-no] mi ki-*a*-mo e-va) (*Olá, eu me chamo Eva*)

> » **E tu, come ti chiami?** (e tu *ko*-me ti ki-*a*-mi) (*E você, como se chama?*)

> » **Lei si chiama?** (lei si ki-*a*-ma) (*Como você se chama?*)

> » **Piacere!** (pia-*tche*-re) (com um rápido aperto de mãos) é uma forma de dizer: *Prazer!*

DICA

Como em português, também é possível apresentar-se dizendo simplesmente seu nome: **Io sono Pietro** (*i*-o *so*-no pi-e-tro) (*Eu sou Pietro*). Você também pode apenas dizer o seu nome, sem o "Mi chiamo" (mi ki-*a*-mo) (*Eu me chamo/Meu nome é*) ou com o verbo conjugado "Sono" (*so*-no) (*sou*), como no exemplo do diálogo a seguir.

Tendo uma Conversa

As pessoas neste diálogo são colegas que vão trabalhar em um mesmo projeto. Eles se apresentam um ao outro.

Sr. Messa: **Carlo Messa, piacere!**
kar-lo *me*-sa pia-*tche*-re
Carlo Messa, prazer!

Sr. Rossi: **Piacere, Marco Rossi.**
pia-*tche*-re *mar*-ko *ro*-si
Prazer, Marco Rossi.

Sra. Pertini: **Piacere, sono Paola Pertini.**
pia-*tche*-re *so*-no pa-*o*-la per-*ti*-ni
Prazer, sou Paola Pertini.

Sra. Salvi: **Lieta di conoscerla, Anna Salvi.**
li-*e*-ta di ko-*no*-cher-la *a*-na *sal*-vi
Prazer em conhecê-la, Anna Salvi.

Sr. Melis: **Mi chiamo Carlo Melis, piacere.**
mi ki-*a*-mo *kar*-lo *me*-lis pia-*tche*-re
Meu nome é Carlo Melis, prazer.

Sr. Foschi: **Molto lieto, Silvio Foschi.**
mol-to li-*e*-to *sil*-vi-o *fos*-ki
Muito prazer, Silvio Foschi.

Crianças e jovens dispensam a cerimônia e se apresentam de forma mais casual, embora ainda de forma gentil:

Ciao! Sono Giulio.

tchia-o so-no *djiu*-lio

Oi! Sou Giulio.

E io sono Giulia, piacere.

e *i*-o *so*-no *djiu*-lia pia-*tche*-re

E eu sou Giulia, prazer.

O próximo exemplo oferece uma apresentação bastante informal, usada apenas em uma situação bem casual, como na praia ou no clube:

Come ti chiami?

ko-me ti ki-*a*-mi

Como você se chama?

Chiara. E tu?

ki-*a*-ra e tu

Chiara. E o seu?

Amedeo.

a-me-*de*-o

Amedeo.

Tendo uma Conversa

Agora ouça dois jovens se apresentando em um cenário menos formal. Mario entra em uma cafeteria e vai até a mesa ocupada por outra pessoa, Patrizia.

Mario: **È libero?**
e *li*-be-ro
Está desocupado?

Patrizia: **Sì.**
si
Sim.

Mario: **Grazie. Scusa, ma non sei la sorella di Gianni?**
gra-tzie *sku*-za ma non sei la so-*re*-la di *djia*-ni
Obrigado. Desculpe, mas você não é a irmã do Gianni?

Patrizia: **Sì.**
si
Sim.

Mario:	**Mi chiamo Mario.** mi ki-*a*-mo *ma*-ri-o Meu nome é Mario.
	Gioco a calcio con Gianni. *djio*-ko a *kal*-tchio kon *djia*-ni Jogo futebol com Gianni.
Patrizia:	**Ciao, io sono Patrizia.** tchi-*a*-o i-o *so*-no pa-*tri*-dzi-a Oi, meu nome é Patrícia.
Mario:	**Ti disturbo?** ti dis-*tur*-bo Estou atrapalhando?
Patrizia:	**No, per niente.** no per ni-*en*-te. Não, de forma alguma.
	Sto aspettando due amici. sto as-pe-*tan*-do *du*-e a-*mi*-tchi Estou esperando dois amigos

Apresentando outras pessoas

Às vezes é necessário não apenas dizer o próprio nome, mas também apresentar alguém a seus amigos ou a outras pessoas.

O vocabulário a seguir pode ser útil para apresentações. Com ele, é possível indicar o relacionamento entre você e a pessoa que está sendo apresentada. Apontar para a pessoa e simplesmente dizer **mio fratello** significa, de um jeito bem simples, "Este é meu irmão".

» **mio fratello** (*mi*-o fra-*te*-lo) (*meu irmão*)

» **mia sorella** (*mi*-a so-*re*-la) (*minha irmã*)

» **mia figlia** (*mi*-a *fi*-lhi-a) (*minha filha*)

» **mio figlio** (*mi*-o *fi*-lhi-o) (*meu filho*)

» **mio marito** (*mi*-o ma-*ri*-to) (*meu marido*)

» **mia moglie** (*mi*-a mo-*lhi*-e) (*minha esposa*)

» **mia madre** (*mi*-a *ma*-dre) (*minha mãe*)

» **mio padre** (*mi*-o *pa*-dre) (*meu pai*)

- » **la mia amica/il mio amico** (la *mi*-a a-*mi*-ka/il *mi*-o a-*mi*-ko) *(minha amiga/meu amigo)*; pode significar "namorada/namorado"

- » **la mia ragazza/il mio ragazzo** (la *mi*-a ra-*ga*-tza/il *mi*-o ra-*ga*-tzo) *(minha namorada/meu namorado)*

- » **la mia fidanzata/il mio fidanzato** (la *mi*-a fi-dan-*dza*-ta/il *mi*-o fi-dan-*dza*-to) *(minha noiva/meu noivo)*

- » **il mio collega** (il *mi*-o ko-*le*-ga) *(meu colega)*

- » **la mia collega** (la *mi*-a ko-*le*-ga) *(minha colega)*

Para ficar mais fácil, damos aqui a conjugação do verbo **presentare** (pre-zen--*ta*-re) *(apresentar)*. Veja o Capítulo 2 para saber mais sobre conjugações de verbos terminados em **–are**.

Ti presento mia moglie, Teresa.	(ti pre-*zen*-to *mi*-a *mo*-lhie te-*re*-sa) *(Deixe-me apresentar minha mulher/ esposa, Teresa. [informal])*
Le presento mia suocera, Mary.	(le pre-*zen*-to *mi*-a *suo*-tche-ra ma-ri) *(Deixe-me apresentar minha sogra, Mary. [formal])*

Tendo uma Conversa

ÁUDIO

O diálogo a seguir, que representa uma ocasião formal, contém algumas expressões típicas usadas durante apresentações. Aqui, a Sra. Ponti apresenta um novo colega a seus colegas de trabalho. Observe a abreviação de "signora". (Faixa 5)

Sig.ra Ponti:	**Buonasera, signor Bruni... Signor Bruni, le presento il signor Rossi.** buo-na *se*-ra si-*nhor* bru-ni... si-*nhor* bru-ni le pre-*zen*-to il si-*nhor* ro-si Boa tarde, Sr. Bruni... Sr. Bruni, gostaria de lhe apresentar o Sr. Rossi.
Sig. Bruni:	**Lieto di conoscerlo.** li-*e*-to di ko-*no*-cher-lo Prazer em conhecê-loo
Sig. Rossi:	**Il piacere è tutto mio!** il pia-*tche*-re e *tu*-to *mi*-o O prazer é todo meu!

Tendo uma Conversa

ÁUDIO

É claro, amigos podem ser informais entre si, como mostra o próximo diálogo. Aqui, Teresa encontra sua velha amiga Marinella. Ambas estão casadas e agora apresentam seus maridos. (Faixa 6)

Marinella: **Ciao, Teresa, come stai?**
tcha-o te-*re*-za *ko*-me *stai*
Oi, Teresa. Como vai?

Teresa: **Bene, grazie. Sono contenta di vederti.**
be-ne, *gra*-tzie. *So*-no con-*ten*-ta di ve-*der*-ti
Bem, obrigada. Estou contente de vê-la.

Marinella, ti presento mio marito Giancarlo.
ma-ri-*ne*-la ti pre-*zen*-to *mi*-o ma-*ri*-to djian-*kar*-lo
Marinella, quero lhe apresentar meu marido Giancarlo.

Marinella: **Ciao, Giancarlo.**
tcha-o djian-*kar*-lo
Oi, Giancarlo.

Giancarlo: **Piacere.**
pia-*tche*-re
Prazer.

Marinella: **E questo è Gianni.**
E *kues*-to e *djia*-ni
E esse é o Gianni.

Gianni: **Piacere.**
pia-*tche*-re
Prazer.

Conhecendo Pessoas

Apresentar-se é o primeiro passo para conhecer alguém. Se a pessoa lhe causar uma boa impressão e você quiser conhecê-la melhor, uma conversa costuma acompanhar a apresentação. Esta seção relaciona diversos tópicos que se pode abordar para que vocês comecem a se conhecer melhor.

Descobrindo se alguém fala italiano

É lógico que você vai querer praticar seu italiano assim que chegar à Itália. Você tem uma oportunidade de experimentar sua recém-adquirida habilidade.

>> **Parla/Parli italiano?** (*par*-la/*par*-li i-ta-li-*a*-no) *Você fala italiano?* (formal e informal)

>> **Parla/Parli portoghese?** (*par*-la/*par*-li por-to-*gue*-ze) *Você fala português?* (formal e informal)

Uma resposta possível a essas perguntas é:

>> **Parlo un po'.** (*par*-lo un po) *Falo um pouco.*

Tendo uma Conversa

Ilaria e Carmen se conheceram recentemente. Como Carmen não é italiana, embora viva na Itália, Ilaria está curiosa para saber quantas línguas ela fala.

Ilaria:	**Quante lingue parli?**
	kuan-te *lin*-gue *par*-li
	Quantas línguas você fala?

Carmen:	**Tre: italiano, spagnolo e tedesco.**
	tre i-ta-li-*a*-no spa-*nho*-lo e te-*des*-ko
	Três: italiano, espanhol e alemão.

Ilaria:	**E qual è la tua lingua madre?**
	e kua-*le* la *tu*-a *lin*-gua *ma*-dre
	E qual é a sua língua materna?

Carmen:	**Lo spagnolo.**
	lo spa-*nho*-lo
	Espanhol.

Ilaria:	**Tua madre è spagnola?**
	tu-a *ma*-dre e spa-*nho*-la
	Sua mãe é espanhola?

Carmen:	**Sì. E mio padre è austriaco.**
	si e *mi*-o *pa*-dre e aus-*tri*-a-ko
	Sim. E meu pai é austríaco.

Falando sobre seu país de origem

Conhecer pessoas de outros países e nacionalidades pode ser interessante. Duas perguntas comuns são bastante úteis:

>> **Da dove viene?** (da *do*-ve vi-e-ne) (*De onde o Sr./a Sra./você vem?*) Formal

- **»** **Da dove vieni?** (da *do*-ve vi-e-ni) (*De onde você vem?*) Informal

- **»** **Di dov'è?** (di do-*vé*) (*De onde o Sr./a Sra./você é?*) Formal

- **»** **Di dove sei?** (di *do*-ve sei) (*De onde você é?*) Informal

As respostas são, respectivamente:

- **»** **Vengo da...** (*ven*-go da) (*Venho de...*)

- **»** **Sono di...** (*so*-no di) (*Sou de...*)

Agora dá para brincar com essas frases. É possível inserir nomes de continentes, países, cidades ou lugares.

Tendo uma Conversa

O Sr. Dadina está sentado em sua cafeteria favorita, em Ravena, tomando seu café, e percebe alguém na mesa ao lado examinando um mapa das igrejas bizantinas da cidade. O Sr. Dadina é uma pessoa curiosa:

Sig. Dadina: **Non è di qui, vedo. Di dov'è?**
no-*ne* di qui *ve*-do. Di do-*ve*?
Vejo que não é daqui. De onde é?

Sig. Tarroni: **Sono di Perugia.**
So-no di pe-*ru*-djia
Sou de Perugia.

Sig. Dadina: **Una bella città!**
u-na *be*-la tchi-*ta*
Uma cidade linda!

Sig. Tarroni: **Sì, è piccola ma molto bella.**
si e *pi*-ko-la ma *mol*-to *be*-la
Sim, é pequena, mas muito bonita.

Se quiser conversar sobre procedência, os adjetivos denotando nacionalidade são muitos úteis. Como você pergunta em português, "Você é brasileiro?", faz-se o mesmo em italiano:

- **»** **È brasiliano/a?** (e bra-zi-li-*a*-no/na) (*Você é brasileiro/a?*).

- **»** **Sei brasiliano/a?** (sei bra-zi-li-*a*-no/na) (*Você é brasileiro/a?*).

Depois de saber o básico para cada situação, você está pronto para bater um papo.

Tendo uma Conversa

O Sr. Bennati encontra um canadense, o Sr. Walsh. Como não se conhecem, tratam-se pelo modo formal.

Sig. Bennati:	**Di dov'è?** di do-*ve* De onde o senhor é?
Sr. Walsh:	**Sono canadese.** *so*-no ka-na-*de*-ze Sou canadense.
Sig. Bennati:	**Di dove esattamente?** di *do*-ve e-za-ta-*men*-te De onde exatamente?
Sr. Walsh:	**Di Montreal. Lei è italiano?** di *mon*-tre-al lei e i-ta-li-*a*-no De Montreal. O senhor é italiano?
Sig. Bennati:	**Sì, di Firenze.** si di fi-*ren*-tze Sim, de Florença.

Como a forma verbal é diferente para cada pronome (eu, tu, ele/a, nós, vós, eles/as), é possível ocultá-lo — assim como em português, dá para saber de quem se está falando a partir da terminação verbal e do contexto. Usa-se o pronome apenas quando o sujeito não está suficientemente claro ou quando se quer enfatizar um fato — por exemplo, **Loro sono brasiliani, ma io sono italiano** (*lo*-ro *so*-no bra-zi-li-*a*-ni ma i-o *so*-no i-ta-li-*a*-no) (*Eles são brasileiros, mas eu sou italiano*).

Use adjetivos terminados em **-o** (singular) e **-i** (plural) para se referir a homens, e adjetivos terminados em **-a** (singular) e **-e** (plural) para se referir a mulheres. Os adjetivos terminados em **-e** no singular se referem tanto a homens quanto a mulheres e formam o plural terminando em **-i**.

Alguns adjetivos que indicam nacionalidades terminam com **-e**: essa forma pode ser feminina ou masculina. A Tabela 3-1 dá alguns exemplos.

TABELA 3-1   Alguns Países e Nacionalidades

Nacionalidade/País	Pronúncia	Tradução
albanese/i **Albania**	al-ba-*ne*-ze/zi al-*ba*-ni-a	*albanês/albaneses* *Albânia*
canadese/i **Canada**	ka-na-*de*-ze/zi *ka*-na-da	*canadense/canadenses* *Canadá*
cinese/i **Cina**	tchi-*ne*-ze/zi *tchi*-na	*chinês/chineses* *China*
francese/i **Francia**	fran-*tche*-ze/zi *fran*-tchia	*francês/franceses* *França*
giapponese/i **Giappone**	djia-po-*ne*-ze/zi djia-*po*-ne	*japonês/japoneses* *Japão*
inglese/i **Inghilterra**	in-*gle*-ze/zi in-guil-*te*-ra	*inglês/ingleses* *Inglaterra*
irlandese/i **Irlanda**	ir-lan-*de*-ze/zi ir-*lan*-da	*irlandês/irlandeses* *Irlanda*
olandese/i **Olanda**	o-lan-*de*-ze/zi o-*lan*-da	*holandês/holandeses* *Holanda*
portoghese/i **Portogallo**	por-to-*gue*-ze/zi por-to-*ga*-lo	*português/portugueses* *Portugal*
senegalese/i **Senegal**	se-ne-ga-*le*-ze/zi *se*-ne-gal	*senegalês/senegaleses* *Senegal*
svedese/i **Svezia**	sve-*de*-ze/zi *sve*-tzia	*sueco/suecos* *Suécia*

Em outros casos, as nacionalidades têm formas feminina e masculina no singular, feminina e masculina no plural, terminando com **a**, **o**, **e**, **i**, como mostra a Tabela 3-2.

TABELA 3-2 ## Nacionalidades com Gênero Específico e Países

Nacionalidade/País	Pronúncia	Tradução
americana/o/e/i **Stati Uniti d'America**	a-me-ri-*ka*-na/no/ne/ni *sta*-ti u-*ni*-ti da-*me*-ri-ka	*americana/o/as/os* *Estados Unidos da América*
australiana/o/e/i **Australia**	aus-tra-li-*a*-na/no/ne/ni aus-tra-*lia*	*australiano/a/o/as/os* *Austrália*
brasiliana/o/e/i **Brasile**	bra-zi-li-*a*-na/no/ne/ni bra-*zi*-le	*brasileira/o/as/os* *Brasil*
greca/o/greci/greche **Grecia**	*gre*-ka/*gre*-ko/*gre*-tchi/ *gre*-ke *gre*-tchia	*grega/o/as/os* *Grécia*
italiana/o/e/i **Italia**	i-ta-li-*a*-na/no/ne/ni i-*ta*-li-a	*italiana/o/as/os* *Itália*
marocchina/o/e/i **Marocco**	ma-ro-*ki*-na/no/ne/ni ma-*ro*-ko	*marroquina/o/as/os* *Marrocos*
messicano/a/e/i **Messico**	me-si-*ka*-na/no/ne/ni *me*-si-ko	*mexicana/o/as/os* *México*
polacco/a/polacchi/polacche **Polonia**	po-*la*-ko/ka/po-*la*-ki/po-*la*-ke po-*lo*-ni-a	*polonesa/es/esas/eses* *Polônia*
rumeno/a/i/e **Romania**	ru-*me*-na/no/ne/ni ro-ma-*ni*-a	*romena/o/as/os* *Romênia*
russa/o/e/i **Russia**	*ru*-sa/so/se/si *ru*-sia	*russa/o/as/os* *Rússia*
spagnola/o/e/i **Spagna**	spa-*nho*-la/lo/le/li *spa*-nha	*espanhola/ol/as/óis* *Espanha*
svizzera/o/e/i **Svizzera**	*svi*-tze-ra/ro/re/ri *svi*-tze-ra	*suíça/o/as/os* *Suíça*
tedesca/o/che/chi **Germania**	te-*des*-ka/ko/ke/ki djer-*ma*-ni-a	*alemã/ão/ãs/ães* *Alemanha*

DICA

Em vez de dizer **sono brasiliano** (*so*-no bra-zi-li-*a*-no) (*Sou brasileiro*), você também pode dizer **vengo dal Brasile** (*ven*-go dal bra-zi-le) (*Sou do Brasil*). O mesmo acontece com todos os países.

A seguir mostramos alguns exemplos para você praticar mais.

» **Veniamo dall'Italia.** (ve-ni-*a*-mo da-li-*ta*-li-a) (*Somos da Itália.*)

» **Vengono dalla Spagna.** (*ven*-go-no *da*-la *spa*-nha) (*Eles são da Espanha.*)

- » **Vengo dal Giappone.** (*ven*-go dal djia-*po*-ne) (*Eu sou do Japão.*)

- » **Veniamo dal Canada.** (ve-ni-*a*-mo dal *ka*-na-da) (*Somos do Canadá.*)

- » **Veniamo dagli Stati Uniti** (ve-ni-*a*-mo *da*-lhi *sta*-ti u-*ni*-ti) (*Somos dos Estados Unidos.*)

Se você viajar para a Itália e fizer novos amigos, podem lhe fazer as seguintes perguntas:

- » **Ti piace l'Italia?** (ti *pia*-tche li-*ta*-li-a) (*Você gosta da Itália?*)

- » **Sei qui per la prima volta?** (sei ku-*i* per la *pri*-ma *vol*-ta) (*É a sua primeira vez aqui?*)

- » **Sei qui in vacanza?** (sei ku-*i* in va-*kan*-tza) (*Está aqui em férias?*)

- » **Quanto rimani?** (*kuan*-to ri-*ma*-ni) (*Quanto tempo você vai ficar?*)

Tendo uma Conversa

No seguinte diálogo, podem-se ver algumas expressões típicas para descrever uma cidade.

Tokiko: **Ti piace Venezia?**
ti *pia*-tche ve-*ne*-tzi-a
Você gosta de Veneza?

Dolores: **Sì, è molto romantica.**
si e *mol*-to ro-*man*-ti-ka
Sim, é muito romântica.

Tokiko: **È bellissima! Io sono giapponese.**
e be-*li*-si-ma. *i*-o *so*-no djia-po-*ne*-ze
É lindíssima! Sou japonês.

Dolores: **Com'è Tokio?**
ko-*me to*-ki-o
Como é Tóquio?

Tokiko: **È grandissima, moderna.**
é gran-*di*-si-ma mo-*der*-na
É enorme, moderna.

Complementando e respondendo a convites

FALANDO DE GRAMÁTICA

Você pode ser convidado a se juntar a um amigo italiano para uma refeição no restaurante ou mesmo na casa dele. Ao convidar alguém para jantar, use as seguintes frases:

>> **Andiamo a cena insieme?** (an-di-*a*-mo a t*che*-na in-si-*e*-me (*Vamos jantar juntos?*)

>> **Posso invitarti stasera?** (*po*-so in-vi-*tar*-ti sta-*se*-ra) (*Posso convidá-lo esta noite?*) Isto normalmente significa que a pessoa é quem vai pagar.

Para aceitar o convite, você pode usar as seguintes expressões:

>> **Volentieri, grazie!** (vo-len-ti-*e*-ri *gra*-tzie) (*Gostaria muito, obrigado!*)

>> **Con piacere, grazie!** (kon pi-a-t*che*-re *gra*-tzie) (*Com muito prazer, obrigado!*)

É claro que não é possível aceitar todos os convites que recebe. A seguir, veja como recusar:

>> **Mi dispiace ma non posso.** (mi dis-*pia*-tche ma non *po*-so) (*Me desculpe, mas não posso.*)

>> **Magari un'altra volta, grazie.** (ma-*ga*-ri u-*nal*-tra *vol*-ta *gra*-tzie) (*Talvez uma outra vez, obrigado.*)

>> **Mi dispiace, ho già un altro impegno.** (mi dis-*pia*-tche o dja u*nal*-tro im-*pe*-nho) (*Me desculpe, mas tenho outro compromisso.*)

Tendo uma Conversa

Francesca conversa com Giovanni para pegar os detalhes de seu encontro à noite.

Francesca: **Ci vediamo per cena questa sera?**
tchi ve-di-*a*-mo per t*che*-na *kues*-ta *se*-ra
Vamos sair para jantar esta noite?

Giovanni: **Si, perché no? Offro io, però.**
si per-*ke* no *o*-fro *i*-o pe-*ro*
Sim, por que não? Mas eu pago.

Diversão & Jogos

Um encontro casual leva a uma rápida apresentação nesse curto diálogo. Preencha as lacunas em italiano usando as frases abaixo.

Le presento, il piacere, e Lei, come sta, conoscerLa

Gayle: **Buonasera, signora Frederick _____?**

Boa tarde, Sra. Frederick. Como vai?

Sra. Frederick: **Benissimo, grazie, _____?**

Muito bem, obrigada, e o senhor?

Gayle: **Bene, grazie. _____ il mio amico, George.**

Bem, obrigado. Gostaria de lhe apresentar meu amigo, George.

George: **Lieta di ___, signora.**

Prazer em conhecê-la, senhora.

Sra. Frederick: **____ è mio.**

O prazer é meu.

Capítulo 4

Conhecendo os Números e as Horas

Os números são uma parte fundamental de qualquer idioma, portanto eles serão apresentados logo no início deste capítulo. Não dá para escapar deles, nem mesmo em conversas triviais. Alguém pode perguntar quantos anos você tem, quantos dias pretende passar na cidade ou qualquer outra coisa do tipo. Descubra como os números são usados ao longo de todo o livro, por exemplo, nos Capítulos 7 e 13.

Os Números

Todos os idiomas seguem um determinado esquema para formular os números mais altos. Depois de aprender o básico — os números de um a dez —, você já andou metade do caminho.

Em italiano, o número mais alto vem antes do mais baixo. Assim, para "22", dizemos **venti** (*ven*-ti) (*vinte*) e depois **due** (*du*-e) (*dois*) e simplesmente juntamos tudo: **ventidue** (ven-ti-*du*-e) (*vinte e dois*). O mesmo acontece com números maiores — como **trecentoventidue** (tre-*tchen*-to-*ven*-ti-*du*-e) (*trezentos e vinte e dois*) e **duemilatrecentoventidue** (*du*-e-*mi*-la-tre-*tchen*-to--*ven*-ti-*du*-e) (*dois mil trezentos e vinte e dois*).

Um item merece um pouco mais de explicação: quando duas vogais se encontram — o que costuma acontecer com **uno** (*u*-no) (*um*) e **otto** (*o*-to) (*oito*) —, deve-se eliminar a primeira, como em **vent**(i)**uno** (ven-*tu*-no) (*vinte e um*) e **quarant**(a)**otto** (kua-ran-*to*-to) (*quarenta e oito*). Até aqui tudo certo.

Toda regra tem exceção. Existem alguns números irregulares que você terá que memorizar. Os números de 11 a 19 seguem regras próprias: **undici** (un-*di*-tchi) (*onze*), **dodici** (do-*di*-tchi) (*doze*), **tredici** (tre-*di*-tchi) (*treze*), **quattordici** (kua-tor-*di*-tchi) (*catorze*), **quindici** (kuin-*di*-tchi) (*quinze*), **sedici** (se-*di*-tchi) (*dezesseis*), **diciassette** (di-tchia-*se*-te) (*dezessete*), **diciotto** (di-*tchi*-o--to) (*dezoito*) e **diciannove** (di-tchia-*no*-ve) (*dezenove*).

Em italiano, não há apenas uma palavra para expressar uma década — usa--se uma frase, assim como no português. Por exemplo, **negli anni sessanta** (ne-*lhi a*-ni se-*san*-ta), "nos anos sessenta". Para outras décadas, use esse mesmo método. Para dizer "anos setenta", diga "*gli anni settanta*" (lhi *a*-ni se-*tan*-ta).

Outra coisa da qual você deve se lembrar é que o plural de **mille** (*mi*-le) (*mil*) é **mila** (*mi*-la), como em **duemila** (du-e-*mi*-la) (*dois mil*).

A Tabela 4-1 traz uma porção de números para que você possa tirar suas próprias conclusões.

TABELA 4-1   Números

Italiano	Pronúncia	Número
DE 1 A 30		
zero	*dze*-ro	0
uno	*u*-no	1
due	*du*-e	2
tre	tre	3
quattro	*kua*-tro	4
cinque	*tchin*-kue	5
sei	sei	6
sette	*se*-te	7
otto	*o*-to	8
nove	*no*-ve	9
dieci	*die*-tchi	10
undici	*un*-di-tchi	11
dodici	*do*-di-tchi	12
tredici	*tre*-di-tchi	13
quattordici	kua-*tor*-di-tchi	14
quindici	*kuin*-di-tchi	15
sedici	*se*-di-tchi	16
diciassette	di-tchia-*se*-te	17
diciotto	di-*tchio*-to	18
diciannove	di-tchia-*no*-ve	19
venti	*ven*-ti	20
ventuno	ven-*tu*-no	21
ventidue	ven-ti-*du*-e	22
ventitré	ven-ti-*tre*	23
ventiquattro	ven-ti-*kua*-tro	24
venticinque	ven-ti-*tchin*-kue	25

(continua)

Italiano	Pronúncia	Número
ventisei	*ven*-ti-*sei*	26
ventisette	*ven*-ti-*se*-te	27
ventotto	*ven*-*to*-to	28
ventinove	*ven*-ti-*no*-ve	29
trenta	*tren*-ta	30
NÚMEROS DE 40 A 100		
quaranta	kua-*ran*-ta	40
cinquanta	tchin-*kuan*-ta	50
sessanta	se-*san*-ta	60
settanta	se-*tan*-ta	70
ottanta	o-*tan*-ta	80
novanta	no-*van*-ta	90
cento	*tchen*-to	100
NÚMEROS DE 200 A 900		
duecento	*du*-e-*tchen*-to	200
trecento	tre-*tchen*-to	300
quattrocento	*kua*-tro-*tchen*-to	400
cinquecento	tchin-kue-*tchen*-to	500
seicento	sei-*tchen*-to	600
settecento	se-te-*tchen*-to	700
ottocento	o-to-*tchen*-to	800
novecento	*no*-ve-*tchen*-to	900
NÚMEROS MAIORES		
mille	*mi*-le	1.000
duemila	*du*-e-*mi*-la	2.000
un milione	un mi-li-*o*-ne	1.000.000
due milioni	*du*-e mi-li-*o*-ni	2.000.000
un miliardo	un mi-li-*ar*-do	1.000.000.000

O uso comun para os números que representam os séculos é:

Manzoni scrisse nell'Ottocento. (man-*dzo*-ni *skri*-se ne-lo-to-*tchen*-to) (*Manzoni escreveu no século XIX.*)

Il Rinascimento fu nel '400 e '500 (nel Quattrocento e nel Cinquecento).

(il ri-*na*-chi-*men*-to fu nel *kua*-tro-*tchen*-to e nel *tchin*-kue-*tchen*-to) (*O Renascimento foi nos séculos XV e XVI.*)

Horas e Dias da Semana

Organizar sua vida social — seja para ir a um evento ou para convidar alguém a uma festa — requer saber os dias da semana e as horas do dia. A Tabela 4-2 mostra os dias da semana, com suas abreviações. Ouça a pronúncia na Faixa 8.

Não use letras maiúsculas nem para os dias da semana, nem para os meses.

DICA

TABELA 4-2   ## Dias da Semana

Italiano/Abreviação	Pronúncia	Tradução
domenica/do.	do-*me*-ni-ka	*domingo*
lunedì/lun.	lu-ne-*di*	*segunda-feira*
martedì/mar.	mar-te-*di*	*terça-feira*
mercoledì/mer.	mer-ko-le-*di*	*quarta-feira*
giovedì/gio.	djio-ve-*di*	*quinta-feira*
venerdì/ven.	ve-ner-*di*	*sexta-feira*
sabato/sab.	*sa*-ba-to	*sábado*

Veja agora os termos para *hoje*, *amanhã*, *depois de amanhã* e *ontem*: **oggi** (o-dji), **domani** (do-*ma*-ni), **dopodomani** (*do*-po-do-*ma*-ni) e **ieri** (*ie*-ri).

Vários cantores italianos gravaram juntos a canção "Domani il 21 aprile" em apoio às vítimas de Abruzzo, depois do terremoto ocorrido em 2009. Procure a música na internet e cante junto. Essa é uma maneira divertida de praticar sua pronúncia!

SABEDORIA CULTURAL

Tendo uma Conversa

Observe a conversa entre uma professora e um aluno da turma de italiano básico:

Professora: **Se oggi è lunedì, che giorno è domani?**
se o-dji e lu-ne-*di* ke dji-*or*-no e do-*ma*-ni
Se hoje é segunda-feira, que dia é amanhã?

Aluno: **Domani è martedì.**
do-*ma*-ni e mar-te-*di*
Amanhã é terça.

Professora: **Bravo. Oggi è giovedì: che giorno è domani?**
bra-vo. o-dji e djio-ve-*di* ke dji-*or*-no e do-*ma*-ni
Muito bem. Hoje é quinta, que dia é amanhã?

Aluno: **Domani è venerdì.**
do-*ma*-ni e ve-ner-*di*
Amanhã é sexta.

AGORA A PROFESSORA CONVERSA COM UM COLEGA.

Colega: **Quando parti per le vacanze?**
kuan-do *par*-ti per le va-*kan*-ze
Quando você sai de férias?

Professora: **Sabato, dopodomani.**
sa-ba-to *do*-po-do-*ma*-ni
Sábado, depois de amanhã.

FALANDO DE GRAMÁTICA

Existe uma expressão em italiano para "antes de ontem". É **l'altro ieri** (*lal*–tro ie–ri), que literalmente significa "o outro ontem". Veja agora algumas maneiras de usar essa expressão:

» **Il concerto è martedì sera.** (il kon-*tcher*-to e mar-te-*di* se-ra)
(*O show é na terça-feira à noite.*)

» **Dov'eri ieri pomeriggio?** (do-*ve*-ri ie-ri po-me-*ri*-djio)
(*Onde você estava ontem à tarde?*)

» **Il concerto c'è stato l'altro ieri. L'hai perso!** (il kon-*tcher*-to tche sta-to *lal*-tro ie-ri lai *per*-so) (*O show foi antes de ontem. Você perdeu!*)

Usando o Calendário e Marcando Encontros

A Tabela 4-3 lista os nomes dos meses, dos quais você precisará para planejar férias, organizar sua vida e lembrar os aniversários dos amigos. Ouça a pronúncia dos meses na Faixa 9.

TABELA 4-3   Meses

Italiano	Pronúncia	Tradução
gennaio	dje-*nai*-o	*janeiro*
febbraio	fe-*brai*-o	*fevereiro*
marzo	*mar*-tzo	*março*
aprile	a-*pri*-le	*abril*
maggio	*ma*-djio	*maio*
giugno	*djiu*-nho	*junho*
luglio	*lu*-lhio	*julho*
agosto	a-*gos*-to	*agosto*
settembre	se-*tem*-bre	*setembro*
ottobre	o-*to*-bre	*outubro*
novembre	no-*vem*-bre	*novembro*
dicembre	di-*tchem*-bre	*dezembro*

Aqui está uma rima muito útil e conhecida entre os italianos. Ela pode ajudar você a memorizar a pronúncia correta dos números e meses. Repita quantas vezes quiser!

Trenta giorni ha novembre con aprile, giugno e settembre. Di ventotto ce n'è uno. Tutti gli altri ne han trentuno.

(*tren*-ta *djior*-ni a no-*vem*-bre con a-*pri*-le *djiu*-nho e se-*tem*-bre. Di ven-*to*--to tche ne *u*-no. *Tu*-ti lhi *al*-tri ne an *tren*-tu-no.)

(*Trinta dias tem novembro, abril, junho e setembro. Com 28 só tem um. Todos os outros têm 31.*)

Marcando encontros

Para perguntar a data, diga:

Che giorno è oggi? (ke *djior*-no e o-dji) (*Que dia é hoje?*) Também é usado para perguntar o dia do mês.

Ou

Quanti ne abbiamo oggi? (*kuan*-ti ne a-bi-*a*-mo o-dji) (*Qual a data de hoje?*) Para dizer a data, use a seguinte estrutura: **è** (e) + **il** (il) + dia + mês + ano (se necessário). Veja um exemplo:

Oggi è il dieci febbraio duemilaundici. (o-dji e il *die*-tchi fe-*brai*-o *du*-e-*mi*- -*la*-*un*-di-tchi) (*Hoje é 10 de fevereiro de 2011.*)

Para perguntar quando algo ocorrerá, basta usar a palavra **quando** (*kuan*-do) (*quando*).

Quando parti per la Sicilia? (*kuan*-do *par*-ti per la si-*tchi*-li-a) (*Quando você parte para a Sicília?*)

... e para responder:

Parto l'8 agosto. (*par*-to *lo*-to a-*gos*-to) (*Parto dia 8 de agosto.*)

Ou para perguntar quando alguém nasceu:

Quando sei nata? (*kuan*-do sei *na*-ta) (*Quando você nasceu?*)

... e para responder:

Sono nata il sette novembre millenovecentosessantuno. (*so*-no *na*-ta il *se*-te no-*vem*-bre *mi*-le-no-ve-t*chen*-to-se-san-*tu*-no) (*Eu nasci em 7 de novembro de 1961.*)

Observação: mostramos o particípio passado feminino, **nata**. Se estiver falando com ou sobre um homem, use **nato** (terminando com **o**).

Dizendo as horas

Para escrever as horas em italiano usa-se o sistema de 24 horas. Ao falar, usa-se de 1 a 12; se houver dúvida quanto ao turno, basta acrescentar **di matina** (di ma-*ti*-na) (*da manhã*), **di pomeriggio** (di po-me-*ri*-djio) (*da tarde*) ou **di sera** (di *se*-ra) (*da noite*). Exatamente como fazemos no Brasil.

Perguntando as horas

É possível perguntar as horas de qualquer uma das seguintes maneiras:

1. **Che ora è?** (ke o-ra e) (*Que horas são?*)

2. **Che ore sono?** (ke o-re so-no) (*Que horas são?*)

Uma forma mais bem-educada de perguntar as horas é a seguinte:

Scusi, mi può dire l'ora, per favore? (*sku*-zi mi puo *di*-re *lo*-ra per fa-*vo*-re) (*Com licença, pode me dizer as horas, por favor?*)

Se a hora é singular, responda com o verbo no singular:

È l'una. (e *lu*-na) (*Uma hora.*)

È mezzanotte. (é me-tza-*no*-te) (*É meia-noite.*)

È mezzogiorno. (é me-tzo-*djior*-no) (*É meio-dia.*)

Se a hora está no plural, basta trocar o verbo **è** (e) (*é*) por "**sono**" (so-no) (*são*).

Sono le due. (*so*-no le *du*-e) (*São duas horas.*)

Sono le diciotto. (*so*-no le di-*tchio*-to) (*São dezoito horas.*)

Para dizer a hora exata, use os termos a seguir:

e un quarto (e un *kuar*-to) (*e quinze*)

e mezzo (e *me*-tzo) (*e meia*)

e tre quarti (e tre *kuar*-ti) (*quinze para/quarenta e cinco*)

e tredici (eh *tre*-di-tchi) (*e treze*)

Perguntando a que horas algo começa

Às vezes é preciso saber sobre um horário específico. Frequentemente perguntamos a que horas algum evento começa. Basta adicionar a preposição "**a**" nas perguntas e respostas mostradas anteriormente para dizer a hora. Veja:

A che ora inizia la partita? (a ke o-ra i-ni-*tzi*-a la par-*ti*-ta) (*A que horas começa o jogo?*)

E para responder ...

All'una. (a-*lu*-na) (*À uma.*)

Alle dieci. (a–*le die*–tchi) (*Às dez.*)

A mezzogiorno. (a me–tzo–*djior*–no) (*Ao meio-dia.*)

Observe que a preposição "**a**" se contrai com o artigo definido que precede o número.

Veja alguns usos cotidianos desses termos.

Tendo uma Conversa

Giancarlo e Daniele, dois universitários de Roma, estão na **piazza** conversando sobre o show que ocorrerá amanhã.

Giancarlo:	**Sai a che ora c'è il concerto dei Pink Floyd domani?** sai a ke *o*-ra *tche* il kon-*tcher*-to dei Pink Floyd do-*ma*-ni Você sabe a que horas é o show do Pink Floyd amanhã?
Daniele:	**Certo! Inizia alle 10 di sera.** *tcher*-to i-*ni*-tzi-a *a*-le *die*-tchi di *se*-ra. Claro! Começa às dez da noite.
Giancarlo:	**A proposito, che ore sono adesso?** a pro-*po*-zi-to ke *o*-re *so*-no a-*de*-so A propósito, que horas são?
Daniele:	**Sono le due e mezzo in punto.** *so*-no le *du*-e e *me*-tzo in *pun*-to São duas e meia em ponto.
Giancarlo:	**O dio! Sono in ritardo per l'esame!** o *di*-o *so*-no in ri-*tar*-do per le-*za*-me Meu Deus! Estou atrasado para a prova!

SABEDORIA CULTURAL

TEMPO SÁBIO

A Itália é um país de sorte, ao menos no que diz respeito ao clima temperado. Durante três das quatro estações, o clima é ameno e faz bastante sol!

O verão costuma ser quente — às vezes quente demais. No inverno pode fazer muito frios, mas é raro nevar, exceto em algumas áreas montanhosas nas regiões norte, central e no extremo sul da Itália, na Calábria.

As cidades são as que mais sofrem com o verão, terrivelmente quente, então a maioria dos italianos tira férias em agosto e viaja para lugares mais frescos: perto do mar ou regiões de lagos e montanhas. Na verdade, nesse mês é difícil encontrar nas grandes cidades seus verdadeiros habitantes. As únicas pessoas que andam por lá são os turistas e as pessoas que precisam trabalhar.

Falando sobre o Clima

Quando não há assunto, comente sobre o clima: "Está quente hoje, não é?" Ou pode-se perguntar : "Qual sua estação favorita?" Falar sobre o clima pode salvar sua conversa em muitas situações!

Como o clima é um assunto tão importante, você deve saber o vocabulário adequado. Nesta seção falamos sobre as **quattro stagioni** (*kua*-tro sta-dji-o-ni) (*quatro estações*).

Não é por acidente que uma famosa composição de Antonio Vivaldi (an-*to*-ni-o vi-*val*-di) e um sabor delicioso de pizza se chamam ***Quattro stagioni***. Ambos se subdividem em quatro partes, cada uma referente a uma estação.

> » **primavera** (pri-ma-*ve*-ra) (*primavera*)
>
> » **estate** (es-*ta*-te) (*verão*)
>
> » **autunno** (au-*tu*-no) (*outono*)
>
> » **inverno** (in-*ver*-no) (*inverno*)

Tendo uma Conversa

ÁUDIO

O Sr. Brancato e a Sra. Roe estão sentados lado a lado no avião e conversam sobre o clima. (Faixa 7)

Sra. Roe:	**Le piace Milano?** le pi-*a*-tche mi-*la*-no Gosta de Milão?
Sig. Brancato:	**Sì, ma non il clima.** si ma non il *kli*-ma Sim, mas não do clima não.
Sra. Roe:	**Fa molto freddo?** fa *mol*-to *fre*-do Faz muito frio?
Sig. Brancato:	**In inverno sì.** in in-*ver*-no si No inverno, sim.
Sra. Roe:	**E piove molto, no?** e pi-*o*-ve *mol*-to no E chove muito, não é?
Sig. Brancato:	**Sì, e c'è sempre la nebbia.** si e *tche sem*-pre la *ne*-bi-a Sim, e sempre tem neblina.

Sra. Roe:	**Com'è il clima a Palermo?**
	ko-*me* il *kli*-ma a pa-*ler*-mo
	Como é o clima em Palermo?
Sig. Brancato:	**Temperato, mediterraneo.**
	Tem-pe-*ra*-to me-di-te-*ra*-ne-o
	Temperado, mediterrâneo.
Sra. Roe:	**Non fa mai freddo?**
	non fa *mai fre*-do
	Nunca faz frio?
Sig. Brancato:	**Quasi mai.**
	kua-zi *mai*
	Quase nunca.

SABEDORIA CULTURAL

Uma expressão que denota uma diferença cultural é: **Una rondine non fa primavera** (*u*-na *ron*-di-ne non fa pri-ma-*ve*-ra) (*Uma andorinha só não faz primavera*). Note a diferença: em português, a expressão se refere ao verão; em italiano, à primavera. Essa diferença se dá pelo fato de as aves irem primeiro à Itália e depois a outros países.

Tendo uma Conversa

Nossos amigos, o Sr. Brancato e a Sra. Roe, colegas de voo, ainda estão conversando sobre o clima.

Sra. Roe:	**E l'estate a Milano com'è?**
	e les-*ta*-te a mi-*la*-no co-*me*
	E o verão em Milão, como é?
Sig. Brancato:	**Molto calda e lunga.**
	mol-to *kal*-da e *lun*-ga
	Muito quente e longo.
Sra. Roe:	**E la primavera?**
	e la pri-ma-*ve*-ra
	E a primavera?
Sig. Brancato:	**La mia stagione preferita.**
	la *mi*-a sta-*djio*-ne pre-fe-*ri*-ta
	É a minha estação preferida.
Sra. Roe:	**Davvero?**
	da-*ve*-ro
	É mesmo?
Sig. Brancato:	**Sì, perché è mite.**
	si per-*ke* e *mi*-te
	Sim, porque é amena.
Sra. Roe:	**Come l'autunno in Canada.**
	ko-*me* lau-*tu*-no in *ka*-na-da
	Como o outono no Canadá.

Quando se fala sobre o clima, as seguintes expressões, que são muito caracte-rísticas do idioma, farão você parecer um nativo!

» **Fa un caldo terribile!** (fa un *kal*-do te-*ri*-bi-le) (*Está um calor terrível!*)

» **Oggi il sole spacca le pietre!** (o-dji il *so*-le *spa*-ka le pi-*e*-tre) (*O sol hoje está rachando pedras!*)

» **Fa un freddo cane!** (fa un *fre*-do *ka*-ne) (*Faz um frio do cão.*)

» **Fa un freddo/un caldo da morire!** (fa un *fre*-do/un *kal*-do da mo-*ri*-re) (*Está um frio/um calor de matar.*)

DICA

Da morire (da mo-ri-re) (*de matar, de morrer*) é uma expressão italiana típica usada para dar ênfase. Pode ser usada em diversas situações: por exemplo, **sono stanco da morire** (*so*-no *stan*-ko da mo-ri-re) (*estou morto de cansaço*) ou **ho sete da morire** (o *se*-te da mo-ri-re) (*estou morrendo de sede*).

Tendo uma Conversa

No avião, o bate-papo sobre o clima continua quando a aeronave chega ao seu destino.

Voz do alto-falante:	**Signore e signori!** si-*nho*-re e si-*nho*-ri Senhoras e senhores!
Sig. Brancato:	**Che succede?** ke su-*tche*-de O que está acontecendo?
Voz:	**Stiamo atterrando a Milano Malpensa.** sti-*a*-mo a-te-*ran*-do a mi-*la*-no mal-*pen*-sa Estamos aterrissando em Milão Malpensa.
Sig. Brancato:	**Meno male!** *me*-no *ma*-le Graças a Deus!
Voz:	**Il cielo è coperto.** il *tchie*-lo e ko-*per*-to O céu está nublado.
Sra. Roe:	**Come al solito!** *ko*-me al *so*-li-to Como sempre!
Voz:	**E la temperatura è di cinque gradi.** e la tem-pe-ra-*tu*-ra e di *tchin*-kue *gra*-di E a temperatura é de cinco graus.

Lembre-se de que na Europa também usa-se a escala Celsius para medir a temperatura.

Palavras a Saber

come al solito	_ko_-me al _so_-li-to	como de costume
umido	_u_-mi-do	úmido
tempo incerto [m]	_tem_-po in-_cher_-to	tempo instável
nebbia [f]	_ne_-bi-a	neblina
mite	_mi_-te	ameno
visibilità	vi-zi-bi-li-_ta_	visibilidade
gradi	_gra_-di	graus
piove	pi-_o_-ve	chove

SABEDORIA CULTURAL

Piove sul bagnato (pi-_o_-ve sul ba-_nha_-to) (_chove no molhado_) é uma expressão idiomática que os italianos usam quando algo positivo acontece com alguém que não precisa ser beneficiado. Por exemplo, se um milionário ganha na loteria, pode-se dizer **piove sul bagnato** para indicar que ele não precisava ser premiado.

Existe uma bela canção sobre a chuva, chamada "Piove", de Jovanotti. Procure a música na internet e cante junto para praticar seu italiano.

Pesos e Medidas

Sempre é bom saber como expressar pesos e medidas em outro idioma. Isso ajuda na hora de entender receitas médicas, pedir pão e queijo no supermercado e até aprender como preparar seus pratos italianos favoritos.

Distância e comprimento

As medidas de comprimento são mostradas a seguir:

millimetro (mi-_li_-me-tro) (_milímetro_); **centimetro** (tchen-_ti_-me-tro) (_centímetro_); **metro** (_me_-tro) (_metro_); **chilometro** (ki-_lo_-me-tro) (_quilômetro_)

Para perguntar qual a distância para se chegar ao Coliseu, diga: "**Quanto dista il Colosseo?**" (*kuan*-to dis-*ta* il ko-lo-*se*-o) (*Qual a distância até o Coliseu?*)

Uma resposta típica pode ser: "**Duecento metri a destra.**" (du-e-*tchen*-to *me*-tri a *des*-tra) (*duzentos metros à direita.*)

Peso

Se você está preocupado com seu peso, vá até uma drogaria e suba em uma balança. Normalmente, custa **cinquanta centesimi** (tchin-*kuan*-ta tchen--*te*-zi-mi) (*cinquenta centavos*). O peso aparecerá em **chili** (*ki*-li) (*quilos*). Da mesma forma, se quiser comprar um pouco de **funghi porcini** (*fun*-gui por-*tchi*-ni) (*cogumelos porcini*) ou **tartufi** (tar-*tu*-fi) (*trufas*), é melhor pedir alguns **grammi** (*gra*-mi) (*gramas*), pois são muito caros.

Outras medidas de peso:

milligrammo (mi-li-*gra*-mo) (*miligrama*); **grammo** (*gra*-mo) (*grama*); **ettogrammo** (e-to-*gra*-mo) (*hectograma/cem gramas*); **chilogrammo** (ki-lo-*gra*-mo) (*quilograma*); **quintale** (kuin-*ta*-le) (*cem quilos*); **tonnellata** (to-ne-*la*-ta) (*tonelada*).

Temos ainda **millilitro** (mi-li-*li*-tro) (*mililitro*) e litro (*li*-tro) (*litro*), além de **mezzo litro** (*me*-tzo *li*-tro) (*meio litro*).

Tendo uma Conversa

Sara, uma aluna brasileira do ensino médio que estudou italiano por dois anos, está fazendo intercâmbio na casa de uma família italiana em Castellaneta. Veja uma parte de sua primeira conversa com seus anfitriões: eles estão se conhecendo. Ela está feliz por ter aprendido bem os números!

Anfitriã:
Sara, quanti fratelli hai?
sa-ra *kuan*-ti fra-*te*-li ai
Sara, quantos irmãos você tem?

Sara:
Ho un fratello e due sorelle.
o un fra-*te*-lo e *du*-e so-*re*-le
Tenho um irmão e duas irmãs.

Anfitriã:
Quanti anni hanno?
kuan-ti *a*-ni *a*-no
Quantos anos eles têm?

Sara:
Mio fratello David ha dodici anni.
mi-o fra-*te*-lo Da-vid a *do*-di-tchi *a*-ni
Meu irmão David tem 12 anos.

Mia sorella Rebecca ne ha diciannove, e mia sorella Naomi ne ha 21.
mi-a so-*re*-la Re-*be*-ca ne ha *di*-tchia-no-ve e *mi*-a so-*re*-la Na-*o*-mi ne a ven-*tu*-no
Minha irmã Rebecca tem 19, e minha irmã Naomi tem 21.

Anfitriã:	**E quando è il tuo compleanno?**
	e *kuan*-do e il *tu*-o kom-ple-*a*-no
	E quando é seu aniversário?

Sarah:	**Il ventidue maggio.**
	il *ven*-ti-*du*-e *ma*-djio
	Vinte e dois de maio.

Anfitriã:	**Quanto dista casa tua da São Paulo?**
	kuan-to *dis*-ta *ca*-sa *tu*-a da São Paulo?
	Qual a distância da sua casa até São Paulo?

Sarah:	**Centoventi chilometri più o meno.**
	tchen-to-*ven*-ti ki-*lo*-me-tri piu o *me*-no
	Cento e vinte quilômetros, mais ou menos.

	O che bel cane! Che razza è?
	o ke bel *ka*-ne ke *ra*-tza e
	Ah, que cachorro lindo! De que raça é?

Anfitriã:	**è un pastore maremmano.**
	e un pas-*to*-re ma-re-*ma*-no
	Ele é um pastor-maremano.

Sarah:	**Quanto pesa?**
	kuan-to *pe*-za
	Quanto ele pesa?

Anfitriã:	**Cinquanta chili.**
	tchin-*kuan*-ta *ki*-li
	Cinquenta quilos.

Palavras a Saber

a proposito	a pro-<u>po</u>-zi-to	a propósito, aliás
anni	<u>a</u>-ni	anos
chilo	<u>ki</u>-lo	quilo
compleanno	kom-ple-<u>a</u>-no	aniversário
giorno	<u>djor</u>-no	dia
mese	<u>me</u>-ze	mês
numero	<u>nu</u>-me-ro	número
pastore	pas-<u>to</u>-re	pastor
quanti	ku-<u>an</u>-ti	quantos
quando	ku-<u>an</u>-do	quando
quanto	ku-<u>an</u>-to	quanto

Diversão & Jogos

Observe as figuras e escreva o nome das estações em italiano. Para um desafio extra, escreva o nome dos meses que compõem cada uma delas. Veja a resposta no Apêndice D.

2

Italiano em Ação

NESTA PARTE . . .

Os capítulos a seguir ajudam nas atividades cotidianas, como:

Realizar tarefas domésticas

Pedir informações

Comer e beber do jeito italiano

Comprar roupas e sapatos

Ir a shows, museus e outros eventos culturais

Fazer e atender chamadas

Curtir atividades de lazer ao ar livre

Então escolha o que quer fazer e coloque seu italiano em ação!

Capítulo 5

Casa Dolce Casa (Lar Doce Lar)

E ste capítulo apresenta a você um vocabulário diferente e situações relacionadas à casa, desde alugar, decorar e mobiliar um apartamento até arrumar a mesa para uma bela refeição. Assim como os italianos lideram na indústria da moda, eles também desfrutam de certa reputação por sua refinada decoração de interiores e belas mobílias.

Este capítulo conduz você pelas tarefas domésticas essenciais, como limpar e arrumar a mesa, e fornece o vocabulário de alguns desses utensílios e apetrechos cotidianos. E, mais adiante no capítulo, ainda damos uma rápida aula de culinária para uma deliciosa massa.

Ordenando os Ordinais

Ao dar ou receber direções para sua casa, assim como falar sobre os diferentes andares de um prédio, é preciso saber os **numeri ordinali** (nu-*me*-ri or-di-*na*--li) (*números ordinais*). Como os números ordinais são adjetivos, eles concordam com o substantivo que descrevem. Por exemplo, as formas femininas são usadas para se referir aos substantivos femininos, como **via** (*vi*-a) ou **strada** (*stra*-da) (*rua*). A Tabela 5-1 inclui os números ordinais na forma masculina singular, seguidos pela forma feminina singular.

TABELA 5-1 Números Ordinais

Italiano	Pronúncia	Tradução
il primo/la prima	il *pri*-mo/la *pri*-ma	*o primeiro/a primeira*
il secondo/la seconda	il se-*kon*-do/la se-*kon*-da	*o segundo/a segunda*
il terzo/la terza	il *ter*-tzo/la *ter*-tza	*o terceiro/a terceira*
il quarto/la quarta	il *kuar*-to/la *kuar*-ta	*o quarto/a quarta*
il quinto/la quinta	il *kuin*-to/la *kuin*-ta	*o quinto/a quinta*
il sesto/la sesta	il *ses*-to/la *ses*-ta	*o sexto/a sexta*
il settimo/la settima	il *se*-ti-mo/la *se*-ti-ma	*o sétimo/a sétima*
l'ottavo/l'ottava	lo-*ta*-vo/lo-*ta*-va	*o oitavo/a oitava*
il nono/la nona	il *no*-no/la *no*-na	*o nono/a nona*
il decimo/la decima	il *de*-tchi-mo/la *de*-tchi-ma	*o décimo/a décima*
il tredicesimo/la tredicesima	il *tre*-di-*tche*-zi-mo/la *tre*-di-*tche*-zi-ma	*o décimo terceiro/a décima terceira*
il ventesimo/la ventesimo	il ven-*te*-zi-mo/la ven-*te*-zi-ma	*o vigésimo/ a vigésima*
il quararantottesimo/ la quarantottesima	il kua-ran-to-*te*-zi-mo/ la kua-ran-to-*te*-zi-ma	*o quadragésimo oitavo/ a quadragésima oitava*

DICA

Depois de décimo, basta pegar o número todo e trocar a vogal final por **esi-mo/a/e/i** (e-zi-mo/a/e/i).

Estes exemplos mostram como usar os números ordinais em sentenças:

È la terza strada a sinistra. (e la *ter*-tza *stra*-da a si-*nis*-tra) (*É a terceira rua à esquerda.*)

Abitiamo al nono piano. (a-bi-ti-*a*-mo al *no*-no pi-*a*-no) (*Moramos no nono andar.*)

Non so se abitino all'undicesimo o al dodicesimo piano. (non so se *a*-bi-ti-no a-lun-di-*tche*-zi-mo o al do-di-*tche*-zi-mo pi-*a*-no) (*Eu não sei se eles moram no décimo primeiro ou no décimo segundo andar.*)

Todos os prédios italianos começam no **pianterreno** (pi-an-te-*re*-no) (*térreo*). Então o andar seguinte é o primeiro andar (**il primo piano**) (il *pri*-mo pi-*a*-no), e assim por diante.

Habitando Seu Lar

Os italianos, assim como os brasileiros, falam **la casa** (la *ka*-za) (*casa, lar*), mesmo que queiram dizer **l'appartamento** (la-par-ta-*men*-to) (*o apartamento*). Italianos de todas as classes sociais moram em prédios de apartamentos em pequenas e grandes cidades, em vez de moradias para uma só família ou condomínios residenciais. Você pode alugar um **monolocali** (mo-no-lo-*ka*-li) (*um dormitório*), um **bilocali** (bi-lo-*ka*-li) (*dois dormitórios*) ou um **appartamento** com um número específico de **camere da letto** (*ka*-me-re da *le*-to) (*quartos*).

Procurando um apartamento

Ao procurar um apartamento ou uma casa com a intenção de alugar para o verão, você precisa saber o número de quartos e o tamanho do lugar. O tamanho é dado em metros quadrados.

Você pode encontrar um apartamento ou uma casa por meio de um **annunci** (a-*nun*-tchi) (*anúncio*) no jornal ou de **un'agenzia immobiliare** (*u*-na-djen-*dzi*-a i-mo-bi-*li*-*a*-re) (*uma imobiliária*). Pode ainda procurar pela internet.

Você precisa saber se a casa é **ammobiliata** (a-mo-bi-li-*a*-ta) (*mobiliada*), como acontece com a maioria das locações para temporada. Se estiver alugando um imóvel para períodos maiores, na maioria das vezes, o imóvel estará vazio,

TIPOS DE HABITAÇÃO ITALIANA

Na Itália, há diferentes tipos de habitação, e a mais comum é o **appartamento** (a-par-ta-*men*-to). O apartamento normalmente fica dentro de um **condominio** (kon-do-*mi*-ni-o) (*condomínio*) ou um velho **palazzo** (pa-*la*-tzo) reformado. Uma **villa** (*vi*-la) é uma casa única, normalmente no campo ou no litoral. A **villa** costuma ser a segunda casa de alguém. Algumas pessoas optam por viver **in campagna** (in-kam-*pa*-nha) (*no campo*). **Periferia** (pe-ri-fe-*ri*-a), assim como no Brasil, tem uma conotação negativa e se refere às regiões que não ficam nem na cidade, nem no campo.

sem nem mesmo uma geladeira. **L'aria condizionata** (*la*-ri-a kon-di-tzi-o--*na*-ta) (*ar-condicionado*) é um recurso muito importante para os meses de verão, embora muitos imóveis não possuam.

Essas palavras podem ajudar a especificar seus desejos com relação ao número e ao tipo de quartos, bem como quanto a locação e outras amenidades.

» **l'ascensore** (la-chen-*so*-re) (*o elevador*)

» **l'angolo cottura** (*lan*-go-lo ko-*tu*-ra) (*cozinha conjugada, em quitinetes*)

» **il bagno** (il *ba*-nho) (*o banheiro*)

» **il balcone** (il bal-*ko*-ne) (*a varanda*)

» **la camera da letto** (la *ka*-me-ra da *le*-to) (*o quarto*)

» **la cantina** (la kan-*ti*-na) (*adega, porão*)

» **la cucina** (la ku-*tchi*-na) (*a cozinha*)

» **la doccia** (la *do*-tchi-a) (*o chuveiro*)

» **la finestra** (la fi-*nes*-tra) (*a janela*)

» **il garage** (il ga-*ra*-dje) (*a garagem*)

» **la mansarda** (la man-*sar*-da) (*o sótão*)

» **la piscina** (la pi-*chi*-na) (*a piscina*)

» **il soggiorno** (il so-*djior*-no) (*a sala de visitas*)

» **la stanza** (la *stan*-dza) (*o quarto*)

» **la sala da pranzo** (la *sa*-la da *pran*-dzo) (*a sala de jantar*)

» **lo studio** (lo *stu*-di-o) (*o escritório* ou *estúdio*)

» **la vasca da bagno** (la *vas*-ka da *ba*-nho) (*a banheira*)

O uso do verbo "alugar" pode ser um pouco confuso. A confusão decorre do fato de que, em português, tanto **i padroni di casa** (i pa-*dro*-ni di *ka*-za) (proprietários) quanto **inquilini** (in-kui-*li*-ni) (*inquilinos*) usam o verbo **affittare** (a-fi-*ta*-re) (alugar). Para evitar mal-entendidos, os proprietários também dizem **dare in affitto** (da-*re* in a-*fi*-to) (tradução literal: dar em aluguel), e os inquilinos usam **prendere in affitto** (*pren*-de-re in a-*fi*-to) (tradução literal: pegar em aluguel). Outros verbos úteis para esses tipos de ações podem incluir: **subaffittare** (*su*-ba-fi-*ta*-re) (*sublocar*), **traslocare** (tras-lo-*ka*-re) (*mudar de casa*) e **trasferirsi** (tras-fe-*rir*-si) (*mudar de cidade*).

Tendo uma Conversa

Flaminia está procurando um apartamento e Pietro a ajuda a ler os anúncios no jornal. Depois de alguns minutos, Pietro acha que encontrou algo interessante.

Pietro: **Affittasi appartamento zona centro.**
A-*fi*-ta-si a-par-ta-*men*-to dzo-na *tchen*-tro
Apartamento para alugar, área central.

Flaminia: **Continua!**
kon-*ti*-nu-a
Continue!

Pietro: **Due stanze, balcone, garage.**
du-e *stan*-dze bal-*ko*-ne ga-*ra*-dje
Dois quartos, varanda, garagem.

Flaminia: **Perfetto!**
per-*fe*-to
Perfeito!

Pietro: **Tranquillo, in Via Treviso.**
tran-*kui*-lo in *vi*-a tre-*vi*-zo
Calmo, na Rua Treviso.

Flaminia: **Chiamo subito. Non è molto centrale.**
kia-mo *su*-bi-to non e *mol*-to tchen-*tra*-le
Vou ligar imediatamente. Não é muito central.

Pietro: **No, ma costa sicuramente meno.**
no ma *kos*-ta si-ku-ra-*men*-te *me*-no
Não, mas com certeza custa menos.

Flaminia: **È vero.**
e *ve*-ro
Verdade.

Pietro: **Chiama!**
kia-ma
Ligue!

Quando encontrar um anúncio do seu interesse no jornal, sempre retorne imediatamente — **Chi prima arriva macina** (ki *pri*-ma a-*ri*-va *ma*-tchi-na) (*O primeiro a chegar é o primeiro a ser servido*). Você não quer ouvir **Mi dispiace, è già affittato** (mi dis-*pia*-tche e *djia* a-fi-*ta*-to) (*Lamento, já foi alugado*).

Talvez você deva aprender as palavras a seguir ao procurar um apartamento (e em qualquer outra ocasião que considere fazer uma compra). **Caro** (*ka*-ro) significa "caro", e **economico** (e-ko-*no*-mi-ko) significa "barato", embora os italianos raramente usem **economico**. Em vez disso, eles dizem **costa poco** (kos-ta po-ko) (*custa pouco*) ou **non è caro** (non e ka-ro) (*não é caro*). Quando se quer comparar custos, diz-se **costa meno** (kos-ta me-no) (*custa menos*) ou **costa di più** (kos-ta di piu) (*custa mais*). Outras perguntas úteis incluem: **A che piano è?** (a ke pia-no é) (*Em que andar fica?*) e **Cè l'ascensore?** (tche la-chen--so-re) (*Tem elevador?*).

Tendo uma Conversa

Flaminia liga para o número que está no anúncio para saber mais sobre um apartamento.

Proprietário: **Pronto!**
pron-to
Alô!

Flaminia: **Buongiorno, chiamo per l'annuncio. Quant'è l'affitto?**
buon-*djior*-no *kia*-mo per la-*nun*-tchio kuan-*te* la-*fi*-to
Bom dia! Estou ligando para saber sobre o anúncio. Quanto é o aluguel?

Proprietário: **600 euros al mese.**
sei-*tchen*-to *eu*-ro al *me*-ze
Seiscentos euros por mês.

Flaminia: **Riscaldamento e acqua sono compresi?**
Ris-kal-da-*men*-to e *a*-kua *so*-no kon-*pre*-zi
Aquecimento e água inclusos?

Proprietário: **No, sono nelle spese di condominio.**
no *so*-no *ne*-le *spe*-ze di kon-do-*mi*-ni-o
Não, estão incluídos na taxa do condomínio.

Flaminia: **Sono alte?**
so-no *al*-te
É alta?

Proprietário: **Dipende dal consumo, come l'elettricità.**
di-*pen*-de dal kon-*su*-mo *ko*-me le-le-tri-tchi-*ta*
Depende do seu consumo, assim como a eletricidade.

Flaminia: **Quando lo posso vedere?**
kuan-do lo *po*-so ve-*de*-re
Quando posso vê-lo?

Proprietário: **Subito, se vuole.**
su-bi-to se vu-*o*-le
Imediatamente, se quiser.

Você provavelmente vai querer saber muito mais coisas se decidir alugar um apartamento. A Tabela 5-2 lista mais algumas perguntas comuns e algumas possíveis respostas.

TABELA 5-2 **Perguntas e Respostas Comuns ao Procurar um Imóvel**

Perguntas	Respostas Possíveis
È occupato? é o-ku-*pa*-to *Está ocupado?*	**No, è libero.** no e *li*-be-ro *Não, está desocupado.* **Sì, per il momento.** si per il mo-*men*-to *Sim, no momento.* **È libero fra sei mesi.** é *li*-be-ro fra sei *me*-zi. *Estará desocupado em seis meses.*
Bisogna lasciare un deposito? bi-*zo*-nha la-chi-*a*-re un de-*po*-zi-to *É necessário fazer um depósito?*	**Sì, un mese d'affitto.** si un *me*-ze da-*fi*-to *Sim, um mês de aluguel.* **Sì, la cauzione** si la ka-u-tzi-o-ne. *Sim, solicitamos uma caução.*
Paghi molto per la casa? *pa*-ghi *mol*-to per la *ka*-za *Você paga muito caro pela sua casa?*	**No, l'affitto è veramente basso.** no la-*fi*-to é ve-ra-*men*-te *ba*-so *Não, o aluguel é bem barato.*
La casa è tua? la *ka*-za é *tu*-a *Você tem casa própria?*	**No, sono in affitto.** no *so*-no in a-*fi*-to *Não, eu alugo.* **Sì, l'ho comprata l'anno scorso.** si lo kom-*pra*-ta *la*-no skor-so *Sim, comprei no ano passado.* **Ho fatto un mutuo.** o *fa*-to un *mu*-tu-o. *Fiz um financiamento.*

Decorando seu apartamento

Quando você finalmente encontrar seu apartamento, vai querer mobiliá-lo lindamente. O diálogo seguinte mostra como os italianos chamam seus móveis.

Tendo uma Conversa

Valerio encontrou um apartamento novo, **non ammobiliato** (non a-mo-bi-li--*a*-to) (*não mobiliado*). Sua amiga Eugenia está perguntando de que ele precisa.

Valerio: **Ho trovato un appartamento! Devo comprare dei mobili.**
o tro-*va*-to un a-par-ta-*men*-to *de*-vo kom-*pra*-re dei *mo*-bi-li
Encontrei um apartamento! Tenho que comprar alguns móveis.

Eugenia: **Tutto?**
tu-to
Todos?

Valerio: **No, per la camera da latto il letto e l'armadio.**
no per la *ka*-me-ra da *le*-to il *le*-to e lar-*ma*-di-o
Não, para o quarto, só a cama e o armário.

Eugenia: **Nient'altro?**
ni-en-*tal*-tro
Mais nada?

Valerio:	**Ho due comodini e una cassettiera.**
	o *du*-e ko-mo-*di*-ni e *u*-na ka-se-ti-*e*-ra
	Tenho dois criados-mudos e uma cômoda.

Eugenia:	**E per il soggiorno?**
	e per il so-*djior*-no
	E para a sala de estar?

Valerio:	**Ho una poltrona. Mi mancano ancora il divano e un tavolino.**
	o *u*-na pol-*tro*-na mi *man*-ka-no an-*ko*-ra il di-*va*-no e un ta-vo-*li*-no
	Tenho uma poltrona. Faltam ainda um sofá e uma mesa de centro.

A Sra. Giorgetti quer comprar móveis usados. Ela lê um anúncio interessante:

Vendesi (*ven*-de-si) (*vende-se*): **tavolo e due sedie** (*ta*-vo-lo e *du*-e se-di-e) (mesa com duas cadeiras) **stile Liberty** (*sti*-le *li*-ber-ti) (*estilo Liberty*)

"Quello che cercavo!" (*kue*-lo ke tcher-*ka*-vo) (*"Justo o que eu procurava!"*), ela exclama. Ela imediatamente liga para o número do anúncio. Logicamente, ela precisa de respostas para algumas perguntas:

Sono autentici? (*so*-no au-*ten*-ti-tchi) (*São legítimos?*)

Sì, comprati ad un'asta. (si kom-*pra*-ti a-du-*nas*-ta) (*Sim, [foram comprados] em um leilão.*)

Sono in buono stato? (*so*-no in *buo*-no *sta*-to) (*Estão em bom estado?*)

Venga a vederli! (*ven*-ga a ve-*der*-li) (*Venha vê-los!*)

Mobiliando seu novo lar

A Tabela 5-3 divide as diferentes peças de **i mobili** (i *mo*-bi- li) (móveis) e outros itens de acordo com os cômodos.

TABELA 5-3 Tradução dos Móveis por Cômodos

il soggiorno/il salotto (il so-djior-no) (il sa-lo-to)	*a sala de estar*
il divano (il di-*va*-no)	*o sofá*
la poltrona (la pol-*tro*-na)	*a poltrona*
il tappeto (il ta-*pe*-to)	*o tapete*
lo scaffale (lo ska-*fa*-le)	*a estante*

la cucina (la ku-tchi-na)	a cozinha	
il frigorifero (il fri-go-ri-fe-ro)	a geladeira	
il grembiule (il gren-biu-le)	o avental	
la lavastoviglie (la la-vas-to-vi-lhie)	a máquina de lavar pratos	
il lavello (il la-ve-lo)	a pia	
le sedie (le se-di-e)	as cadeiras	
il tavolo (il ta-vo-lo)	a mesa	
la credenza (la cre-den-tza)	a despensa	
i pensili (i pen-si-li)	armários	

la camera da letto (la ka-me-ra da le-to)	o quarto	
il letto (il le-to)	a cama	
il comodino (il ko-mo-di-no)	o criado-mudo	
l'armadio (lar-ma-di-o)	o armário	
il comò (il ko-mo)	a cômoda	
i cuscini (i ku-chi-ni)	os travesseiros	
la lampada (la lam-pa-da)	o abajur	
il lenzuolo/le lenzuola (il len-zuo-lo/le len-zuo-la)	o lençol/os lençóis	
le tende (le ten-de)	as cortinas	

il bagno (il ba-nho)	o banheiro	
Il bidet (il bi-de)	o bidê	
la tazza (la ta-tza)	o vaso sanitário	
la doccia (la do-tchia)	o chuveiro	
l'asciugamano/gli asciugamani (la-chu-ga-ma-no) (lhi a-chu-ga-ma-ni)	a toalha/as toalhas	
il lavandino (il la-van-di-no)	a pia	
la vasca da bagno (la vas-ka da ba-nho)	a banheira	

Palavras a Saber

accanto	a-kan-to	ao lado de
davanti	da-van-ti	em frente de
dietro	di-e-tro	atrás
sopra	so-pra	em cima de
sotto	so-to	embaixo
di lato	di la-to	na lateral
dentro	den-tro	dentro
fuori	fu-o-ri	fora

Afazeres domésticos com estilo

Os italianos adoram seus **elettrodomestici** (e-*le*-tro-do-*mes*-ti-tchi) (*eletrodomésticos*), e existem muitas marcas elegantes para esses itens. Secadoras de roupas são muito raras na Itália, por causa do alto consumo de energia, mas muitas residências hoje têm lava-louça. Alguns **elettrodomestici** incluem:

l'aspirapolvere	las-*pi*-ra-*pol*-ve-re	*o aspirador de pó*
la lavatrice	la *la*-va-*tri*-tche	*a máquina de lavar roupas*
la lavastoviglie	la *la*-vas-to-*vi*-lhi-e	*o lava-louça*
il frullatore	il fru-la-*to*-re	*o liquidificador*
il tostapane	il *tos*-ta-*pa*-ne	*a torradeira*
il frigorifero	il fri-go-*ri*-fe-ro	*a geladeira*
i fornelli	i for-*ne*-li	*o fogão*
il forno	il *for*-no	*o forno*
il microonde	il *mi*-kro-*on*-de	*o micro-ondas*

Tendo uma Conversa

Uma mãe e seu filho estão se preparando para o jantar. Ela pede a ele que arrume a mesa e varra o chão da **sala da pranzo** (*sa*–la da *pran*–dzo) (*sala de jantar*) antes que os convidados cheguem.

Mamma: **Salvatore, per favore, passa la scopa prima che arrivino gli ospiti.**
sal-va-*to*-re per fa-*vo*-re *pa*-sa la *sko*-pa *pri*-ma ke a-*ri*-vi-no lhi *os*-pi-ti
Salvatore, por favor, varra antes que os convidados cheguem.

Salvatore: **Va bene, mamma.**
va *be*-ne *ma*-ma
Certo, mamãe.

Che altro?
ke *al*-tro
O que mais?

Mamma: **Apparecchia il tavolo, caro.**
a-pa-*re*-kia il *ta*-vo-lo *ka*-ro
Ponha a mesa, querido.

Salvatore: **Cosa ci metto?**
ko-za tchi *me*-to
O que devo colocar?

Mamma: **Metti la tovaglia con i limoni con i suoi tovaglioli.**
me-ti la to-*va*-lhia kon i li-*mo*-ni kon i suoi to-va-lhi-o-li
Coloque a toalha com limões e os guardanapos combinando.

Salvatore: **Quali piatti?**
kua-li *pia*-ti
Quais pratos?

Mamma: **Quelli di Faenza, il piano e il fondo.**
kue-li di fa-*en*-dza il *pia*-no e il *fon*-do
Os de Faenza, os rasos e os fundos.

Non dimenticare forchette, coltelli, e cucchiai per il brodetto.
non di-men-ti-*ka*-re for-*ke*-te kol-*te*-li e ku-*kiai* per il bro-*de*-to
Não esqueça os garfos, facas e as colheres para o caldo de peixe.

Salvatore: **Mamma, non bastano i bicchieri per l'acqua.**
ma-ma non *bas*-ta-no i bi-*kie*-ri per *la*-kua
Mãe, não tem copos de água suficientes.

Mamma: **Non importa, li ho qui nella lavastoviglie.**
non im-*por*-ta li o ku-*i ne*-la *la*-vas-to-*vi*-lhi-e
Tudo bem, eles estão no lava-louça.

Aggiungiamo anche i bicchieri da vino. Grazie.
a-djun-*dja*-mo *an*-ke i bi-*kie*-ri da *vi*-no *gra*-tzie
Vamos colocar as taças de vinho também. Obrigada.

Palavras a Saber

apparecchiare	a-pa-re-ki-a-re	arrumar a mesa
bicchiere/i	bi-ki-e-re/ri	copo/s
coltello/i	kol-te-lo/li	faca/s
cucchiaio/chucchiai	ku-ki-a-io/ai	colher/es
il (piatto) fondo	il fon-do	prato fundo (para sopa ou massa)
forchetta/e	for-ke-ta/te	garfo/s
il (il piatto) piano	il pi-a-no	prato raso
piatto/i	pi-a-to	prato/s
scopa	sko-pa	vassoura
sparecchiare	spa-re-ki-a-re	tirar/limpar a mesa
tovaglia	to-va-lhi-a	toalha de mesa
tovagliolo/i	to-va-lhi-o-lo/li	guardanapo/s

SABEDORIA CULTURAL

Você sabia que algumas das mais belas cerâmicas são fabricadas na Itália? Muitas são verdadeiras obras de arte, pintadas à mão. Algumas cidades são famosas por sua cerâmica, como Faenza (Emilia Romagna), Deruta (Umbria), Vietri (Costa Amalfitana) e Caltagirone (Sicília). Deve ser difícil visitar uma dessas cidades e não comprar uma porção delas.

Cozinhando e limpando

Se você adora **cucinare** (ku-tchi-na-re) (*cozinhar*), certamente vai se divertir comprando os ingredientes em uma feira ou supermercado italiano. Talvez pretenda se inscrever em um curso de culinária na Toscana no próximo verão. Mas mesmo que não esteja na Itália e goste de praticar seu italiano ouvindo programas de culinária, você vai precisar de um vocabulário essencial.

Tendo uma Conversa

ÁUDIO

Ouça a seguinte receita de Amedeo, chef do programa de culinária **Italiani in cucina**. Esta é apenas parte da receita, mas já é o bastante para você começar a conhecer um pouco do vocabulário que se usa na cozinha. (Faixa 10)

Amedeo:

Buongiorno e benvenuti a "Italiani in cucina". Oggi prepariamo le penne all'arrabbiata per quattro persone.
buon *djior*-no e ben-ve-*nu*-ti a i-ta-li-*a*-ni in ku-*tchi*-na o-dji *pre*-pa-ri-*a*-mo le *pe*-ne a-la-ra-*bia*-ta per *kua*-tro per-*so*-ne
Olá e bem-vindos ao "Italianos na cozinha". Hoje vamos preparar penne *all'arrabbiata* para quatro pessoas.

Gli ingredienti sono:
lhi in-gre-di-*en*-ti *so*-no
Os ingredientes são:

500 grammi di pomodoro
tchin-kue-*tchen*-to *gra*-mi di po-mo-*do*-ro
500 gramas de tomates

Mezzo chilo di penne
me-tzo *ki*-lo di *pe*-ne
Meio quilo de penne

Un cucchiaio di peperoncino
un ku-*kia*-io di pe-pe-ron-*tchi*-no
Uma colher de sopa de pimenta vermelha

Olio d'oliva extra vergine
o-lio do-*li*-va *eks*-tra *ver*-dji-ne
Azeite de oliva extravirgem

Quattro spicchi di aglio
kua-tro *spi*-ki di *a*-lhi-o
Quatro dentes de alho

Un mazzetto di prezzemolo
un ma-*tze*-to di pre-*tze*-mo-lo
Um maço pequeno de salsa

Inoltre, avrete bisogno di:
in-*ol*-tre a-*vre*-te bi-*zo*-nho di
Além disso, você vai precisar de:

una pentola grande per la pasta
u-na *pen*-to-la *gran*-de per la *pas*-ta
Um caldeirão grande para a massa

una padella grande per la salsa
u-na pa-*de*-la *gran*-de per la *sal*-sa
Uma panela grande para o molho

Sale e pepe
sa-le e *pe*-pe
Sal e pimenta

Inanzitutto fai bollire una pentola grande di acqua per la pasta.
i-nan-dzi-*tu*-to fai bo-*li*-re *u*-na *pen*-to-la *gran*-de di *a*-kua per la *pas*-ta
Primeiro, coloque para ferver uma panela grande de água para a massa.

Fazendo tarefas domésticas

Os italianos gostam de manter a casa sempre impecável. Não conhecemos ninguém que goste de fazer faxina, mas, se você mora com um italiano e tem que dividir as tarefas domésticas, pode ser útil conhecer alguns desses termos.

Tendo uma Conversa

Jenny e Lucia são colegas que acabaram de se mudar para morar juntas durante o período em que frequentarão a Universidade de Bologna. Elas estão dividindo as tarefas domésticas ou **faccende di casa** (fa-*tchen*-de di *ka*-za).

Jenny: **Allora, come vogliamo dividere le faccende di casa?**
a-*lo*-ra *ko*-me vo-*lhia*-mo di-*vi*-de-re le fa-*tchen*-de di *ka*-za
Então, como vamos dividir as tarefas domésticas?

Lucia: **Facciamo a settimane alternate.**
fa-*tchia*-mo a se-ti-*ma*-ne al-ter-*na*-te
Vamos alternar as semanas.

Jenny: **Una buon'idea.**
u-na *buo*-ni-*de*-a
Boa ideia.

Questa settimana io porto fuori la spazzatura e pulisco il bagno e la cucina.
kues-ta se-ti-*ma*-na i-o *por*-to *fuo*-ri la spa-tza-*tu*-ra e pu-*lis*-ko il *ba*-nho e la ku-*tchi*-na
Esta semana eu levo o lixo para fora e limpo o banheiro e a cozinha.

Lucia: **Ed io passo la scopa e l'aspirapolvere e spolvero tutta la casa.**
e-*di*-o *pa*-so la *sko*-pa e las-pi-ra-*pol*-ve-re e *spol*-ve-ro *tu*-ta la *ka*-za
E eu varro e passo o aspirador de pó na casa toda.

Palavras a Saber

camera	<u>ka</u>-me-ra	cômodo
lavare i pavimenti	la-<u>va</u>-re i pa-vi-<u>men</u>-ti	lavar o chão
mettere in ordine	<u>me</u>-te-re in <u>or</u>-di-ne	pôr em ordem/arrumar
ognuno	o-<u>nhu</u>-no	cada um
passare l'aspirapolvere	pa-<u>sa</u>-re las-pi-ra-<u>pol</u>-ve-re	passar o aspirador
passare la scopa	pa-<u>sa</u>-re la <u>sko</u>-pa	varrer
portare fuori la spazzatura	por-<u>ta</u>-re fu-<u>o</u>-ri la spa-tza-<u>tu</u>-ra	levar o lixo para fora
pulire	pu-<u>li</u>-re	limpar
spolverare	spol-ve-<u>ra</u>-re	espanar

Diversão & Jogos

Este é fácil! Identifique os vários cômodos e itens indicados pelos números com os nomes em italiano. Para crédito extra, continue identificando todos os itens que conseguir. Veja as respostas no Apêndice D.

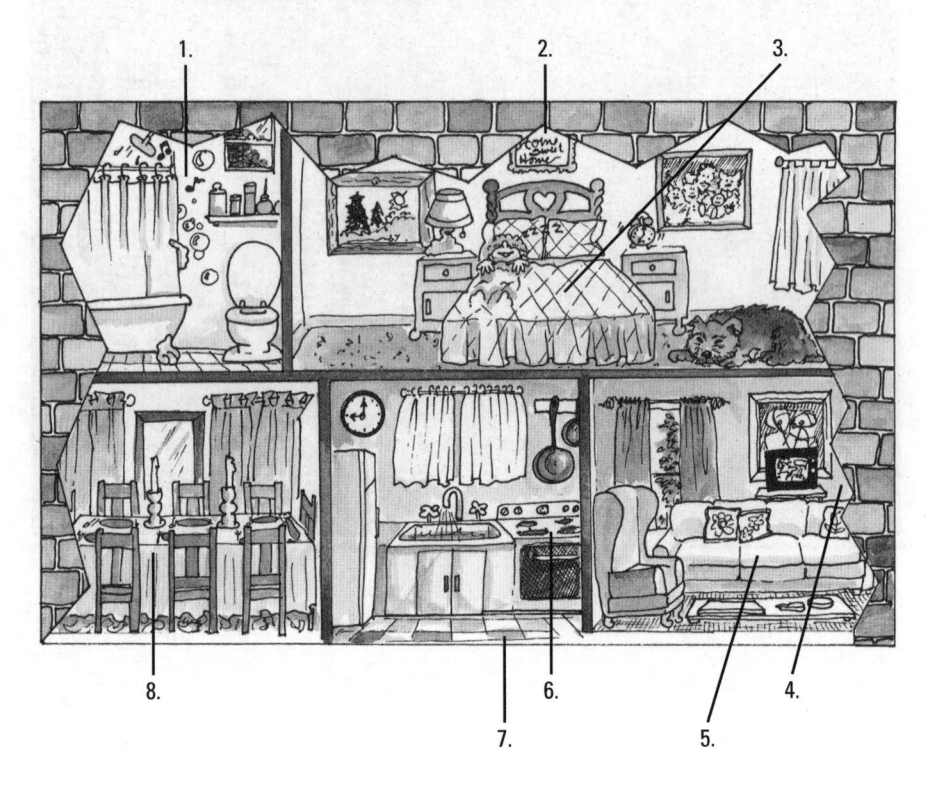

Capítulo 6

Onde Fica o Coliseu? Pedindo Informações

Você já se perdeu em uma cidade ou país estrangeiro? Se sim, sabe como é útil pedir orientações quando sabe o suficiente da língua nativa. Conhecer o idioma também permite compreender a resposta. Neste capítulo, damos algumas dicas úteis para conversas que facilitam encontrar o caminho.

Encontrando Seu Caminho: Perguntando sobre Locais Específicos

Ao pedir informações, sempre é educado iniciar a pergunta com uma das seguintes expressões:

Mi scusi. (mi *sku*-zi) (*Com licença*)

Scusi. (*sku*-zi) (*Com licença*)

Mi scusino. (mi *sku*-zi-no) (*Com licença* — você plural, formal)

Scusa. (*sku*-za) (*Com licença* — você singular, informal)

Scusate. (*sku*-za-te) (*Com licença* — você plural, informal)

ou

Per favore. (per fa-*vo*-re) (*Por favor*)

Un'informazione. (u-nin-for-ma-tzi-*o*-ne) (*Uma informação...*)

Então você poderá prosseguir com suas perguntas, mais ou menos como segue:

>> **Dov'è il Colosseo?** (do-*ve* il ko-lo-*se*-o) (*Onde fica o Coliseu?*)

>> **Questa è via Garibaldi?** (*kues*-ta e *vi*-a ga-ri-*bal*-di) (*Esta é a via Garibaldi?*)

>> **Per la stazione?** (per *la* sta-tzi-o-ne) (*Como chego à estação?*)

>> **Può indicarmi la strada per il centro?** (puo in-di-*kar*-mi la *stra*-da per il *tchen*-tro) (*Pode me indicar o caminho para o centro?*)

>> **Dove siamo adesso?** (*do*-ve si-*a*-mo a-*de*-so) (*Onde estamos agora?*)

>> **Mi sono perso. Dov'è il duomo?** (mi *so*-no *per*-so do-*ve* il du-*o*-mo) (*Me perdi. Onde fica a catedral?*)

>> **È qui vicino La Fontana di Trevi?** (é ku-*i* vi-*tchi*-no la fon-*ta*-na di *tre*-vi) (*A Fonte de Trevi é perto daqui?*)

Algumas respostas possíveis para as perguntas anteriores, não necessariamente na ordem (combine-as de acordo com o contexto), são:

>> **Si è proprio qui vicino!** (si e *pro*-pri-o ku-*i* vi-*tchi*-no) (*Sim, é bem perto!*)

>> **Segua la strada principale fino al centro.** (*se*-gua la *stra*-da prin-tchi-*pa*-le *fi*-no al *tchehn*-tro) (*Siga a rua principal até o centro.*)

- » **Vada sempre dritto.** (*va*-da *sem*-pre *dri*-to) (*Siga reto.*)

- » **Dopo il semaforo giri a destra.** (*do*-po il se-*ma*-fo-ro *dji*-ri a *des*-tra) (*Após o semáforo, vire à direita.*)

- » **È in fondo a sinistra.** (*é* in *fon*-do a si-*nis*-tra) (*Fica no fim, à esquerda.*)

- » **È vicino alla posta.** (*é* vi-*tchi*-no *a*-la *pos*-ta) (*É próximo ao correio.*)

- » **Attraversi il ponte, poi c'è una piazza e lì lo vede.** (*a*-tra-*ver*-si il *pon*-te poi *tché u*-na pi-*a*-tza e li lo *ve*-de) (*Atravesse a ponte, depois tem uma praça e você o verá ali.*)

- » **È la terza strada a sinistra.** (*é* la *ter*-tza *stra*-da a si-*nis*-tra) (*É a terceira rua à esquerda.*)

- » **È dopo il terzo semaforo a destra.** (*é do*-po il *ter*-tzo se-*ma*-fo-ro a *des*-tra) (*Depois da terceiro poste de luz à direita.*)

- » **Ha sbagliato strada.** (a sba-lhi-*a*-to *stra*-da) (*Você está na rua errada.*)

Tendo uma Conversa

Anna Maria e Robert estão procurando pela Fonte de Trevi. Eles estão em Roma, na via del Corso, e param para perguntar orientações ao **carabiniere** (um tipo de policial). Observe que aqui o **carabiniere** usa o modo formal imperativo **Loro**, pois está falando com dois adultos desconhecidos.

Anna Maria: **Scusi, è qui vicino La Fontana di Trevi?**
sku-zi é ku-*i* vi-*tchi*-no la fon-*ta*-na di *tre*-vi
Com licença, a Fonte de Trevi é perto daqui?

Carabiniere: **Sì, è proprio qui vicino! Si girano a destra in Via delle Muratte e proseguano per all'incirca 200 metri.**
si é *pro*-pri-o ku-*i* vi-*tchi*-no si *dji*-ri-no a *des*-tra in *vi*-a *de*-le mu-*ra*-te e *pro*-se-*gua*-no per a-lin-*tchir*-ca *du*-e *tchen*-to *me*-tri
Sim, é muito perto. Pegue à direita na Via delle Muratte e depois continue por cerca de duzentos metros.

Anna Maria: **Molte grazie.**
mol-te *gra*-tzie
Muito obrigada.

Carabiniere: **Non c'e di che.**
non *tché* di ke
De nada.

Mapeando e seguindo direções

Quatro orientações que você já conhece são os pontos cardeais da bússola: norte, sul, leste e oeste. É especialmente útil conhecê-los ao usar um mapa. A seguir, **i quattro punti cardinali** (i *kua*-tro *pun*-ti kar-di-*na*-li) (*os quatro pontos cardeais*):

> » **nord** (nord) (*norte*)
>
> » **est** (est) (*leste*)
>
> » **sud** (sud) (*sul*)
>
> » **ovest** (o-vest) (*oeste*)

Você pode ouvir as direções usadas em sentenças como as que seguem:

> » **Trieste è a nord-est.** (tri-*es*-te é a nor-*dest*) (*Trieste fica a nordeste.*)
>
> » **Napoli è a sud.** (*na*-po-li é a sud) (*Nápoles fica ao sul.*)
>
> » **Roma è a ovest.** (*ro*-ma é a o-*vest*) (*Roma fica a oeste.*)
>
> » **Bari è a sud-est.** (*ba*-ri é a su-*dest*) (*Bari fica a sudeste.*)

Algumas cidades encantadoras, como Verona e Ravenna, são fechadas ao tráfego, então você precisar ir a pé. É importante saber como se orientar em relação a pessoas e edifícios ao seguir ou dar direções. Os italianos costumam usar metros para descrever as distâncias a serem percorridas a pé:

> » **davanti a** (da-*van*-ti a) (*em frente a*)
>
> » **dietro a** (di-*e*-tro a) (*atrás*)
>
> » **vicino a** (vi-*tchi*-no a) (*próximo; ao lado de*)
>
> » **di fronte a** (di *fron*-te a) (*em frente a*)
>
> » **dentro** (*den*-tro) (*dentro*)
>
> » **fuori** (fu-o-ri) (*fora*)
>
> » **sotto** (*so*-to) (*sob*)
>
> » **sopra** (*so*-pra) (*sobre*)

Também é preciso conhecer as relações entre distância e **la direzione** (la di-re--dzi-*o*-ne) (*a direção*):

- **dritto** (*dri*-to) (reto)
- **sempre dritto** (*sem*-pre *dri*-to) (*adiante*)
- **fino a** (*fi*-no a) (*até*)
- **prima** (*pri*-ma) (*antes*)
- **dopo** (*do*-po) (*depois*)
- **a destra** (a *des*-tra) (*à direita*)
- **a sinistra** (a si-*nis*-tra) (*à esquerda*)
- **dietro l'angolo** (di-*e*-tro *lan*-go-lo) (*dobrando a esquina*)
- **all'angolo** (a-*lan*-go-lo) (*na esquina*)
- **all'incrocio** (a-lin-*kro*-tchio) (*no cruzamento*)

Mais vocabulário que pode ser usado para dar e receber direções:

- **la calle** (la *ka*-le) (*rua estreita*; termo falado apenas em Veneza)
- **il largo** (il *lar*-go) (*praça grande*)
- **il marciapiede** (il mar-tchia-*pie*-de) (*calçada*)
- **la piazza** (la pi-*a*-tza) (*praça*)
- **il ponte** (il *pon*-te) (*ponte*)
- **il sottopassaggio** (il so-to-pa-*sa*-djio*) (*passagem subterrânea*)
- **la strada** (la *stra*-da) (*estrada; rua*)
- **la via** (la *vi*-a) (*estrada; rua*)
- **la via principale** (la *vi*-a prin-tchi-*pa*-le) (*rua principal*)
- **il viale** (il vi-*a*-le) (*avenida*)
- **il vicolo** (il *vi*-ko-lo) (*alameda*)

Tendo uma Conversa

Laurie está visitando Florença e acabou de tomar um café no meio da manhã na Piazza della Repubblica. Ela pergunta a um homem parado perto dela como chegar ao correio.

Laurie: **Scusi, dov'è l'ufficio postale?**
sku-zi do-*vé* lu-*fi*-tchi-o pos-*ta*-le
Com licença, onde é o correio?

Enzo: **È dietro l'angolo, là, sotto i portici. L'accompagno?**
é di-*e*-tro *lan*-go-lo la *so*-to i *por*-ti-tchi la-kom-*pa*-nho
É virando a esquina, lá, embaixo dos pórticos. Posso acompanhá-la?

Laurie: **Grazie, no grazie, vado da sola.**
gra-tzie no *gra*-tzie *va*-do da *so*-la
Obrigada. Não, obrigada, vou sozinha.

DICA

La strada e **la via** são sinônimos, mas usa-se sempre **via** quando for especificado o nome:

» **È una strada molto lunga.** (*é u*-na *stra*-da *mol*-to *lun*-ga) (*É uma estrada muito longa.*)

» **Abito in via Merulana.** (a-*bi*-to in *vi*-a me-ru-*la*-na) (*Moro na via Merulana.*)

Imaginamos que você queira conhecer a tradução e a pronúncia de um famoso provérbio italiano que você já deve ter ouvido:

Tutte le strade portano a Roma. (*tu*-te le *stra*-de por-*ta*-no a *ro*-ma) (*Todas as estradas levam a Roma.*)

Tendo uma Conversa

ÁUDIO

Mary está visitando **Bologna** (bo-*lo*-nha) pela primeira vez. Ela andou muito e agora quer voltar para a estação de trem. Como não consegue se lembrar do caminho, ela pergunta a um senhor. (Faixa 12)

Mary: **Scusi?**
sku-zi
Com licença?

Senhor: **Sì?**
si
Sim?

Mary:	**Dov'è la stazione centrale?**
	do-*vé* la sta-tzi-*o*-ne tchen-*tra*-le
	Onde fica a estação central?

Senhor:	**Prenda la prima a destra.**
	pren-da la *pri*-ma a *des*-tra
	Pegue a primeira à direita.

Mary:	**Poi?**
	poi
	E depois?

Senhor:	**Poi la terza a sinistra.**
	poi la *ter*-tza a si-*nis*-tra
	Depois a terceira à esquerda.

Mary:	**Sì?**
	si
	Sim?

Senhor:	**Poi la seconda, no, la prima...**
	poi la se-*kon*-da no la *pri*-ma
	Depois a segunda, não, a primeira...

Mary:	**Grazie, prendo un taxi!**
	gra-tzie *pren*-do un *ta*-ksi
	Obrigada, vou pegar um táxi!

Palavras a Saber

la strada principale [f]	la stra-da prin-tchi-pa-le	rua principal
il semaforo [m]	il se-ma-fo-ro	o semáforo
il ponte [m]	il pon-te	a ponte
la piazza [f]	la pi-a-tza	a praça
il centro [m]	il tchen-tro	o centro
la stazione [f]	la sta-tzi-o-ne	a estação
il duomo [m]	il du-o-mo	a catedral
l'ufficio postale [f]	lo-fi-tchi-o pos-ta-le	o correio
la rotonda (f)	la ro-ton-da	a rotatória

Verbos de Movimento

Você precisa conhecer certos verbos ao tentar entender as direções. Alguns verbos serão úteis para encontrar seu caminho.

- » **andare** (an-*da*-re) (*ir*)
- » **girare a destra/a sinistra** (dji-*ra*-re a *des*-tra/a si-*nis*-tra) (*virar à direita/à esquerda*)
- » **prendere** (pren-*de*-re) (*pegar*)
- » **proseguire** (pro-se-*gui*-re) (*prosseguir*)
- » **seguire** (se-*gui*-re) (*seguir*)
- » **tornare indietro** (tor-*na*-re in-di-*e*-tro) (*voltar*)

LEMBRE-SE

Os imperativos são formas verbais úteis em diversas situações, inclusive quando se tenta passear em um lugar que você não conhece. A lista a seguir mostra o modo informal do verbo (**tu**) seguido pelo modo formal (**Lei**). Leia o Capítulo 2 para saber se deve usar o modo formal ou informal.

- » **Va/Vada/Andate/Vadano!** (va/*va*-da/an-*da*-te/*va*-da-no) (*Vá!*)
- » **Gira/Giri/Girate/Girino!** (*dji*-ra/*dji*-ri/*dji*-ra-te/*dji*-ri-no) (*Vire!*)
- » **Prendi/Prenda/Prendete/Prendano!** (*pren*-di/*pren*-da/*pren*-de-te/ *pren*-da-no) (*Pegue!*)
- » **Prosegui/Prosegua/Proseguite/Proseguano!** (pro-*se*-gu-i/pro-*se*-gu-a/ pro-se-*gui*-te/pro-*se*-gu-a-no) (*Prossiga!*)
- » **Segui/Segua/Seguite/Seguano!** (*se*-gu-i/*se*-gu-a/se-*gu*-i-te/*se*-gu-a-no) (*Siga!*)
- » **Torna/Torni/Tornate/Tornino!** (*tor*-na/*tor*-ni/tor-*na*-te/*tor*-ni-no) (*Volte!*)
- » **Attraversa/Attraversi/Attraversate/Attraversino!** (a-tra-*ver*-sa/a-tra-*ver*-si/a-tra-ver-*sa*-te/a-tra-*ver*-si-no) (*Atravesse!*)

DICA

Note que as terminações desses verbos variam, aparentemente sem padrão consistente. As variações são determinadas pela terminação do verbo no infinitivo (**-are, -ere** ou **-ire**), e ainda pelo fato de o verbo ser regular ou irregular. Memorize os verbos e suas terminações. Para saber a que distância você está de seu destino, veja algumas perguntas e respostas típicas:

- » **Quant'è lontano?** (kuan-*té* lon-*ta*-no) (*Qual é a distância?*)
- » **È molto lontano?** (é *mol*-to lon-*ta*-no) (*Fica muito longe?*)

- » **Quanto dista?** (*kuan*-to *dis*-ta) (*Qual é a distância?*)

- » **Saranno cinque minuti.** (sa-*ra*-no *tchin*-kue mi-*nu*-ti) (*São cinco minutos.*)

- » **Circa un chilometro** (*tchir*-ka un ki-*lo*-me-tro) (*Cerca de um quilômetro.*)

- » **Non saranno più di 150 metri.** (Non sa-*ra*-no *piu* di *tchen*-to-tchin-*kuan*-ta *me*-tri) (*Fica a mais de 150 metros de distância.*)

- » **No, un paio di minuti.** (no un *pa*-io di mi-*nu*-ti) (*Não, uns dois minutos.*)

- » **Posso arrivarci a piedi?** (*po*-so a-ri-*var*-tchi a *pie*-di) (*Posso ir a pé?*)

- » **Certo, è molto vicino.** (*tcher*-to é *mol*-to vi-*tchi*-no) (*Lógico, é bem perto.*)

- » **È un po' lontano.** (é un po lon-*ta*-no) (*É um pouco longe.*)

- » **È proprio a due passi.** (é *pro*-pri-o a *du*-e *pa*-si) (*É muito perto.* Literalmente: apenas a dois passos.)

- » **È all'incirca 20 metri di distanza.** (é a-lin-*tchir*-ka *ven*-ti *me*-tri di dis-*tan*-tza) (*Fica a cerca de vinte metros de distância.*)

Tendo uma Conversa

Jenny e Lucy estão visitando Roma e gostariam de caminhar até sua pizzaria favorita em Trastevere, saindo do antigo monastério onde estão hospedadas. Elas perguntam à mulher na recepção como chegar lá.

Jenny: **Scusi, un'informazione, per favore.**
sku-zi u-nin-for-ma-tzi-*o*-ne per fa-*vo*-re
Com licença, uma informação, por favor.

Mulher: **Prego!**
pre-go
Como posso ajudar?

Jenny: **Quanto dista la pizzeria Ai Marmi?**
kuan-to *dis*-ta la pi-tze-*ri*-a ai *mar*-mi
Qual a distância até a pizzaria Ai Marmi?

Mulher: **È vicino, potete andarci a piedi facilmente.**
é vi-*tchi*-no po-*te*-te an-*dar*-tchi a *pie*-di fa-tchil-*men*-te
É perto, pode ir andando facilmente.

Quando uscite dall'albergo girate a destra, e all'incrocio girate ancora a destra. Proseguite in Viale Trastevere per all'incirca 100 metri e vedrete la pizzeria a sinistra.
kuan-do u-*chi*-te da-lal-*ber*-go *dji*-ra-te a *des*-tra e a-lin-*kro*-tchio *dji*-ra-te an-*ko*-ra a *des*-tra pro-se-*gu*-i-te in vi-*a*-le tras-*te*-ve-re per a-lin-*tchir*-ka *tchen*-to *me*-tri e ve-*dre*-te la pi-tze-*ri*-a a si-*nis*-tra
Saindo do hotel, vire à direita e depois, no cruzamento, pegue a direita novamente. Desça a Viale Trastevere por cerca de 100 metros e verá a pizzaria do lado esquerdo.

Lucy:	**Scusi, non ho capito, può ripetere più lentamente, per favore?**
	sku-zi non o ka-*pi*-to pu-*o* ri-*pe*-te-re piu len-ta-*men*-te per fa-*vo*-re
	Desculpe, não entendi. Você poderia repetir mais devagar, por favor?
Mulher:	**Certo! Allora, esci dall'albergo e giri a destra. Va bene?**
	tcher-to a-*lo*-ra e-chi da-lal-*ber*-go e *dji*-ria *des*-tra va *be*-ne
	Claro. Agora, saia do hotel e vire à direita. Certo?

Palavras a Saber

numero [m]	<u>nu</u>-me-ro	número
minuto [m]	mi-<u>nu</u>-to	minuto
lentamente	len-ta-<u>men</u>-te	devagar
autobus [m]	<u>au</u>-to-bus	ônibus
fermata [f]	fer-<u>ma</u>-ta	ponto de ônibus
macchina [f]	<u>ma</u>-ki-na	carro

O QUE DIZER QUANDO NÃO ENTENDER

De vez em quando, você pode não entender as direções que alguém dá. Nessas ocasiões, é preciso conhecer algumas expressões educadas para pedir que a outra pessoa repita as orientações.

- **Come, scusi?** (*ko*-me *sku*-zi) (*Desculpe, como?*) (formal)
- **Come, scusa?** (*ko*-me *sku*-za) (*Desculpe, como?*) (informal)
- **Mi scusi, non ho capito.** (mi *sku*-zi non o ka-*pi*-to) (*Desculpe, não entendi.*)
- **Può ripetere più lentamente, per favore?** (pu-*o* ri-*pe*-te-re piu len-ta-*men*-te per fa-*vo*-re) (*Poderia repetir mais devagar, por favor?*)

Quando alguém explica o caminho ou dá informações sobre como chegar a algum lugar, é bom agradecer, e essa é a parte mais fácil: **Mille grazie!** (*mi*-le *gra*-tzie) (*Muito obrigado/a*).

Locais que Você Pode Estar Procurando

Ao procurar um lugar específico, as seguintes sentenças podem ajudá-lo a fazer as perguntas certas.

» **Mi sa dire dov'è la stazione?** (mi sa *di*-re do-*vé* la sta-tzi-o-ne) (*Sabe me dizer onde fica a estação?*)

» **Devo andare all'aeroporto.** (*de*-vo an-*da*-re *a*-la-e-ro-*por*-to) (*Preciso ir ao aeroporto*).

» **Sto cercando il teatro Valle.** (sto tcher-*kan*-do il te-*a*-tro *va*-le) (*Estou procurando o teatro Valle*).

» **Dov'è il cinema Astoria, per favore?** (do-*vé* il *tchi*-ne-ma as-*to*-ri-a per fa-*vo*-re) (*Onde fica o cinema Astoria, por favor?*)

» **Come posso arrivare al Museo Etrusco?** (*ko*-me *po*-so a-ri-*va*-re al mu-*ze*-o e-*trus*-ko) (*Como chego ao Museu Etrusco?*)

» **La strada migliore per il centro, per favore?** (la *stra*-da mi-lhi-o-re per il *tchen*-tro per fa-*vo*-re) (*O melhor caminho para o centro, por favor?*)

» **Che chiesa è questa?** (ke *kie*-za é *kues*-ta) (*Que igreja é esta?*)

» **Quale autobus va all'ospedale?** (*kua*-le *au*-to-bus va a-los-pe-*da*-le) (*Que ônibus vai para o hospital?*)

» **Come faccio ad arrivare all'università?** (*ko*-me *fa*-tchio a-da-ri-*va*-re a-*lu*-ni-ver-si-*ta*) (*Como chego à universidade?*)

Tendo uma Conversa

ÁUDIO

Peter quer se encontrar com um amigo em um restaurante de Via Torino. Depois de descer do ônibus, ele pergunta o caminho a uma garota. (Faixa 11)

Peter: **Scusa?**
sku-za
Com licença?

Garota: **Dimmi.**
di-mi
Pois não.

Peter:	**Sto cercando via Torino.** sto tcher-*kan*-do *vi*-a to-*ri*-no Estou procurando a Via Torino.
Garota:	**Via Torino!?** *vi*-a to-*ri*-no Via Torino!?
Peter:	**È qui vicino, no?** é ku-*i* vi-*tchi*-no no Fica aqui perto, não?
Garota:	**No, è lontanissimo.** no é lon-ta-*ni*-si-mo Não, é muito longe.
Peter:	**Oddio, ho sbagliato strada!** o-*di*-o o sba-*lha*-to *stra*-da Deus, errei a rua!
Garota:	**Devi prendere il 20 verso il centro.** *de*-vi *pren*-de-re il *ven*-ti *ver*-so il *tchen*-tro Você tem que pegar o [ônibus] 20 para o centro.

Tendo uma Conversa

Amy Jo está fazendo intercâmbio de um ano em Florença e vive com uma família perto do Giardino di Boboli. Ela está na Piazza Duomo e tem que encontrar sua colega Oona na Galleria degli Uffizi, mas se encontra um pouco perdida. (Veja a Figura 6-1.) Ela pergunta a um jovem músico de rua como chegar lá.

Amy Jo:	**Scusa, un'informazione, per favore. Sono un po' persa.** *sku*-za u-*nin*-for-ma-tzi-*o*-ne per fa-*vo*-re *so*-no un po *per*-sa Com licença, uma informação, por favor. Estou um pouco perdida.
Músico:	**Dimmi!** *di*-mi Fale!
Amy Jo:	**Come posso arrivare alla Galleria degli Uffizi?** *ko*-me *po*-so a-ri-*va*-re *a*-la ga-le-*ri*-a *de*-lhi u-*fi*-tzi Como posso chegar à Galleria degli Uffizi?
Músico:	**Non è lontano. Vai sempre dritto in Via dei Calzaiuoli finchè arrivi alla Piazza della Signoria. Guarda un po' in giro quando arrivi.** non é lon-*ta*-no vai *sem*-pre *dri*-to in *vi*-a dei *kal*-tzai-*uo*-li fin-*ke* a-*ri*-vi *a*-la *pia*-tza *de*-la si-nho-*ri*-a *guar*-da un po in *dji*-ro *kuan*-do a-*ri*-vi Não é longe. Siga em frente pela Via dei Calzaiuoli até chegar à Piazza della Signoria. Dê uma olhada quando chegar lá.

Amy Jo:	**Quanti minuti ci vogliono a piedi?** *kuan*-ti mi-*nu*-ti tchi *vo*-lhio-no a *pie*-di Quantos minutos a pé?
Músico:	**Una decina.** *u*-na de-*tchi*-na Uns dez.
Amy Jo:	**Grazie!** *gra*-tzie Obrigada!

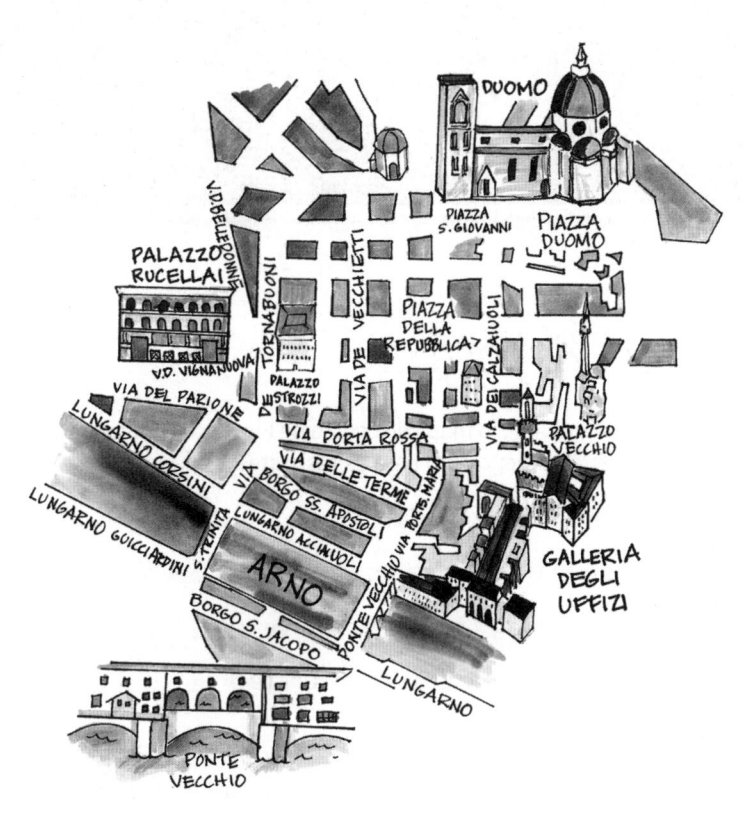

FIGURA 6-1:
Mapa do distrito histórico de Florença, Itália.

Palavras a Saber

a destra	a <u>des</u>-tra	à direita
a sinistra	a si-<u>nis</u>-tra	à esquerda
stazione [f]	sta-tzi-<u>o</u>-ne	estação
aeroporto [m]	a-e-ro-<u>por</u>-to	aeroporto
teatro [m]	te-<u>a</u>-tro	teatro
cinema [m]	<u>tchi</u>-ne-ma	cinema
chiesa [f]	ki-<u>e</u>-za	igreja
ospedale [m]	os-pe-<u>da</u>-le	hospital
ponte (m)	<u>pon</u>-te	ponte

Diversão & Jogos

Observe a Figura 6-1, o mapa do centro de Florença, e dê as informações necessárias. Confira o Apêndice D para as respostas.

1. Palazzo Rucellai está na _____.

2. Duas pontes neste mapa são a _____ e a _____.

3. O rio que cruza Florença é chamado de _____.

4. O prédio ao lado da Galleria degli Uffizi é o _____.

5. O Duomo fica em quais praças? _____.

6. As ruas que correm ao lado do rio Arno têm que palavra em comum em seus nomes? _____

7. _____ parece ser a praça principal do centro de Florença.

Capítulo 7

Comida, Gloriosa Comida — E Não se Esqueça da Bebida!

Você já deve conhecer vários pratos e bebidas da culinária italiana, como espaguete, ravióli, *espresso*, pizza, risoto entre outros. Neste capítulo, você vai encontrar muito vocabulário referente a comida e bebida que costumam ser encontradas em restaurantes e supermercados italianos. Este capítulo convida você a explorar toda a variedade que faz da culinária italiana tão famosa. "Buon appetito!" (buon a-pe-*ti*-to) (*Bom apetite!*)

Comendo à Moda Italiana

Os italianos fazem três refeições principais: **la (prima) colazione** (la *pri*-ma ko-la-tzi-*o*-ne) (*café da manhã*), **il pranzo** (il *pran*-tzo) (*almoço*) e **la cena** (la *tche*-na) (*jantar*). **Uno spuntino** (*u*-no spun-*ti*-no) (*um lanche*) é aquele momento em que bate uma fominha entre as refeições. **La merenda** (la me-*ren*-da) é o lanche diário das crianças.

Bebendo à Moda Italiana

Esta seção fala sobre quase todo tipo de bebida italiana. Começando, obviamente, pelo café, inclui também água, chá e algumas bebidas alcoólicas.

Expressando seu amor pelo *espresso*

Você pode pedir um *espresso* na sua cafeteria favorita, mas na Itália basta pedir **un caffè** (un ka-*fe*) (*um café*) ao **barista** (ba-*ris*-ta) (*garçom*) ou **il cameriere** (il ka-me-*rie*-re) (*o garçom*).

A BEBIDA NACIONAL DA ITÁLIA: *ESPRESSO*

Use os termos a seguir ao pedir um café em um **bar** (*cafeteria*) e com certeza será compreendido!

- **Un Caffè Hag** (un ka-*fe* ag) é uma marca popular de café instantâneo descafeinado — todo italiano conhece.

- **Un caffè** (un ka-*fe*): quando você pede apenas **caffè**, automaticamente recebe um *espresso*.

- **Un caffè ristretto** (un ka-*fe* ris-*tre*-to): *espresso* bem forte e concentrado.

- **Un caffè doppio** (un ka-*fe do*-pio): *espresso* duplo.

- **Un caffè lungo** (un ka-*fe lun*-go): *espresso* aguado, menos concentrado.

- **Un caffè corretto** (un ka-*fe* ko-*re*-to): *espresso* com uma dose de conhaque ou outra bebida alcoólica.

- **Un cappuccino** (un ka-pu-*tchi*-no): *espresso* com leite espumado.

- **Un caffelatte** (un *ka*-fe-*la*-te): *espresso* com bastante leite.

- **Un caffè macchiato** (un ka-*fe* ma-ki-*a*-to): *espresso* com um toque de leite.

- **Un latte macchiato** (un *la*-te ma-ki-*a*-to): leite quente com um toque de *espresso*.

- **Un caffè americano** (un ka-*fe* a-me-ri-*ka*-no): café americano, porém mais forte do que o americano propriamente; é a nova moda na Itália.

- **Un caffè decaffeinato** (un ka-*fe* de-ka-fe-i-*na*-to): café descafeinado.

- **Un caffè d'orzo** (un ka-*fe dor*-tzo): um substituto do café, feito com cevada germinada, desidratada e torrada. Pode ser forte ou fraco.

- **Caffè freddo/shakerato** (ka-*fe fre*-do/cha-ke-*ra*-to): *espresso* gelado batido com gelo e melado de cana.

Aqui estão algumas dicas para ajudar na hora de fazer seu pedido.

- Não existem cafés extragrandes na Itália, e há apenas um tamanho para cappuccino e *caffelatte*.

- Os italianos geralmente tomam o café de pé em uma cafeteria. O café para viagem costuma ser pedido por turistas.

- Os italianos não tomam cappuccino depois do café da manhã (no máximo até as 11h).

- Atenção! Um *latte* é exatamente o que o nome diz: leite. Se quiser um copo de leite morno, diga "Un bicchiere di latte tiepido" (un bi-ki-*e*-re di *la*-te *tie*-pi-do).

Além do **caffè**, você pode desfrutar de um delicioso **cioccolata calda** (tchi-o--ko-*la*-ta *kal*-da) (*chocolate quente*; não existe chocolate gelado na Itália); **tè** ou **tè freddo** (te *fre*-do) (*chá gelado ou com gelo*); **infusi** (in-*fu*-zi) (*chá de ervas*) com **camomilla** (ka-mo-*mi*-la), o chá perfeito para a hora de dormir; **succhi di frutta** (*su*-ki di *fru*-ta) (*sucos de fruta*); **spremute** (spre-*mu*-te) (*suco natural preparado na hora*); e uma seleção de águas (*a*-kua).

A maioria dos italianos não bebe água da torneira, e sim **acqua minerale** (*a*-kua mi-ne-*ra*-le) (*água mineral*), que pode ser **acqua gassata/gasata** (*a*-kua ga-*sa*--ta/ga-za-ta) (*água com gás*), também chamada **acqua frizzante** (*a*-kua fri-tzan-te) ou **acqua liscia** ou **naturale** (*a*-kua *li*-cha ou na-tu-*ra*-le) (*água sem gás ou natural*).

No **estate** (es-*ta*-te) (*verão*), é capaz de você querer mais **ghiaccio** (gui-*a*-tchio) (*gelo*) , pois as bebidas só vêm com uma pedra.

DICA

Ao pedir uma bebida na Itália, é necessário especificar quanto se quer: uma garrafa inteira, uma jarra ou apenas um copo. Pode-se usar as seguintes palavras:

>> **Una bottiglia di...** (*u*-na bo-*ti*-lhia di) (*Uma garrafa de...*)

>> **Un bicchiere di...** (un bi-ki-*e*-ri di) (*Um copo de...*)

» **Una caraffa di...** (*u*-na ka-*ra*-fa di) (*Uma jarra de...*)

» **Mezzo litro di...** (*me*-tzo *li*-tro di) (*Meio litro de...*)

» **Un quartino di...** (un kuar-*ti*-no di) (*Um quarto de litro de...*)

Quando pagar pelas bebidas? Depende. Normalmente, primeiro você toma seu café e depois paga. Em cafeterias pequenas, onde há apenas uma ou duas pessoas trabalhando, simplesmente diga ao caixa o que consumiu e pague. Em grandes redes das cidades, com muitos turistas, primeiro você paga no caixa, pega um **scontrino** (skon-*tri*-no) (*nota fiscal*) e o entrega ao **barista**.

Bebidas com um toque a mais

A Itália também é famosa por seus **vini** (*vi*-ni) (*vinhos*) e outras bebidas fermentadas, como o famoso licor **limoncello** (li-mon-*tche*-lo) e a **grappa** (*gra*--pa). Cada região tem sua própria variedade de vinho, então tente experimentar os vinhos da região que estiver visitando.

Tendo uma Conversa

Amigos em uma refeição casual em uma **trattoria** (tra-to-*ri*-a) pedem um vinho para acompanhar a refeição. Eles estão na Toscana e pediram **pappa al pomodoro** (*pa*-pa al po-mo-*do*-ro) (uma sopa de pão toscana) e uma **bistecca alla fiorentina** (bis-*te*-ka *a*-la fi-o-ren-*ti*-na) (um bife enorme para duas ou mais pessoas).

Atendente: **Ecco, la lista dei vini.**
e-ko la *lis*-ta dei *vi*-ni
Aqui está a carta de vinhos.

Laura: **Che cosa ci consiglia?**
ke *ko*-za tchi kon-*si*-lhia
O que você recomenda?

Atendente: **Abbiamo un ottimo Chianti della casa.**
a-*bia*-mo un o-ti-mo ki-*an*-ti *de*-la *ka*-za
Temos um ótimo Chianti da casa.

Silvio: **Prendiamo un po' di vino rosso, allora, con la bistecca.**
pren-*dia*-mo un po di *vi*-no *ro*-so a-*lo*-ra kon la bis-*te*-ka
Vamos tomar um vinho tinto, então, para acompanhar a carne.

Laura: **Si. Quello della casa?**
si *kue*-lo *de*-la *ka*-za
Sim. O vinho da casa?

Silvio: **Perfetto!**
per-*fe*-to
Perfeito!

Na Itália, o **aperitivo** (a-pe-ri-*ti*-vo) (*bebida antes do jantar*) normalmente é tomado no bar, de pé ou sentado ao **tavolino** (ta-vo-*li*-no) (*mesinha*). O **Campari** e o **prosecco** (espumante seco) são os dois principais **aperitivi**, mas você também pode tomar outros sem álcool, como o **Crodino** ou o **Sanbitter**. O aperitivo costuma ser servido com deliciosos petiscos.

Tendo uma Conversa

Teresa e Laura se encontraram por volta das 7h da noite, antes de sair para jantar. Elas estão em uma mesa ao ar livre.

Garçom (Remo):	**Ditemi!** di-*te*-mi Como posso ajudar?
Teresa:	**Io prendo un Bitter Campari con una fetta di arancia.** *i*-o *pren*-do un *bi*-ter kam-*pa*-ri kon *u*-na *fe*-ta di a-*ran*-tchia Eu quero um Campari com uma fatia de laranja.
Laura:	**Per me un prosecco, grazie.** per me un pro-*se*-ko *gra*-tzi-e Para mim, um *prosecco*, obrigada.
Remo:	**Altro?** *al*-tro Outra coisa?
Teresa:	**Avete delle noccioline?** a-*ve*-te *de*-le no-tchi-o-*li*-ne Você tem amendoim?
Remo:	**No, mi dispiace, sono finite.** no mi dis-*pia*-tche *so*-no fi-*ni*-te Não, desculpe, acabou.

Você pode preferir uma **birra** (*bi*-ra) (*cerveja*) **grande** (*gran*-de) (*grande*) ou **piccola** (*pi*-ko-la) (*pequena*), em uma **bottiglia** (bo-*ti*-lhia) (*garrafa*) ou **alla spina** (*a*-la *spi*-na) (*cerveja leve*).

Comendo Fora

Uma das formas mais divertidas (e engordativas) de explorar uma nova cultura é experimentando a cozinha local. Se você gosta de culinária italiana, pode desfrutar dos muitos restaurantes italianos que há no Brasil. Pode comer em uma pizzaria ou degustar uma refeição completa tradicional em um restaurante elegante. E se tiver sorte de visitar a Itália, você e seus parceiros de prato vão se deliciar com um verdadeiro banquete!

Fazendo reservas

A menos que esteja indo a uma **pizzeria** (pi-tze-*ri*-a) (*pizzaria*) ou **trattoria** (tra-to-*ri*-a) (*restaurante pequeno*) ali da esquina, em um bom restaurante italiano, geralmente é preciso reservar uma mesa.

Tendo uma Conversa

ÁUDIO

O Sr. Di Leo liga para fazer reservas em seu restaurante favorito. (Faixa 13)

Garçom:	**Pronto. Ristorante Roma.** *pron*-to ris-to-*ran*-te *ro*-ma Alô! Restaurante Roma.
Sig. Di Leo:	**Buonasera. Vorrei prenotare un tavolo.** *buo*-na-*se*-ra *vo*-rei pre-no-*ta*-re un *ta*-vo-lo Boa noite! Eu gostaria de reservar uma mesa.
Garçom:	**Per stasera?** per sta-*se*-ra Para esta noite?
Sig. Di Leo:	**No, per domani.** no per do-*ma*-ni Não, para amanhã.
Garçom:	**Per quante persone?** per *kuan*-te per-*so*-ne Para quantas pessoas?
Sig. Di Leo:	**Per due.** per *du*-e Para duas.
Garçom:	**A che ora?** a ke *o*-ra A que horas?
Sig. Di Leo:	**Alle nove.** *a*-le *no*-ve Às nove.
Garçom:	**A che nome?** a ke *no*-me Em nome de quem?
Sig. Di Leo:	**Di Leo.** di *le*-o Di Leo.

Palavras a Saber

tavolo [m]	ta-vo-lo	mesa
cameriere [m]	ka-me-ri-e-re	garçom
domani [m]	do-ma-ni	amanhã
prenotazione [f]	pre-no-ta-tzi-o-ne	reserva
stasera [f]	sta-se-ra	esta noite

Pagando a conta

Você não precisa pagar com dinheiro em todos os restaurantes. Inúmeros deles, principalmente os mais sofisticados, aceitam pagamento com cartão de crédito.

DICA

Ninguém dá gorjetas na Itália; nem mesmo nos restaurantes mais elegantes. Você sempre paga um **pane e coperto** (*pa*-ne e *ko-per*-to) (*couvert* ou *taxa de serviço*), apenas por se sentar.

Quando quiser pagar **il conto** (il *kon*-to), peça ao garçom. Eles nunca trazem a conta sem que seja pedida. Use os verbos **portare** (por-*ta*-re) ou **fare** (*fa*-re) e diga:

> **Ci porta/fa il conto, per favore?** (tchi *por*-ta/fa il *kon*-to per fa-*vo*-re) (*Poderia nos trazer a conta, por favor?*) (formal)

Ou simplesmente

> **Il conto, per favore!** (il *kon*-to per fa-*vo*-re) (*A conta, por favor.*)

GUARDE AS NOTAS FISCAIS

SABEDORIA CULTURAL

Guarde **lo scontrino** (lo skon-*tri*-no) (*a nota fiscal*), pelo menos até sair do bar ou de qualquer loja ou restaurante. Isso é importante na Itália, pois **la Guardia di Finanza** (la *guar*-di-a di fi-*nan*-dza) (*a guarda financeira*) costuma pedir. Se você sair do estabelecimento sem a nota e for parado, você e o dono terão que pagar uma multa.

Tomando Café da Manhã

A primeira refeição do dia é sempre **la prima colazione** (la *pri*-ma ko-la-tzi-*o*-
-ne) (*o café da manhã*).

Muitos italianos começam **la giornata** (la dji-or-*na*-ta) (o dia) com **un
caffè** (un ka-*fe*) (*espresso*) em casa e param para tomar mais um em **un bar**
(un bar) (*uma cafeteria*) a caminho do trabalho. O café da manhã em geral
inclui café e **una pasta** (*u*-na *pas*-ta) (*torta*), que pode ser **salata** (sa-*la*-ta)
(*salgada*), **semplice** (sem-*pli*-tche) (*simples*) ou recheada com **marmellata**
(mar-me-*la*-ta) (*geleia*), **crema** (*kre*-ma) (*creme*) ou **cioccolato** (tchi-o-ko-
-*la*-to) (*chocolate*).

Tendo uma Conversa

O homem atrás do balcão em uma cafeteria na Itália chama-se **il barista** (il
ba-*ris*-ta) (*atendente ou garçom*).

Barista: **Buongiorno!**
buon-*djior*-no
Bom dia!

Sig. Zampieri: **Buongiorno! Un caffè e una pasta alla crema, per favore.**
bu-on-*djior*-no un ka-*fe* e *u*-na *pas*-ta *a*-la *kre*-ma per fa-*vo*-re
Bom dia! Um *espresso* e uma torta com creme, por favor.

Barista: **Qualcos'altro?**
kual-*ko*-zal-tro
Algo mais?

Sig. Zampieri: **Una spremuta d'arancia, per favore.**
u-na spre-*mu*-ta da-*ran*-tchia per fa-*vo*-re
Um suco de laranja natural, por favor.

Barista: **Ecco la spremuta. Prego.**
e-ko la spre-*mu*-ta *pre*-go
Aqui está o suco. Pronto.

Almoçando

Il pranzo (il *pran*-dzo) (*o almoço*) dos italianos é diferente dos outros países. Os
pratos tradicionais são:

» **antipasto** (an-ti-*pas*-to) (*entrada*): podem ser quentes ou frios, os **antipasti** variam de região para região.

» **primo piatto** (*pri*-mo *pia*-to) (*primeiro prato*): vem depois do **antipasto**; o **primo**, como é chamado, consiste de todos os tipos de **pasta** (*pas*-ta) (*massa*), **risotto** (ri-*zo*-to) (*risoto*) ou **ministra** (mi-*nis*-tra) (sopa).

» **il secondo** (il se-*kon*-do) (*o segundo prato*): costuma ser composto de **carne** (*kar*-ne) (*carne*) ou **pesce** (*pe*-che) (*peixe*), preparado de várias maneiras.

» **contorni** (kon-*tor*-ni) (*acompanhamentos*): podem ser pedidos legumes e verduras para acompanhar.

» **il dolce** (il *dol*-tche) (*sobremesa*): por fim, mas não menos importante, a sobremesa pode ser **un dolce** (un *dol*-tche) (*um doce*) ou **frutta fresca** (*fru*-ta *fres*-ka) (*fruta*) ou **una macedonia** (*u*-na ma-tche-*do*-ni-a) (*salada de fruta*).

A Figura 7–1 mostra um típico menu de almoço italiano.

O verbo **prendere** (pren–*de*–re) (*pegar/tomar*) é usado quando se fala de comida e bebida.

Conjugação	Pronúncia
io prendo	*i*-o *pren*-do
tu prendi	tu *pren*-di
lui/lei/Lei prende	*lu*-i/lei/lei *pren*-de
noi prendiamo	*noi* pren-di-*a*-mo
voi prendete	*voi* pren-*de*-te
loro prendono	*lo*-ro *pren*-do-no

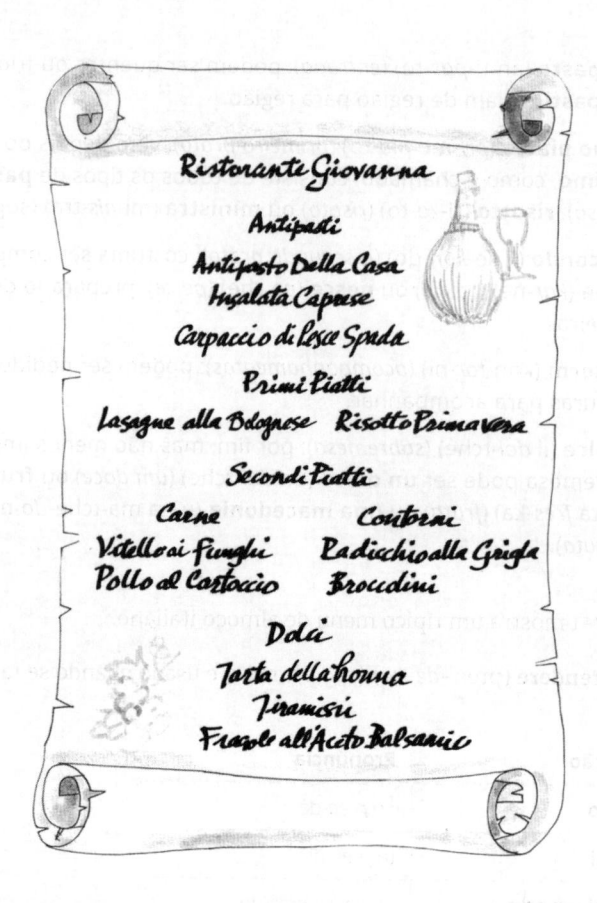

Ristorante Giovanna

Antipasti

Antipasto Della Casa
Insalata Caprese
Carpaccio di Pesce Spada

Primi Piatti

Lasagne alla Bolognese   Risotto Primavera

Secondi Piatti

Carne   Contorni
Vitello ai Funghi   Radicchio alla Griglia
Pollo al Cartoccio   Broccolini

Dolci

Torta della Nonna
Tiramisù
Fragole all'Aceto Balsamico

FIGURA 7-1:
Menu
típico de
um almoço
italiano, do
antispasti
até o **dolce**.

Pasta (*pas*-ta) (*massa*) normalmente significa trigo duro com farinha e água. Os diferentes tipos incluem: **spaghetti** (spa-*gue*-ti) (*espaguete*), **bucatini** (bu-ka--ti-ni) (*espaguete grosso com um furo*), **penne** (*pe*-ne) (*massa cilíndrica curta*), **fusilli** (fu-zi-le) (*parafuso*), **rigatoni** (ri-ga-*to*-ni) (*massa com ranhuras em formato cilíndrico e curto*) e assim por diante.

Por outro lado, **pasta fresca** (*pas*-ta *fres*-ka) (*massa fresca*) significa **pasta all' uovo** (*pas*-ta a-*luo*-vo) (*massa de ovos*), também chamada de **pasta fatta in casa** (*pas*-ta *fa*-ta in ka-za) (*massa caseira*). São elas: **tagliatelle** (ta-lhia-*te*-le) (*massa comprida e achatada*), **fettuccine** (fe-tu-*tchi*-ne) (*massa comprida, achatada e estreita ou larga*) e **tonnarelli** (to-na-*re*-li) (*massa tubular*), só para falar de alguns tipos.

Além disso, uma boa massa deve estar **al dente** (al *den*-te) (*ao dente*). Isso significa que deve ser um pouco dura de forma que você precise usar os dentes para cortá-la!

OS MUITOS SIGNIFICADOS DE "PREGO"

Prego (*pre-go*) tem muitos significados. Quando dito em resposta a **grazie** (*gra-tzie*) (obrigado), significa "de nada". Mas garçons e atendentes também usam para perguntar o que você quer pedir e se podem ajudar. Escuta-se **prego** ao entrar em um local público ou em uma loja. Também se usa **prego** quando se entrega algo a alguém. Nesse caso, a palavra é traduzida como "aqui está". **Prego** também referir-se a um pedido de permissão. A seguir, alguns exemplos de como a palavra é usada:

- **Grazie.** (*gra-*tzie) (*Obrigado.*)
  Prego. (*pre-*go) (*De nada.*)

- **Prego?** (*pre-*go) (*Posso ajudar?*)
  Posso entrare? (*po-so* en-*tra-re*) (*Posso entrar?*)
  Prego. (*pre-*go) (*Por favor.*)

- **Prego, signore.** (*pre-*go si-*nho-*re) (*Aqui está, senhor.*)
  Grazie. (*gra-*tzie) (*Obrigado.*)

A próxima conjugação mostra a forma educada do verbo **volere** (vo–*le*–re) (*querer*). Há outro verbo a ser usado quando se pretende ser educado: "gostar". O italiano, porém, usa uma forma condicional para expressar educação, assim como fazemos no Brasil.

Conjugação	Pronúncia
io vorrei	*i-*o vo-*rei*
tu vorresti	tu vo-*res-*ti
lui/lei/Lei vorrebbe	*lu-*i/lei/lei vo-*re-*be
noi vorremmo	noi vo-*re-*mo
voi vorreste	voi vo-*res-*te
loro vorrebbero	*lo-*ro vo-*re-*be-ro

Jantando

Os italianos podem tanto fazer **la cena** (la *tche*-na) (*o jantar*) em casa quanto comer fora. Neste capítulo, você conhece os diferentes tipos de locais para comer. O horário do jantar varia dentro da Itália; por exemplo, restaurantes em Veneza param de servir o jantar mais cedo do que em Roma, onde é possível comer às 9 ou 10h da noite.

Tendo uma Conversa

Um grupo de amigos se reúne na pizzaria local para jantar. Eles conversam em uma linguagem bastante informal. (Faixa 14)

Sandra:	**Che cosa prendiamo?** ke *ko*-za pren-di-*a*-mo O que pedimos?
Laura:	**Non lo so! Guardiamo il menù.** non lo so guar-di-*a*-mo il me-*nu* Não sei! Vamos ver o cardápio.
Silvio:	**Avete fame?** *a*-ve-te *fa*-me Estão com fome?
Laura:	**Ho fame; prendo una pizza margherita!** o *fa*-me *pren*-do *u*-na *pi*-tza mar-gue-*ri*-ta Sim, estou com fome. Vou comer uma pizza marguerita.
Sandra:	**Io non tanto** *i*-o non *tan*-to Eu nem tanto.
Silvio:	**Allora, cosa prendi, Sandra?** a-*lo*-ra *ko*-za *pren*-di *san*-dra Então, o que vai pedir, Sandra?
Sandra:	**Vorrei qualcosa di leggero.** vo-*rei* kual-*ko*-za di le-*dje*-ro Quero alguma coisa leve.
Sandra:	**Un'insalatona.** u-nin-sa-*la*-to-na Uma salada grande.
Silvio:	**Poco originale...** *po*-ko o-ri-dji-*na*-le Nada original...

A maioria das pizzarias italianas possui uma grande variedade de sabores. Pode-se também pedir saladas e massas e, depois, a sobremesa.

Tendo uma Conversa

ÁUDIO

Laura e Silvio param para um sorvete. (Faixa 15)

Atendente: **Prego?**
pre-go
Pois não?

Laura: **Due coni, per favore.**
du-e *ko*-ni per fa-*vo*-re
Duas casquinhas, por favor.

Atendente: **Da quanto?**
da *kuan*-to
Qual tamanho?

Silvio: **Uno da due euro, e l'altro da 1,50 euro.**
u-no da *du*-e *eu*-ro e *lal*-tro da *u*-no *eu*-ro e tchin-*kuan*-ta
Um de dois euros e outro de 1,50 euro.

Atendente: **Che gusti?**
ke *gus*-ti
Quais sabores?

Silvio: **Fragola e limone.**
fra-*go*-la e li-*mo*-ne
Morango e limão.

Atendente: **Prego. E Lei?**
pre-go e Lei
Aqui está. E você?

Laura: **Crema, cioccolato, cocco, e noce.**
kre-ma tchio-ko-*la*-to *ko*-ko e *no*-tche
Creme, chocolate, coco e nozes.

Silvio: **Tre euro e cinquanta?**
tre *eu*-ro e tchin-*kuan*-ta
Três euros e cinquenta?

Atendente: **Sì, grazie. Ecco lo scontrino.**
si *gra*-tzie *e*-ko lo skon-*tri*-no
Sim, obrigado. Aqui está a nota.

Em uma **gelateria** (ge-la-te-*ri*-a) (*sorveteria*), você pode encontrar também **frullati** (fru-*la*-ti) (*mix de frutas*), **frappé** (fra-*pe*) (*vitamina de frutas frescas ou congeladas*) e **lo yogurt** (lo i-*o*-gur-te) (*frozen yogurt*).

Comprando Comida

Muitas pessoas compram alimentos em um **supermercato** (su-per-mer-*ka*- -to) (*supermercado*) mesmo havendo outros lugares para isso. Muitas cidades italianas têm mercados especiais, começando pelas **alimentari** (a-li-men-*ta*- -ri), onde se pode comprar diversos produtos... de **latte** (*la*-te) (*leite*) a **carta igienica** (*kar*-ta i-dji-*e*-ni-ka) (*papel higiênico*). Essas lojas, com suas variedades de produtos, têm atendimento personalizado, o que não é comum nos supermercados.

Al macellaio (al ma-tche-*lai*-o) (*no açougue*)

No açougue, você pode encontrar os seguintes itens:

» **agnello** (a-*nhe*-lo) (*carneiro*)

» **coniglio** (ko-*ni*-lhio*)* (*coelho*)

» **maiale** (ma-*ia*-le) (*porco*)

» **manzo** (*man*-tzo) (*carne bovina*)

» **pollo** (*po*-lo) (*frango*)

» **vitello** (vi-*te*-lo) (*vitela*)

» **bistecca** (bis-*te*-ka) (*bife*)

Pesce (*pe*-che) (*peixe*)

Os melhores e mais refinados restaurante oferecem peixe fresco (e não congelado), mas nem todos. O peixe costuma ser indicado como "especial do dia". É mais fácil encontrar peixe fresco, é claro, se o mar fica perto da região do restaurante. Em caso de dúvida, é bom pedir uma recomendação. Melhor prevenir do que remediar!

Dove si può mangiare il pesce fresco? (*do*-ve si puo man-dji-*a*-re il *pe*-che *fres*-ko) (*Onde podemos comer peixe fresco?*)

Alguns tipos de peixe, dependendo da região, incluem:

» **acciughe fresche** (a-*chiu*-gue *fres*-ke) (*anchovas frescas*)

» **calamari** (ka-la-*ma*-ri) (*lula*)

» **seppia** (*se*-pi-a) (*siba*)

- » **branzino** (bran-*dzi*-no) (*perca*)
- » **orata** (o-*ra*-ta) (*dourado*)
- » **merluzzo** (mer-*lu*-tzo) (*bacalhau*)
- » **polpo/polipo** (pol-*po* po-*li*-po) (*polvo*)
- » **pesce spada** (pe-*che spa*-da) (*peixe-espada*)
- » **sogliola** (so-*lho*-la) (*linguado*)
- » **spigola** (*spi*-go-la) (*robalo*)
- » **tonno fresco** (*to*-no *fres*-ko) (*atum fresco*)
- » **frutti di mare** (*fru*-ti di *ma*-re) (*frutos do mar*)
- » **cozze** (*ko*-tze) (*mexilhão*)
- » **vongole** (*von*-go-le) (*vôngole*)
- » **gamberetti** (gam-be-*re*-ti) (*camarão*)
- » **gamberi** (gam-*be*-ri) (*pitu*)

Os preparos mais comuns para peixes e frutos do mar são: **al forno** (al *for*-no) (*assado*), **alla griglia** (*a*-la *gri*-lha) (*grelhados*) e **in padella** (in pa-*de*-la) (*na caçarola*).

Alla panetteria (*a*-la pa-ne-te-*ri*-a) (*na padaria*)

Em uma **panetteria** (pa-ne-te-*ri*-a) (*padaria*), você pode experimentar os tipos diferentes de **pane** (*pa*-ne) (*pão*), desde o **pane integrale** (*pa*-ne in-te-*gra*-le) (*pão integral*) até os **dolci** (*dol*-tchi) (*doces*).

SABEDORIA CULTURAL

Em algumas padarias italianas é possível encontrar **pizza al taglio** (*pi*-tza al *ta*-lho) (*pizza em fatias*), pagando de acordo com o peso.

Tendo uma Conversa

Sig.ra Belli:
Ha del pane biologico?
a del *pa*-ne bi-o-*lo*-dji-ko
Você tem pão orgânico?

Padeiro:
Ho dei panini, o questo tipo Matera, tutti cotti nel forno a legna.
o dei pa-*ni*-ni o *kues*-to *ti*-po ma-*te*-ra *tu*-ti *ko*-ti nel *for*-no a *le*-nha
Tenho estes pãezinhos e este tipo Matera assados no forno a lenha.

Sig.ra Belli: **Mi dà quello rustico per favore.**
mi da *kue*-lo *rus*-ti-ko per fa-*vo*-re
Quero aqueles artesanais, por favor.

Quant'è?
kuan-*té*
Quanto é?

Padeiro: **3 euro e 50 centesimi.**
tre *eu*-ro e tchin-*kuan*-ta tchen-*te*-zi-mi
Três euros e cinquenta centavos.

Sig.ra Belli: **Grazie e arrivederla.**
gra-tzi-e e a-ri-ve-*der*-la
Obrigada e até logo.

Para outro
cliente...

Padeiro: **Desidera?**
de-*zi*-de-ra
O que deseja?

Paolo: **Un pezzo di pizza al pomodoro.**
un *pe*-tzo di *pi*-tza al po-mo-*do*-ro
Um pedaço de pizza com tomate.

Padeiro: **Così va bene?**
ko-*zi* va *be*-ne
Assim está bom?

Paolo: **Un po' più grande, per favore.**
un po piu *gran*-de per fa-*vo*-re
Um pouco maior, por favor.

Padeiro: **Così?**
ko-*zi*
Assim?

LEMBRE-SE

Os preços dos produtos são dados por peso, geralmente por **chilo** (*ki*-lo) (*quilo*). Você já sabe que **un etto** (un *e*-to) são cem gramas. **Mezz'etto** (me-*tze*-to) são cinquenta gramas, pois **mezzo** (*me*-tzo) significa "metade". Da mesma forma, **mezzo chilo** (*me*-tzo *ki*-lo) significa "meio quilo". Carne, peixe, frutas, queijo, frios, legumes e verduras também são vendidos por peso.

A Tabela 7-1 lista as frutas, os legumes e as verduras mais comuns que podem ser encontrados em feiras livres.

TABELA 7-1 Frutas e Verduras

Italiano/Plural	Pronúncia	Tradução
albicocca/albicocche [f]	al-bi-*ko*-ka/-ke	*damasco/os*
ananas [m]	*a*-na-nas	*abacaxi/is*
arancia/arance [f]	a-*ran*-tchia/-tchie	*laranja/as*
asparago/i [m]	as-*pa*-ra-go/-dji	*aspargo/os*
banana/e [f]	ba-*na*-na/-ne	*banana/as*
broccoli [m]	*bro*-ko-li	*brócolis*
carota/e [f]	ka-*ro*-ta/-te	*cenoura/as*
cavolo/i [m]	*ka*-vo-lo/-li	*repolho/os*
ciliegia/e [f]	tchi-li-*e*-djia/-djie	*cereja/as*
cocomero/i [m]	ko-*ko*-me-ro/-ri	*melancia/as*
fico/fichi [m]	*fi*-ko/-ki	*figo/os*
fragola/e [f]	*fra*-go-la/-le	*morango/os*
fungo/funghi [m]	*fun*-go/-gui	*cogumelo/os*
limone/i [m]	li-*mo*-ne/-ni	*limão/ões*
mela/e [f]	*me*-la/-le	*maçã/ãs*
melanzana/e [f]	me-lan-*dza*-na/-ne	*berinjela/as*
melone/i [m]	me-*lo*-ne/-ni	*melão/ões*
peperone/i [m]	pe-pe-*ro*-ne/-ni	*pimentão/ões*
pera/e [f]	*pe*-ra/-re	*pera/as*
pesca/pesche [f]	*pes*-ka/-ke	*pêssego/os*
pomodoro/i [m]	po-mo-*do*-ro/-ri	*tomate/es*
pompelmo/i [m]	pom-*pel*-mo/-mi	*toranja/as*
prugna/e [f]	*pru*-nha/-nhe	*ameixa/as*
spinaci [m]	spi-*na*-tchi	*espinafre*
uva [f]	*u*-va	*uva/as*
zucchino/i [f/m]	dzu-*ki*-no/-ni	*pepino/os*

Você já deve ter visto um típico mercado italiano em filmes. Alguns parecem ser feitos exclusivamente para turistas, mas os nativos também os frequentam. Talvez você ache que é comum regatear e barganhar nesses mercados, mas não é verdade. Você pode tentar negociar uma jaqueta de couro nas grandes cidades, como Florença, mas é melhor deixar isso de lado ao comprar alimentos.

Diversão & Jogos

Neste capítulo, falamos de alimentos. Que tal agora uma recompensa em forma de vitamina de frutas? Preencha as lacunas com os nomes das frutas em italiano. Confira as respostas no Apêndice D. Divirta-se!

1. Abacaxi _____

2. Cereja _____

3. Uva _____

4. Pera _____

5. Melancia _____

6. Morango _____

Capítulo 8

Compras à Moda Italiana

A Itália é mundialmente famosa por **la moda** (la *mo-*da) (*a moda*) e por seus **stilisti** (sti-*lis-*ti) (*estilistas*), como **Armani** (ar-*ma-*ni) e **Valentino** (va-len-*ti-*no). Para se inspirar na hora das compras, não há lugar melhor do que a Itália! Chama-se uma marca italiana famosa de **la griffe** (la *gri-*fe) (*grife*; na verdade, é uma palavra de origem francesa) ou **la firma** (la *fir-*ma) que significa, literalmente, "a assinatura". Então para dizer que um produto é "assinado" por um estilista famoso, dizemos que é **griffato** (gri-*fa-*to) ou **firmato** (fir-*ma-*to) (*assinado*).

Vestindo-se

Fazer compras pode ser um modo informativo e divertido de conhecer uma cultura por meio das diferenças de tecidos e cores. Por exemplo, em um simples passeio pelas ruas da cidade, é possível saber qual cor está na moda e apreciar como os italianos são cuidadosos com suas roupas, sempre bem-passadas. Na Itália é possível explorar muitas butiques e lojas de grife, bem como inúmeras lojas de departamentos.

Escolhendo entre lojas de departamento e butiques

Os brasileiros têm acesso a enormes **centri commerciali** (*tchen*-tri ko-mer-tchi-*a*-li) (*centros comerciais*), onde se encontra de tudo. Na Itália, as compras são feitas em **grandi magazzini** (*gran*-di ma-ga-*tzi*-ni) (*lojas de departamento*). As maiores redes são a **Coin** (ko-*in*), a **Upim** (*u*-pim) e a **Rinascente** (ri-na--*chen*-te). As três vendem itens variados. Entretanto, muitos italianos preferem comprar em lojas menores, de pequenos comerciantes, cujo serviço é o principal atrativo (e onde é difícil encontrar sozinho o que se deseja).

A propósito, como é "fazer compras" em italiano? Eles dizem **fare la spesa** (*fa*-re la *spe*-za) para comprar comida; já **fare spese** (*fa*-re la *spe*-ze) e **fare lo shopping** (*fa*-re lo *cho*-pin) servem para todo o resto. A boa notícia é que apenas o verbo **fare** é conjugado. Confira o Capítulo 2 e o Apêndice A para saber mais sobre a conjugação.

Em alguns lugares, alguns sinais básicos são muito úteis. Por exemplo, os que dizem **uscita di sicurezza** (u-*chi*-ta di si-ku-*re*-tza) (*saída de emergência*) nas portas. Veja outros:

» **entrata** (en-*tra*-ta) (*entrada*)

» **uscita** (u-*chi*-ta) (*saída*)

» **spingere** (*spin*-dje-re) (*empurrar*)

» **tirare** (ti-*ra*-re) (*puxar*)

» **orario di apertura** (o-*ra*-ri-o di a-per-*tu*-ra) (*horário de abertura*)

» **aperto** (a-*per*-to) (*aberto*)

» **chiuso** (*kiu*-zo) (*fechado*)

» **la scala mobile** (la *ska*-la *mo*-bi-le) (*escada rolante*)

» **l'ascensore** (la-chen-*so*-re) (*elevador*)

» **la cassa** (la *ka*-sa) (*caixa*)

As lojas de departamento italianas oferecem uma grande variedade de produtos e ainda mantêm um ar típico. Os preços estão marcados em euros. Geralmente, durante **saldi** (*sal*-di) (*promoções*) e **svendite** (*sven*-di-te) (*liquidação*), **il prezzo** (il *pre*-tzo) (*o preço*) na etiqueta está mais baixo, mas podem-se encontrar etiquetas que dizem **saldi alla cassa** (*sal*-di *a*-la *ka*-sa) (*desconto no caixa*).

A seguir mostramos alguns sinais que indicam os diversos **reparti** (re-*par*-ti) (*departamentos*) ou butiques individuais:

- » **abbigliamento da donna/da uomo** (a-bi-lha-*men*-to da *do*-na/*uo*-mo) (*roupas femininas/masculinas*)

- » **intimo donna** (*in*-ti-mo *do*-na) (*roupas íntimas femininas*)

- » **intimo uomo** (*in*-ti-mo *uo*-mo) (*roupas íntimas masculinas*)

- » **accessori** (a-tche-*so*-ri) (*acessórios*)

- » **profumeria** (pro-fu-me-*ri*-a) (*perfumaria*)

- » **casalinghi** (ka-za-*lin*-gui) (*utensílios domésticos*)

- » **biancheria per la casa** (bi-an-ke-*ri*-a per la *ka*-za) (*roupas de cama, mesa e banho*)

Tendo uma Conversa

Aqui, uma balconista está ocupada indicando os diversos departamentos.

Sig.ra Verdi:	**Sto cercando l'abbigliamento da bambino.** sto tcher-*kan*-do la-bi-lhia-*men*-to da bam-*bi*-no Estou procurando vestuário infantil.
Balconista:	**Al secondo piano.** al se-*kon*-do *pia*-no No segundo andar.
Sig. Marchi:	**Dove devo andare per ritirare un paio di pantaloni?** *do*-ve *de*-vo an-*da*-re per ri-ti-*ra*-re un *pai*-o di pan-ta-*lo*-ni Onde devo ir para pegar uma calça?
Balconista:	**Deve rivolgersi al commesso del reparto uomo.** *de*-ve ri-*vol*-djer-si al ko-*me*-so del re-*par*-to *uo*-mo Dirija-se ao atendente do departamento masculino.
Anna:	**Dove sono i camerini, per favore?** *do*-ve *so*-no i ka-me-*ri*-ni per fa-*vo*-re Onde ficam os provadores, por favor?
Balconista:	**Vede l'uscita di sicurezza? I camerini sono sulla sinistra.** *ve*-de lu-*chi*-ta di si-ku-*re*-tza i ka-me-*ri*-ni *so*-no *su*-la si-*nis*-tra Está vendo a saída de emergência? Os provadores ficam à esquerda.

FALANDO DE GRAMÁTICA

Avere bisogno di (a–*ve*–re bi–*zo*–nho di) (*precisar*) é uma expressão frequente em italiano. Acima de tudo, ela é usada em qualquer tipo de loja. Veja o Capítulo 2 e o Apêndice A para o verbo **avere** (*ter/haver*). A forma de usar é a seguinte:

Ho bisogno di... (o bi–*zo*–nho di) (*Preciso de...*)

Quando estiver em uma loja e quiser perguntar ou pedir ajuda, vá até **la comessa** [f] (la ko–*me*–sa) (*a vendedora*) ou **il commesso** [m] (il ko–*me*–so) (*o vendedor*) e diga **Mi può aiutare, per favore?** (mi puo ai–u–*ta*–re per fa–*vo*–re) (*Pode me ajudar, por favor?*). É claro, se você está apenas olhando e um vendedor lhe perguntar **Desidera?** (de–si–*de*–ra) (*O que deseja?*), responda **Posso dare un'occhiata?** (po–*so* da–re u–no–*kia*–ta) (*Posso dar uma olhada?*).

Palavras a Saber

vestiti [m]	ves-<u>ti</u>-ti	roupas
abito [m]	<u>a</u>-bi-to	terno
camicetta [f]	ka-mi-t<u>che</u>-ta	blusa
camicia [f]	ka-<u>mi</u>-cha	camisa
cappotto [m]	ka-<u>po</u>-to	sobretudo
completo [m]	kom-<u>ple</u>-to	traje
costume da bagno [m]	kos-<u>tu</u>-me da <u>ba</u>-nho	traje de banho
giacca [f]	<u>djia</u>-ka	jaqueta
gonna [f]	<u>go</u>-na	saia
impermeabile [m]	im-per-me-<u>a</u>-bi-le	capa de chuva
jeans [m]	djinz	jeans
maglia [f]	<u>ma</u>-lhi-a	suéter
maglietta [f]	ma-lhi-<u>e</u>-ta	camiseta
pantaloni [m]	pan-ta-<u>lo</u>-ni	calças
tailleur [m]	ta-li-<u>er</u>	tailleur
vestito [m]	ves-<u>ti</u>-to	vestido
piccolo	<u>pi</u>-ko-lo	pequeno
grande	<u>gran</u>-de	grande

Dimensionando os tamanhos italianos

Você conhece o problema: sempre que vai a outro país — e isso acontece particularmente na Europa —, os tamanhos mudam, e você fica sem saber qual corresponde ao seu. Na Itália, eles são chamados **taglie** (*ta*-lhie) ou **misure** (mi–*zu*–re). A Tabela 8-1 pode auxiliá-lo dando a maioria dos tamanhos comuns.

TABELA 8-1 Tamanhos das Roupas

Tamanho Italiano	Tamanho Brasileiro
TAMANHOS DE VESTIDOS FEMININOS	
40	38
42	40
44	42
46	44
48	46
50	48
TAMANHOS DE TERNOS MASCULINOS	
42	42
44	44
46	46
48	48
50	50
52	52

Na Itália, não há muita dificuldade com tamanhos como P, M, G e GG, pois são determinados como nos Estados Unidos: S para pequeno (P, no Brasil), M para médio (M), L para grande (G) e XL para extragrande (GG). Atente apenas para as medidas das roupas.

Tendo uma Conversa

ÁUDIO

Giovanna encontrou a saia que estava procurando. Ela pergunta à vendedora se pode experimentá-la. (Faixa 16)

Giovanna: **Posso provare questa gonna?**
po-so pro-*va*-re *kues*-ta *go*-na
Posso experimentar essa saia?

Vendedora: **Certo. Che taglia porta?**
tcher-to ke *ta*-lha *por*-ta
Claro. Qual tamanho você veste?

Giovanna: **La quarantadue.**
la kua-ran-ta-*du*-e
Quarenta e dois.

Vendedora: **Forse è un po' piccola.**
for-se é un po *pi*-ko-la
Talvez seja um pouco pequena.

Giovanna: **Me la provo.**
me la *pro*-vo
Vou provar.

Giovanna retorna do provador.

Vendedora: **Va bene?**
va *be*-ne
Ficou boa?

Giovanna: **È troppo stretta. Avete una taglia più grande?**
é *tro*-po *stre*-ta a-*ve*-te *u*-na *ta*-lha piu *gran*-de
Está muito apertada. Tem um tamanho maior?

Vendedora: **Nella sua taglia solo blu.**
ne-la *su*-a *ta*-lha *so*-lo blu
No seu tamanho, só azul.

Falando definitivamente: artigos definidos e indefinidos

Durante as compras, quando está procurando uma roupa muito específica, como uma saia azul, você não diz "estou procurando a saia azul". Em vez disso, diz que está procurando **uma** saia azul, onde **uma** é o **artigo indefinido**, demonstrando que você não tem em mente um objeto específico.

FALANDO DE GRAMÁTICA

Em italiano, usa-se exatamente a mesma construção: "Estou procurando uma saia azul" vira **Sto cercando una gonna blu** (sto tcher-*kan*-do *u*-na *go*-na blu), e **una** aqui é o artigo indefinido: os artigos indefinidos correspondem aos artigos **um** e **uma** em português. Em italiano, o artigo deve seguir o gênero da palavra: palavras femininas, normalmente terminadas em -a, usam **una** e **un'**, e palavras masculinas, normalmente terminadas em -o, usam **un** ou **uno**.

Colorindo

É importante conhecer algumas **colori** (ko-*lo*-ri) (*cores*). Seria difícil descrever uma cor fazendo mímica. Para ficar mais fácil, as cores mais comuns estão relacionadas na Tabela 8-2. Algumas concordam em número e gênero, outras apenas em número, e outras são invariáveis!

TABELA 8-2   Cores

Italiano	Pronúncia	Tradução
CORES QUE CONCORDAM EM NÚMERO E GÊNERO (O/A/I/E/I)		
rosso	*ro*-so	*vermelho*
giallo	*djia*-lo	*amarelo*
azzurro	a-*dzu*-ro	*azul-celeste*
bianco	*bian*-ko	*branco*
grigio	*gri*-djio	*cinza*
nero	*ne*-ro	*preto*
CORES QUE CONCORDAM APENAS EM NÚMERO (E/I)		
verde	*ver*-de	*verde*
CORES QUE NÃO VARIAM		
marrone	ma-*ro*-ne	*marrom*
rosa	*ro*-za	*rosa*
beige	*be*-ge	*bege*
blu	blu	*azul*
arancione	a-ran-*tchio*-ne	*laranja*
viola	vi-*o*-la	*roxo*

Tendo uma Conversa

Matteo está procurando um novo terno para o verão.

Vendedor: **La posso aiutare?**
la *po*-so a-iu-*ta*-re
Posso ajudar?

Matteo: **Sì. Cerco una giacca blu...**
si *tcher*-ko *u*-na *djia*-ka blu
Sim, procuro um paletó casual azul...

... con i pantaloni bianchi di lino
kon i pan-ta-*lo*-ni *bian*-ki di *li*-no
... e uma calça branca de linho.

Vendedor: **Benissimo. Ecco... Provi questi.**
be-*ni*-si-mo *e*-ko *pro*-vi *kues*-ti
Muito bem. Aqui está... Prove este.

Matteo volta com um sorriso no rosto.

Vendedor: **Va bene?**
va *be*-ne
Ficou bom?

Matteo: **Sì, mi vanno bene. Li prendo.**
si mi *va*-no *be*-ne li *pren*-do
Sim, ficou. Vou levar.

Palavras a Saber

camoscio [m]	ka-<u>mo</u>-chi-o	camurça
cotone [m]	ko-<u>to</u>-ne	algodão
fodera [f]	<u>fo</u>-de-ra	forro
lana [f]	<u>la</u>-na	lã
lino [m]	<u>li</u>-no	linho
pelle [f]	<u>pe</u>-le	couro
seta [f]	<u>se</u>-ta	seda
velluto [m]	ve-<u>lu</u>-to	veludo
viscosa [f]	vis-<u>ko</u>-za	viscose

Usando acessórios

Você deve querer enfeitar sua produção com belos **accessori** (a-tche-*so*-ri) (*acessórios*) para dar um toque final. Listamos alguns para dar uma ideia da variedade:

» **berretto** (be-*re*-to) (*gorro*)

» **borsa** (*bor*-sa) (*bolsa*)

» **calze** (*kal*-tze) (*meias*)

» **cappello** (ka-*pe*-lo) (*chapéu*)

» **cintura** (tchin-*tu*-ra) (*cinto*)

» **collant** (ko-*lan*) (*meia-calça*)

» **cravatta** (kra-*va*-ta) (*gravata*)

» **guanti** (*guan*-ti) (*luvas*)

» **ombrello** (om-*bre*-lo) (*guarda-chuva*)

» **sciarpa** (*char*-pa) (*cachecol*)

Se quiser fazer compras e pedir um desses acessórios, pode fazer assim:

Tendo uma Conversa

Giovanni quer comprar um lenço para sua esposa. Ele pede ajuda ao vendedor.

Giovanni: **Vorrei una sciarpa rossa.**
vo-*rei* u-na *char*-pa *ro*-sa
Eu queria um cachecol vermelho.

Vendedor: **Ne abbiamo una bellissima, di cachemire.**
ne a-bi-*a*-mo u-na be-*li*-si-ma di *ka*-*che*-mi-re
Temos um lindo de caxemira.

È in saldo.
é in *sal*-do
Está em promoção.

Giovanni: **Sono scontati questi guanti viola?**
so-no *skon*-ta-ti *kues*-ti *guan*-ti vi-o-la
Essas luvas roxas estão em promoção?

Vendedor: **Sì.**
si
Sim.

Andando com estilo

Ah, sim, isso é muito importante. Sabemos que a Itália é líder na indústria de calçados. Acredite, os italianos têm muito bom gosto para **scarpe** (*skar*-pe) (*sapatos*). Você pode encontrar os sapatos dos seus sonhos, sejam eles um **paio di scarpe** (*pa*-io di *skar*-pe) (*par de sapatos*) comum, **pantofole** (pan-*to*-fo-le) (*chinelos*), **sandali** (san-*da*-li) (*sandálias*) ou **stivali** (sti-*va*-li) (*botas*).

Ao experimentar sapatos, algumas palavras podem ser necessárias:

» **stretta/e/o/i** (*stre*-ta/te/to/ti*) (*apertado*)

» **larga/ghe/go/ghi** (*lar*-ga/gue/go/gui) (*largo*)

» **corta/e/o/i** (*kor*-ta/te/to/ti) (*curto*)

» **lunga/ghe/go/ghi** (*lun*-ga/gue/gui) (*comprido*)

Observe que os italianos usam **numero** (*nu*-me-ro) (*número*) para determinar o tamanho dos sapatos, mas **taglia** (*ta*-lha) ou **misura** (mi-*zu*-ra) para as roupas.

A Tabela 8-3 mostra os tamanhos de sapatos femininos e suas conversões.

TABELA 8-3 ## Tamanho dos Sapatos Femininos

Brasil	Europa	Reino Unido
34	36	3,5
35	37	4,5
36	38	5,5
37	39	6,5
38	40	7,5
39	41	8,5
40	42	9,5

Tendo uma Conversa

Se você encontrar o par de sapatos dos seus sonhos **in vetrina** (in ve–*tri*–na) (*na vitrine*) e quiser experimentá–lo, pode seguir o exemplo de Michela: (Faixa 17)

Michela: **Posso provare le scarpe esposte in vetrina.**
po-so pro-*va*-re le *scar*-pe es-*pos*-te in ve-*tri*-na
Gostaria de experimentar os sapatos que estão na vitrine.

Vendedora: **Quali sono?**
kua-li *so*-no
Quais são?

Michela: **Quelle blu, a destra.**
kue-le blu a *des*-tra
Aquele azul, à direita.

Vendedora: **Che numero porta?**
ke *nu*-me-ro *por*-ta
Qual número você calça?

Michela: **Trentasette.**
tren-ta-*se*-te
Trinta e sete.

Vendedora: **Ecco qua. Un trentasette... Sono strette?**
e-ko *kua* un tren-ta-*se*-te so-no *stre*-ta
Aqui está. Um 37... Está apertado?

Michela: **No. Sono comodissime.**
no *so*-no ko-mo-*di*-si-me
Não. São muito confortáveis.

Michela: **Quanto vengono?**
kuan-to *ven*-go-no
Quanto custam?

Vendedora: **Novanta euro.**
no-*van*-ta *eu*-ro
Noventa euros.

Michela: **Hmm...**

Diversão & Jogos

Há bastante informações e vocabulário sobre compra de roupas neste capítulo. Veja quantas peças do vestuário você consegue identificar no casal abaixo. Confira o Apêndice D para as respostas.

Capítulo 9

Divertindo-se na Cidade

Curtir a cidade é sempre divertido. Em geral, os italianos são bastante sociáveis e gostam de curtir a vida. É fácil vê-los degustando um *espresso* **al bar** (al bar) (*no bar*) ou bebidas **in piazza** (in pia-tza) (*na praça*) à noite. Os italianos adoram sair à noite e lotam as ruas até bem tarde.

A Itália é um famoso destino de férias, e as cidades italianas têm diversas opções culturais, desde atividades ao ar livre e **sagre** (sa-gre) (*celebrações locais dedicadas à colheitas, animais ou santos, por exemplo*) até eventos musicais, passando por comemorações em toda a cidade. Os atrativos são infinitos, e a diversão, garantida.

Neste capítulo, damos as informações necessárias para participar das atrações culturais e sociais.

Adquirindo Cultura

Não importa onde você mora ou para onde viaja, a maioria das grandes cidades tem uma **pubblicazione** (pu–bli–ka–tzi–o–ne) (*publicação*) semanal que informa sobre os próximos eventos. Essas publicações incluem datas, descrições e horários de peças de teatro, exposições, festivais, filmes, e assim por diante. Elas também dão dicas de compras e restaurantes.

SABEDORIA CULTURAL

Cidades menores não possuem revistas semanais, mas você pode encontrar anúncios de eventos em pôsteres ou em jornais locais.

É claro que os jornais não são sua única fonte de informação. As próximas perguntas podem lhe trazer as respostas desejadas.

>> **Cosa c'è da fare di sera?** (*ko*-za *tché* da *fa*-re di *se*-ra)
(*O que há para se fazer a noite?*)

>> **Può suggerirmi qualcosa?** (puo su-dje-*rir*-mi kual-*ko*-za)
(*Pode me recomendar alguma coisa?*)

>> **C'è un concerto stasera?** (*tché* un kon-*tcher*-to sta-*se*-ra)
(*Tem um show hoje à noite?*)

>> **Ci sono ancora posti?** (tchi *so*-no an-*ko*-ra *pos*-ti)
(*Ainda há lugares disponíveis?*)

>> **Dove si comprano i biglietti?** (*do*-ve si *kom*-pra-no i bi-*lhe*-ti)
(*Onde tem ingressos à venda?*)

>> **Quanto vengono i biglietti?** (*kuan*-to *ven*-go-no i bi-*lhe*-ti)
(*Quanto custam os ingressos?*)

>> **A che ora comincia lo spettacolo?** (a ke *o*-ra ko-*min*-tcha lo spe-*ta*-ko-lo)
(*A que horas começa o espetáculo?*)

>> **Non c'è niente di più economico?** (non *tché* ni-*en*-te di piu e-ko-*no*-mi-ko)
(*Não tem nada mais barato?*)

Tendo uma Conversa

Arturo trabalha em um teatro. Ele costuma ser bombardeado por perguntas dos clientes antes do show.

Sig. Paoli: **Quando comincia lo spettacolo?**
kuan-do ko-*min*-tcha lo spe-*ta*-ko-lo
Quando começa o espetáculo?

Arturo: **Alle sette e mezza.**
a-le *se*-te e *me*-tza
Às sete e meia.

Erika: **A che ora finisce lo spettacolo?**
a ke *o*-ra fi-*ni*-che lo spe-*ta*-ko-lo
A que horas o espetáculo acaba?

Arturo: **Verso le dieci.**
ver-so le *die*-tchi
Por volta das dez da noite.

Erika: **C'è un intervalo?**
tché un in-ter-*va*-lo
Tem intervalo?

Arturo: **Sì, tra il secondo e il terzo atto.**
si tra il se-*kon*-do e il *ter*-tzo *a*-to
Sim, entre o segundo e o terceiro ato.

Palavras a Saber

a che ora?	a ke o̲-ra	a que horas?
quando?	ku-a̲n-do	quando?
dove?	do̲-ve	onde?
divertente	di-ver-te̲n-te	divertido
biglietto [m]	bi-lhi-e̲-to	ingresso
spettacolo [m]	spe-ta̲-ko-lo	show
cominciare	ko-min-tchi-a̲-re	começar
finire	fi-ni̲-re	terminar

FILMES ITALIANOS

A Itália é uma grande produtora de filmes, e há muitos diretores italianos famosos, como Federico Fellini, Roberto Rossellini, Bernardo Bertolucci, Vittorio de Sica e Nanni Moretti, entre outros. Alguns de seus trabalhos são considerados clássicos da cultura italiana. Outros diretores contemporâneos que valem a pena conhecer incluem Giuseppe Tornatore, Gabriele Salvatores, Francesca Archibugi e Emanuele Crialese.

La dolce vita (*A doce vida*) e **La strada** (*A estrada da vida*) estão entre as obras-primas de Fellini. O comovente drama **Roma, città aperta** (*Roma, cidade aberta*) é um dos filmes mais importantes de Rossellini. Para completar a imagem do cinema italiano entre 1945 e 1957, inclua **Ladri di biciclette** (*Ladrões de bicicleta*), de De Sica. Bertolucci pertence a um período subsequente e é conhecido por seu **Il conformista** (*O conformista*), enquanto que **Caro diario** (*Caro diário*) e **La stanza del figlio** (*O quarto do filho*), de Moretti, contribuíram bastante para a divulgação da cultura italiana no exterior na década de 1990.

Depois, Roberto Benigni, que não apenas dirigiu um dos filmes "estrangeiros" mais bem-sucedidos do cinema contemporâneo, como também ganhou o Oscar por sua atuação em **La vita è bella** (*A vida é bela*).

Indo ao cinema

Ir **al cinema** (al *tchi*-ne-ma) (*ao cinema*) é uma atividade popular em quase todos os lugares. Na Itália, os filmes americanos normalmente são **doppiati** (do-*pia*-ti) (*dublados*). Por outro lado, por que não assistir a um filme italiano? É uma excelente oportunidade para praticar o idioma.

Algumas perguntas especiais para os filmes:

» **Andiamo al cinema?** (an-di-*a*-mo al *tchi*-ne-ma) (*Vamos ao cinema?*)

» **Cosa danno?** (*ko*-za *da*-no) (*O que está passando?*)

» **Dove lo danno?** (*do*-ve lo *da*-no) ou **Dove lo fanno?** (*do*-ve lo *fa*-no) (*Onde [o filme] está passando?*)

» **È in língua (versione) originale?** (*é* in *lin*-gua [ver-si-o-ne] o-ri-dji-*na*-le) (*O filme está no idioma original?*)

» **Dov'è il cinema Trianon?** (do-*vé* il *tchi*-ne-ma *tri*-a-non) (*Onde fica o cinema Trianon?*)

Geralmente basta dizer o nome do cinema, por exemplo, **Dov'è il Trianon?** (do-*vé* il *tri*-a-non) (*Onde fica o Trianon?*). Todos sabem do que se trata.

Tendo uma Conversa

Ugo e Bianca são fãs de Fellini. Ugo quer ir ao cinema e pergunta à namorada se ela quer ir junto. (Faixa 18)

Ugo:
Andiamo al cinema?
an-di-*a*-mo al *tchi*-ne-ma
Vamos ao cinema?

Bianca:
Che film vuoi vedere?
ke film *vuoi* ve-*de*-re
Que filme você quer ver?

Ugo:
***La dolce vita*, naturalmente.**
la *dol*-tche *vi*-ta na-tu-ral-*men*-te
A doce vida, claro.

Bianca:
Oh, l'ho visto solo tre volte!
o lo *vis*-to *so*-lo tre *vol*-te
Oh, vi só três vezes!

Dove lo danno?
do-ve lo *da*-no
Onde está passando?

Ugo:
Al Tiziano, qui vicino.
al ti-tzi-*a*-no ku-*i* vi-*tchi*-no
No Tiziano, aqui perto.

Bianca:
A che ora comincia?
a ke *o*-ra ko-*min*-tcha
A que horas começa?

Ugo:
Esattamente fra cinque minuti!
e-za-ta-*men*-te fra *tchin*-kue mi-*nu*-ti
Exatamente em cinco minutos!

Bianca:
Cosa aspettiamo?
ko-za as-pe-ti-*a*-mo
O que estamos esperando?

Os cinemas italianos costumavam ser pequenos, exibindo apenas um filme por vez. Agora as principais cidades têm grandes cinemas com **multisala** (mul-ti--*sa*-la) (*multiplex*), ou seja, muitas salas exibindo diversos filmes em cartaz.

Tendo uma Conversa

Cinema é um assunto interessante. Aqui está um diálogo típico entre dois amigos, Chiara e Alberto.

Chiara: **Hai visto l'ultimo film di Salvatores?**
ai *vis*-to *lul*-ti-mo film di sal-va-*to*-res
Viu o último filme do Salvatores?

Alberto: **Ancora no, e tu?**
an-*ko*-ra no e tu
Ainda não, e você?

Chiara: **Si, ieri sera.**
si i-*e*-ri *se*-ra
Sim, ontem à noite.

Alberto: **Com'è?**
ko-*mé*
Como é?

Chiara: **L'attore principale è bravissimo!**
la-*to*-re prin-tchi-*pa*-le é bra-*vi*-si-mo
O ator principal é muito bom!

Alberto: **Ma dai! Lo dici perché è bello!**
ma *dai* lo *di*-tchi per-*ke* é *be*-lo
Qual é! Você diz isso porque ele é bonito!

Chiara: **E allora? E il film è così divertente!**
e a-*lo*-ra e il film é ko-*zi* di-ver-*ten*-te
E daí? E o filme é tão engraçado!

Alberto: **L'ultimo film di Salvatores era così serio.**
lul-ti-mo film di sal-va-*to*-res *e*-ra ko-*zi* *se*-ri-o
O último filme de Salvatores era bastante sério.

Palavras a Saber

Chi è il regista?	ki é il re-djis-ta	Quem é o diretor?
Chi sono gli attori?	ki so-no lhi a-to-ri	Quem atua?
attore [m]	a-to-reh	ator
regista [f/m]	re-djis-ta	diretor
trama [f]	tra-ma	trama
scena [f]	che-na	cena

Indo ao teatro

A linguagem do teatro e a do cinema são muito semelhantes. Claro, quando você vai assistir a uma peça, ópera ou sinfonia, há diversas categorias de assentos. Por exemplo, você pode se sentar na **platea** (pla-*te*-a) (*plateia*), no **palchi** (*pal*--ki) (*balcão*) ou no **loggione** (il lo-*djio*-ne) (*galeria*), que costumava se chamar **la piccionaia** (la pi-tcho-*na*-ia) (literalmente: *pombal*), pois fica bem no alto.

Tendo uma Conversa

No próximo diálogo, Eugenio quer saber se há assentos disponíveis para a apresentação de uma peça à qual ele quer assistir. Ele está ao telefone com o funcionário da bilheteria.

Bilheteiro: **Pronto?**
pron-to
Alô?

Eugenio: **Buongiorno. È il Teatro Valle?**
buon-*djior*-no é il te-*a*-tro *va*-le
Bom dia. É do Teatro Valle?

Bilheteiro: **Sì. Mi dica.**
si mi *di*-ka
Sim. Posso ajudar? (Literalmente: Diga.)

Eugenio: **Vorrei prenotare dei posti.**
vo-*rei* pre-no-*ta*-re dei *pos*-ti
Gostaria de reservar alguns assentos.

Bilheteiro: **Per quale spettacolo?**
per *kua*-le spe-*ta*-ko-lo
Para qual espetáculo?

Eugenio: ***Aspettando Godot,* domani sera.**
as-pe-*tan*-do go-*do* do-*ma*-ni *se*-ra
Esperando Godot, amanhã à noite.

Bilheteiro: **Mi dispiace: È tutto esaurito.**
Mi dis-*pia*-tche é *tu*-to e-zau-*ri*-to
Lamento: está esgotado.

Eugenio: **Ci sono repliche?**
tchi *so*-no *re*-pli-ke
Há reapresentações?

Bilheteiro: **L'ultima è dopodomani.**
lul-ti-ma é *do*-po-do-*ma*-ni
A última é depois de amanhã.

FALANDO DE GRAMÁTICA

Você notou que, no título da peça, *Esperando Godot*, o verbo não pede a preposição "por"? Em italiano isso também acontece: eles dizem sempre **aspettare qualcuno** (as-pe-*ta*-re ku-al-*ku*-no) (*esperar alguém*). Você também pode ouvir **ti aspetto** (ti as-*pe*-to) (*estou esperando você*).

Tendo uma Conversa

Eugenio pergunta aos amigos sobre a mudança de data para ver a peça e volta a ligar para a bilheteria.

Voz: **Pronto?**
pron-to
Alô?

Eugenio: **Ho telefonato due minuti fa.**
o te-le-fo-*na*-to *du*-e mi-*nu*-ti fa
Liguei faz dois minutos.

Voz: **Sì, mi dica!**
si mi *di*-ka
Sim, pois não?

Eugenio: **Sì, vorrei prenotare tre posti per dopodomani.**
si vo-*rei* pre-no-*ta*-re tre *pos*-ti per do-po-do-*ma*-ni
Sim, quero reservar três assentos para depois de amanhã.

Voz: **Che posti desidera?**
ke *pos*-ti de-*zi*-de-ra
Quais lugares deseja?

Eugenio: **Non troppo cari.**
non *tro*-po *ka*-ri
Não muito caros.

Voz: **La platea costa trentadue euro.**
la pla-*te*-a *kos*-ta tren-ta-*du*-e *eu*-ro
A plateia custa 32 euros.

Eugenio: **Ci sono tre posti centrali?**
tchi *so*-no tre *pos*-ti tchen-*tra*-li
Tem três assentos centrais?

Voz: **Un momento... Sì, tre posti nella quindicesima fila.**
un mo-*men*-to si tre *pos*-ti *ne*-la kuin-di-*tche*-zi-ma *fi*-la
Um momento... Sim, três lugares na décima quinta fileira.

Paga con Bancomat o con carta di credito?
pa-ga kon *ban*-ko-mat o kon *kar*-ta di *cre*-di-to
Vai pagar com cartão de débito ou de crédito?

Eugenio: **Bancomat, per favore.**
ban-ko-mat per fa-*vo*-re
Débito, por favor.

Se você for à Itália, assista a uma ópera de Verdi, Puccini ou Rossini em teatros maravilhosos como **La Scala** (la *ska*-la), de Milão, o **San Carlo** (san *kar*-lo), em Nápoles, e os de Florença e Palermo. Nos meses de verão, verifique os festivais, que incluem uma variedade de repertórios em locais por toda a cidade, como o famoso Festival de Ravenna. Você também pode assistir a óperas ao ar livre em Verona, na antiga **Arena** (a-*re*-na) (*arena*) romana. A seguir mostramos algumas frases relacionadas a apresentações.

» **la danza classica/moderna/contemporanea** (la *dan*-tza *kla*-si-ka/mo-*der*-na/kon-tem-po-*ra*-ne-a) (*dança clássica/moderna/contemporânea*)

» **lo spettacolo** (lo spe-*ta*-ko-lo) (*a apresentação; o espetáculo*)

» **la prova generale pubblica** (la *pro*-va dje-ne-*ra*-le *pu*-bli-ka) (*ensaio geral público*)

» **la replica** (la *re*-pli-ka) (*reapresentação*)

» **il matinée** (il ma-ti-*ne*) (*a matinê*)

» **lo spettacolo pomeridiano** (lo spe-*ta*-ko-lo po-me-ri-di-*a*-no) (*apresentação vespertina*)

Alguns teatros não aceitam reservas por telefone, apenas na bilheteria — **prenotazione al botteghino** (pre-no-ta-*tzio*-ne al bo-te-*gui*-no). Você pode pagar os ingressos e retirá-los imediatamente ou antes do espetáculo.

Indo ao museu

Aqui estão alguns dos museus mais frequentados e que possuem os mais ricos acervos: a **Galleria degli Uffizi** (ga-le-*ri*-a *de*-lhi u-*fi*-tzi), em Florença; **La Galleria Borghese** (la ga-le-*ri*-a bor-*gue*-ze) e os **Musei Vaticani** (mu-*ze*-i va-ti-*ka*-ni), em Roma; o **Peggy Guggenheim Collection**, em Veneza; e o **Museo della Scienza e della Tecnica** (mu-*ze*-o *de*-la chi-*en*-tza e *de*-la *tec*-ni-ka), em Milão. A cada dois anos ocorre ainda a **Biennale di Venezia** (bi-e-*na*-le di ve-*ne*-tzi-a), onde é possível ver o trabalho de inúmeros artistas contemporâneos internacionais famosos e emergentes.

Tendo uma Conversa

Dê uma olhada nesse diálogo entre duas amigas que estão indo **al museo** (al mu-ze-o) (*ao museu*).

Luisa:	**Ciao, Flavia, dove vai?** *tcha*-o *fla*-vi-a *do*-ve vai Oi, Flávia, aonde está indo?
Flavia:	**Ciao! Alla mostra di Caravaggio.** *tcha*-o *a*-la *mos*-tra di ka-ra-*va*-dji-o Olá! À mostra de Caravaggio.
Luisa:	**Ma dai: ci vado anch'io!** ma dai tchi *va*-do *an*-ki-o Não diga! Também estou indo lá!
Flavia:	**Allora andiamo insieme!** a-*lo*-ra an-di-*a*-mo in-si-*e*-me Então vamos juntas!
Luisa:	**Certo! Viene anche Janet.** *tcher*-to vi-e-ne *an*-ke dja-*net* Claro! Janet vem também.
Flavia:	**La conosco?** la ko-*nos*-ko Eu a conheço?
Luisa:	**Sì, la mia amica americana.** si la *mi*-a a-*mi*-ka a-me-ri-*ka*-na Sim, minha amiga americana.
Flavia:	**Dove avete appuntamento?** *do*-ve a-*ve*-te a-pun-ta-*men*-to Onde vocês vão se encontrar?
Luisa:	**Davanti al museo.** da-*van*-ti al mu-*ze*-o Em frente ao museu.

Indo a um festival local

Na introdução deste capítulo falamos sobre as diversas **sagre** (*sa*-gre) (*festivais*) e festivais locais que ocorrem na Itália, especialmente durante a primavera, o verão e o outono. Os temas variam, abordando desde questões políticas, como **La festa dell 'Unità** (la *fes*-ta de-lu-ni-*ta*) (*um jornal de esquerda*), até as relacionadas à natureza, como **La sagra del cinghiale** (la *sa*-gra del tchin-*guia*-le) (*festival do javali*) e **La sagra del pesce azzurro** (la *sa*-gra del *pe*-che a-*dzu*-ro) (*a Festa do Peixe Azul*). Não deixe de visitar se tiver oportunidade, pois você poderá vivenciar a cultura local e experimentar a deliciosa comida caseira.

Tendo uma Conversa

Paola tenta convencer Martino a visitar a catedral.

Paola:	**Lo sai che oggi c'è la Sagra dell'uva a Bertinoro?**
	lo sai ke *o*-dji *tché* la *sa*-gra de-*lu*-va a ber-ti-*no*-ro
	Você sabia que hoje acontece a festa da uva em Bertinoro?

Martino:	**Divertente! O facciamoci un salto!**
	di-ver-*ten*-te o fa-*tchia*-mo-tchi un *sal*-to
	Que divertido! Vamos dar uma passada!

Paola:	**Partiamo subito?**
	par-*tia*-mo *su*-bi-to
	Vamos imediatamente?

Martino:	**Sì, perché no?**
	si per-*ke* no
	Sim, por que não?

Paola:	**In quel paese fanno anche degli ottimi cappelletti!**
	in kuel pa-*e*-ze *fa*-no an-ke *de*-lhi *o*-ti-mi ka-pe-*le*-ti
	Eles fazem um *cappelletti* maravilhoso nessa cidade.

Martino:	**Ottimo, così ci fermiamo a cena.**
	o-ti-mo ko-*zi* tchi fer-mi-*a*-mo a *tche*-na
	Ótimo! Assim, podemos ficar para o jantar.

Indo a um show

Se você gosta de música, com certeza vai se divertir na Itália, tanto no **Umbria** (*um*-bri-a) **Jazz Festival** ou no **Festival dei Due Mondi** (*fes*-ti-val dei *du*-e *mon*-di), em Espoleto, quanto no show de algum **cantautore** (kan-tau-*to*-re) (*cantor-compositor*) específico.

A Itália é repleta de belas igrejas e catedrais em que **musicisti** (mu-zi-*tchis*-ti) (*músicos*) se apresentam em concertos de música clássica. Também é possível assistir a shows em outros lugares — às vezes no centro da cidade, em uma **piazza**.

Tendo uma Conversa

La signora e **il signor** Tiberi estão lendo o jornal da manhã. De repente, **la signora** Tiberi chama:

Sig.ra Tiberi: **Guarda qui!**
guar-da ku-*i*
Olhe aqui!

Sig. Tiberi: **Che c'è?**
ke *tché*
O que houve?

Sig.ra Tiberi: **Martedì c'è Pollini a Roma!**
mar-te-*di tché* po-*li*-ni a *ro*-ma
Terça-feira tem Pollini em Roma!

Sig. Tiberi: **Tiene un concerto?**
ti-*e*-ne un kon-*tcher*-to
Vai ter um concerto?

Sig.ra Tiberi: **Sì, al Conservatorio.**
si al kon-ser-va-*to*-ri-o
Sim, no Conservatório.

Sig. Tiberi: **Sarà tutto esaurito?**
sa-*ra tu*-to e-zau-*ri*-to
Será que já esgotou?

Sig.ra Tiberi: **Forse no!**
for-se no
Talvez não!

Sig. Tiberi: **Vai al botteghino?**
vai al bo-te-*gui*-no
Você vai à bilheteria?

Sig.ra Tiberi: **Prima telefono.**
pri-ma te-*le*-fo-no
Vou telefonar primeiro.

SABEDORIA CULTURAL

Maurizio Pollini é um pianista italiano internacionalmente conhecido. Tomara que o *signor* e a *signora* Tiberi consigam comprar os ingressos para esse evento. **Buona fortuna!** (*buo*-na for-*tu*-na) (*Boa sorte!*)

Palavras a Saber

musica [f]	mu-zi-ka	música
concerto [m]	kon-tcher-to	concerto
esaurito	e-za-u-ri-to	esgotado
piano (forte) [m]	pi-a-no-for-te	piano
museo [m]	mu-ze-o	museu
insieme	in-si-e-me	juntos

Talvez você conheça um músico ou alguém que toque um instrumento como hobby. Se você ficar curioso, veja os diálogos a seguir:

» **Che strumento suoni?** (ke stru-*men*-to *suo*-ni) (*Qual instrumento você toca?*)

Suono il violino. (*suo*-no il vi-o-*li*-no) (*Toco violino.*)

» **Dove suonate stasera?** (*do*-ve su-o-*na*-te sta-*se*-ra) (*Onde vocês vão tocar hoje à noite?*)

Suoniamo al Blu Notte. (su-o-*nia*-mo al blu *no*-te) (*Tocamos no Blu Notte.*)

» **Chi suona in famiglia?** (ki *suo*-na in fa-*mi*-lhia) (*Quem toca na família?*)

Suonamo tutti. (*suo*-*na*-mo *tu*-ti) (*Todos tocamos.*)

Convidando para a Diversão

Dar ou receber **un invito** (un in-*vi*-to) (*um convite*) é sempre uma experiência agradável. **Una festa** (*u*-na *fes*-ta) (*uma festa*) é uma boa oportunidade de conhecer pessoas novas e interessantes. Em italiano, o verbo **invitare** (in-vi-*ta*-re) geralmente significa convidar uma pessoa e pagar para ela. Por exemplo, se alguém diz **Posso invitarti a teatro?** (*po*-so in-vi-*tar*-ti a te-*a*-tro) (*Posso convidar você [para ir] ao teatro?*), significa que a pessoa organizará tudo e pagará para você.

As seguintes expressões podem sugerir uma atividade:

> **Che ne pensa di andare a Roma?** (formal) (ke ne *pen*-sa di an-*da*-re a *ro*-ma) (*O que acha de ir a Roma?*)

> **Che ne dici di uscire stasera?** (informal) (ke ne *di*-tchi di u-*chi*-re sta-*se*-ra) (*Que tal sair hoje à noite?*)

> **Andiamo in piscina?** (an-di-*a*-mo in pi-*chi*-na) (*Vamos à piscina?*)

> **Mangiamo una pizza!** (man-*djia*-mo u-na *pi*-tza) (*Vamos comer uma pizza!*)

> **Perché non andiamo a teatro?** (per-*ke* non an-di-*a*-mo a te-*a*-tro) (*Por que não vamos ao teatro?*)

Veja que sugerir uma atividade em italiano não é muito diferente de como fazemos em português. Pode-se perguntar **Perché non...** (per-*ke* non) (*Por que não...*) ou **Che ne pensi...** (ke ne *pen*-si) (*O que acha de...*).

A palavra **perché** é especial. Ela pode ser usada para perguntar "por quê". No entanto, ela também pode aparecer na resposta. Confira um possível diálogo:

Perché non mangi? (per-*ke* non man-dji) (*Por que não come?*)

Perché non ho fame. (per-*ke* non o *fa*-me) (*Porque não tenho fome.*)

Tendo uma Conversa

Guido tem um emprego novo. Ele está muito feliz e quer compartilhar a novidade com alguns amigos. Ele decide **dare una festa** (*da*-re u-na *fes*-ta) (*dar uma festa*) e conta à sua amiga Caterina o que está planejando.

Guido:	**Ho deciso!** o de-*tchi*-zo Decidi!
Caterina:	**Cosa?** *ko*-za O quê?
Guido:	**Faccio una festa!** *fa*-tcho u-na *fes*-ta Vou dar uma festa!
Caterina:	**Perchè? Quando?** per-*ke kuan*-do Por quê? Quando?

Guido:	**Per il mio nuovo lavoro. Sabato sera.** per il *mi*-o *nuo*-vo la-*vo*-ro *sa*-ba-to *se*-ra Por causa do meu novo trabalho. Sábado à noite.
Caterina:	**Una festa com musica, ballo, birra?** *u*-na *fes*-ta kon *mu*-si-ka *ba*-lo *bi*-ra Uma festa com música, dança e cerveja?
Guido:	**Certo. Mi aiuti?** *tcher*-to mi ai-*u*-ti Isso. Me ajuda?
Caterina:	**Come no!** *ko*-me no Claro!

Hoje em dia, é possível enviar e receber convites de diversas formas. Você pode recebê-lo por telefone, fax, e-mail ou pessoalmente pelo seu **ospite** (*os*-pi-te) (*anfitrião*).

Tendo uma Conversa

Guido vai fazer uma festa em sua casa no próximo sábado. Ele liga para Sara para convidá-la. (Faixa 19)

Sara:	**Ciao, Guido, come va?** *tcha*-o gu-*i*-do *ko*-me va Oi, Guido. Como vai?
Guido:	**Molto bene! Sei libera sabato sera?** *mol*-to *be*-ne sei *li*-be-ra *sa*-ba-to *se*-ra Muito bem. Está livre sábado à noite?
Sara:	**È un invito?** é un in-*vi*-to É um convite?
Guido:	**Sì, alla mia festa.** si *a*-la *mi*-a *fes*-ta Sim, para a minha festa.
Sara:	**Fantastico! A che ora?** fan-*tas*-ti-ko a ke *o*-ra Ótimo! A que horas?
Guido:	**Verso le nove.** *ver*-so le *no*-ve Por volta das nove.
Sara:	**Cosa posso portare? Il gelato va bene?** *ko*-za *po*-so por-*ta*-re il ge-*la*-to va *be*-ne O que posso levar? Pode ser o sorvete?

Guido:	**Ottimo. Quello piace a tutti.**
	o-ti-mo *kue*-lo *pia*-tche a tu-ti
	Ótimo. Todos gostam de sorvete.

Sara:	**Allora, d'accordo. Grazie!**
	a-*lo*-ra da-*kor*-do *gra*-tzie
	Certo, então. Obrigada.

A Figura 9-1 mostra o convite que Guido enviou aos amigos que não encontrou por telefone.

FIGURA 9-1:
Um convite casual, apropriado para ser enviado por e-mail.

Tendo uma Conversa

Franco e Emma receberam o convite de Guido. Agora eles estão conversando sobre se vão ou não à festa.

Franco: **Vieni alla festa di Guido?**
vie-ni *a*-la *fes*-ta di gu-*i*-do
Você vai à festa do Guido?

Emma: **No, mi annoio alle feste.**
no mi a-*noi*-o *a*-le *fes*-te
Não, fico entediada em festas.

Franco: **Ti annoi?**
ti a-*noi*
Entediada?

Emma: **Sì, non ballo e non bevo.**
si non *ba*-lo e non *be*-vo
Sim, não danço nem bebo.

Non mi diverto
non mi di-*ver*-to
Não me divirto.

Franco: **Ma chiacchieri!**
ma *kia*-kie-ri
Mas você conversa!

Emma: **Sì, ma senza musica di sottofondo.**
si ma *sen*-tza *mu*-zi-ka di *so*-to-*fon*-do
Sim, mas sem música de fundo.

A Figura 9-2 é um exemplo de um convite formal para uma apresentação da artista Elisa Catalini.

**LA SIGNORIA VOSTRA È INVITATA
ALL'INAUGURAZIONE DELLA MOSTRA:**
LA SI-NHO-RI-A VOS-TRA É IN-VI-TA-TA
A LI -NAU-GU-RA-TZI-O-NE DE-LA MOS-TRA
OS SENHORES ESTÃO CONVIDADOS PARA A INAUGURAÇÃO DA MOSTRA

" RICORDI DI UNA VITA "
RI-KOR-DI DI U-NA VI-TA
"MÉMORIAS DE UMA VIDA"

DIPINTI A OLIO E SCULTURE DI
DI-PIN-TI A O-LI-O E SKUL-TU-RE DI
PINTURAS A ÓLEO E ESCULTURAS DE

**ELISA CATALINI
VENERDI 28 MARZO ALLE 19.30**
VE-NER-DI VEN-TO-TO MAR-TZO A-LE DI-TCHI-A-NO-VE E TREN-TA
SEXTA, 28 DE MARCO, ÀS 19H30

GALLERIA ARTE & ARTE
GA-LE-RI-A AR-TE E AR-TE
GALERIA ARTE & ARTE

**VIA GABRIELLE SISTI 18
PIACENZA
L'ARTISTA SARÀ PRESENTE.**
LAR-TIS-TA SA-RA PRE-SEN-TE
A ARTISTA ESTARÁ PRESENTE

FIGURA 9-2: Um convite clássico, formal e impresso.

Palavras a Saber

invito [m]	in-vi-to	convite
festa [f]	fes-ta	festa
suonare	su-o-na-re	tocar
		(um instrumento musical)
perché	per-ke	porque, por que
bere	be-re	beber
ballare	ba-la-re	dançar

Diversão & Jogos

Agora é sua vez de convidar um amigo italiano para sua festa. Use as seguintes palavras para completar os espaços. Veja o Apêndice D para as respostas.

aspetto, dove, festa, invitato, ora, perché, sabato, verso

C'è una (1) _____ **e tu sei** (2) _____. (Há uma festa, e você está convidado.)

Quando? (3) _____ **24 luglio.** (Quando? Sábado, 24 de julho.)

A che (4) _____ **?** _____ **le 9.** (A que horas? Por volta das 9.)

(6) _____**? A casa mia.** (Onde? Na minha casa.)

(7) _____**? Per festeggiare insieme!** (Por quê? Para comemorarmos juntos!)

Ti (8) _____. (Estou esperando você.)

Buon divertimento! (Divirta-se!)

Capítulo 10

Negócios e Comunicações

Neste capítulo você encontra expressões e frases relacionadas a telefonemas e telecomunicações — por exemplo, como se comportar quando alguém telefona e como deixar um recado. Além disso, mostramos alguns exemplos práticos de diálogos comuns ao telefone.

Simplificando o Telefone

Pronto! (*pron*-toh) (*Alô!*) é a primeira coisa que se ouve ao se falar ao telefone com um italiano. Na maioria dos idiomas, a palavra usada para cumprimentar as pessoas é a que atende o telefone. Em italiano, **pronto** só é usado no sentido de olá ao telefone.

Você pode atender e dizer **Pronto. Chi parla?** (*pron*-to ki *par*-la) (*Alô. Quem fala?*).

E a resposta típica pode ser **Pronto! Sono Sabrina. C'è Stefano?** (*pron*-to *so*-no sa-*bri*-na *tché* ste-*fa*-no) (*Alô! Aqui é a Sabrina. O Stefano está?*).

Você ainda pode dizer **Sono Susanna. Posso parlare con Michele per favore?"**(-*so*-no su-*za*-na *po*-so par-*la*-re kon mi-*ke*-le per fa-*vo*-re) (*Aqui é Susanna. Posso falar com Michele, por favor?*).

Conectando-se por celular, mensagem de texto e Skype

Os italianos são fanáticos por seus **cellulari** (tche-lu-*la*-ri) (*celulares*). Foi uma das primeiras culturas a receber de braços abertos o **telefonino** (te-le-fo-*ni*--no) (*telefoninho*) na década de 1980, quando adotaram este prático acessório como um item da moda.

Celulares

Quando estiver na Itália, você precisa ter seu próprio celular, pois é difícil encontrar telefones públicos, e os hotéis cobram muito caro pelas ligações. Se levar seu celular com você, certifique-se de que irá funcionar na Itália e de que a conta não virá alta. É claro, também é possível comprar um telefone ao chegar lá. Caso faça isso, os minutos de ligação podem ser comprados de duas maneiras na **tabaccaio** (ta-ba-*kai*-o) (*tabacaria*) local. Você pode comprar **una scheda telefonica** (*u*-na *ske*-da te-le-*fo*-ni-ka) (um *cartão de telefone*) ou pedir que a vendedora carregue seu celular informando o número de minutos que quer ou o valor em euros. É possível fazer a mesma coisa em qualquer filial da operadora onde comprou seu telefone.

Mensagem de texto

Como os italianos enviam mais mensagens do que fazem ligações (é muito mais barato), você deve aprender alguns termos importantes, como **messaggino** (me-sa-*dji*-no) (*mensagem*) ou **SMS** (e-se-e-me-e-se) (*mensagem de texto SMS*), além de **Mandami un messaggino** (*man*-da-mi un me-sa-*dji*-no) (*Mande-me uma mensagem*).

Usando a internet para se conectar

Todas as cidades possuem pontos de acesso compartilhado à internet, onde é possível pagar uma taxa pelo uso da rede. Você apenas precisa pedir **Posso usare l'Internet?** (po-so u-za-re lin-ter-net) (*Posso usar a internet?*). Então vão lhe pedir **un documento** (un do-ku-men-to) (*um documento*) e o levarão até um computador. Lá, você pode acessar o Skype ou seu e-mail quanto quiser.

Algumas frases úteis sobre telefone:

» **Avete un telefono?** (a-ve-te un te-le-fo-no) (*Tem/Vocês têm um telefone?*)

» **Avete schede telefoniche?** (a-ve-te ske-de te-le-fo-ni-ke) (*Vocês vendem cartões telefônicos?*)

» **Ha un recapito telefonico?** (a un re-ka-pi-to te-le-fo-ni-ko) (*Você tem um número para contato?*) (Você pode ouvir isso quando for trocar dinheiro no banco.)

» **Qual è il suo/tuo numero di telefono?** (kua-lé il su-o nu-me-ro di te-le-fo-no) (*Qual é o número do seu telefone?*)

Tendo uma Conversa

Giorgio está visitando Nápoles outra vez e decide ligar para uma velha amiga. (Faixa 20)

Simona: **Pronto!**
pron-to
Alô!

Giorgio: **Pronto, Simona?**
pron-to si-mo-na
Alô, Simona?

Simona: **Sì, chi parla?**
si ki par-la
Sim, quem fala?

Giorgio: **Sono Giorgio.**
so-no djior-dji-o
É Giorgio.

Simona: **Che bella sorpresa!**
ke be-la sor-pre-za
Que ótima surpresa!

Sei di nuovo a Napoli?
Sei di nuo-vo a na-po-li
Está novamente em Nápoles?

Giorgio:	**Sì, sono arrivato stamattina.**
	si *so*-no a-ri-*va*-to sta-ma-*ti*-na
	Sim, cheguei esta manhã.

Simona:	**Ci vediamo stasera?**
	tchi ve-di-*a*-mo sta-*se*-ra
	Vamos nos ver hoje à noite?

Giorgio:	**Ti chiamo per questo!**
	ti *kia*-mo per *kues*-to
	Estou ligando por isso!

SABEDORIA CULTURAL

Na Itália, quando você não sabe um **numero di telefono** (*nu*-me-ro di te-*le*-fo--no) (*número de telefone*), pode procurar no **elenco telefonico** (e-*len*-ko te-le--*fo*-ni-ko) (*lista telefônica*). Se for um número comercial, você pode procurar nas **pagine gialle** (*pa*-dji-ne *djia*-le) (*lista telefônica*).

Ligação de negócios ou lazer

Se você quer saber a que horas começa um show, marcar uma consulta com o dentista ou apenas conversar com um amigo, a forma mais simples de realizar qualquer uma dessas tarefas é pegando o telefone. Essa seção apresenta os detalhes de um diálogo ao telefone.

Tendo uma Conversa

A seguir, um diálogo formal entre dois **signori** (si-*nho*-ri) (*senhores*) que só se viram uma vez.

Sig. Palladino:	**Pronto?**
	pron-to
	Alô?

Sig. Nieddu:	**Pronto, il signor Palladino?**
	pron-to il si-*nhor* pa-la-*di*-no
	Alô, é o Sr. Palladino?

Sig. Palladino:	**Sì. Con chi parlo?**
	sì kon ki *par*-lo
	Sim. Com quem falo?

Sig. Nieddu:	**Sono Carlo Nieddu.**
	so-no *kar*-lo ni-*e*-du
	É Carlo Nieddu.
	Si ricorda di me?
	si ri-*kor*-da di me
	Lembra-se de mim?

Sig. Palladino:	**No, mi dispiace.**
	no mi dis-*pia*-tche
	Não, desculpe.
Sig. Nieddu:	**Il cugino di Enza.**
	il ku-*dji*-no di *en*-tza
	Primo da Enza.
Sig. Palladino:	**Ma certo, mi scusi tanto!**
	ma *tcher*-to mi *sku*-zi *tan*-to
	É claro, me desculpe!

Às vezes, você quer apenas **fare due chiacchiere al telefono** (*fa*-re *du*-e kia-
-*kie*-re al te-*le*-fo-no) (*bater papo ao telefone*). Mas a pessoa do outro lado da
linha talvez não possa conversar por muito tempo.

Quando estiver muito ocupado e não tiver nem um minuto para falar, você pode
precisar usar as seguintes frases. A primeira é informal, e a segunda deve ser
usada no trabalho, por exemplo.

> **Ti posso richiamare più tardi?** (ti *po*-so ri-kia-*ma*-re piu *tar*-di) (*Posso te
> ligar mais tarde?*)

ou

> **La posso richiamare fra mezz'ora?** (la *po*-so ri-kia-*ma*-re fra me-*tzo*-ra)
> (*Posso ligar de volta em meia hora?*)

Tendo uma Conversa

Em outras ocasiões, suas ligações podem ser muito bem-vindas, como a da
Monica desta vez:

Monica:	**Ciao, mamma, ti disturbo?**
	tcha-o *ma*-ma ti dis-*tur*-bo
	Oi, mãe. Atrapalho?
Lucia:	**No, assolutamente.**
	no a-so-lu-ta-*men*-te
	Não, de forma alguma.
Monica:	**Volevo sentire cosa fate per Pasqua.**
	vo-*le*-vo sen-*ti*-re *ko*-za *fa*-te per *pas*-kua
	Queria saber o que você vai fazer na Páscoa.
Lucia:	**Andiamo tutti dalla nonna.**
	an-*dia*-mo *tu*-ti *da*-la *no*-na
	Vamos todos para a casa da vovó.
Monica:	**Ottimo! Buon'idea.**
	o-ti-mo buo-ni-*de*-a
	Ótimo! Boa ideia!

Palavras a Saber

cellulare	tche-lu-<u>la</u>-re	celular
telefonino [m]	te-le-fo-<u>ni</u>-no	telefone
telefonica [f]	te-le-<u>fo</u>-ni-ka	telefone
telefono pubblico [m]	te-<u>le</u>-fo-no <u>pu</u>-bli-ko	telefone público
scheda telefonica	<u>ske</u>-da te-le-fo-<u>ni</u>-ka	cartão telefônico
messaggino	me-sa-<u>dji</u>-no	mensagem de texto

Fazendo Planos pelo Telefone

Marcar um compromisso, reservar uma mesa no restaurante e comprar ingressos para um show costumam ser atividades feitas por telefone. Nesta seção, apresentamos a forma italiana de lidar com esses assuntos. (Faixa 21)

Tendo uma conversa

ÁUDIO

A Sra. Elmi liga para o consultório médico para marcar uma consulta. Ela fala com a enfermeira. (Faixa 21)

Sig.ra Elmi: **Buongiorno, sono la signora Elmi. Vorrei prendere un appuntamento.**
buon-*djior*-no *so*-no la si-*nho*-ra *el*-mi vo-*rei pren*-de-re un a-pun-ta-*men*-to
Bom dia, aqui é a Sra. Elmi. Eu gostaria de marcar uma consulta.

Enfermeira: **È urgente?**
é ur-*djen*-te
É urgente?

Sig.ra Elmi: **Purtroppo sì.**
pur-*tro*-po si
Infelizmente sim.

Enfermeira: **Va bene alle quattro e mezza?**
va *be*-ne *a*-le *kua*-tro e *me*-tza
Está bom às quatro e meia?

Sig.ra Elmi:	**Va benissimo, grazie.**
	va be-*ni*-si-mo *gra*-tzie
	Está ótimo, obrigada.

Enfermeira:	**Prego. Ci vediamo più tardi.**
	pre-go tchi ve-*dia*-mo piu *tar*-di
	Por nada. Até mais tarde.

A expressão **a domani** (a do–*ma*–ni) (*até amanhã*), assim como no português, não tem verbo.

Perguntando sobre Pessoas e Recebendo Recados

Esta seção oferece um vocabulário útil para chamar pessoas ao telefone e deixar recados. Nem sempre conseguimos encontrar o indivíduo com quem desejamos falar, então é preciso saber como deixar um recado.

Você conhece a situação: está aguardando um telefonema, mas o aparelho não toca. Então você precisa sair. Ao voltar, você quer saber se alguém ligou. Essa pergunta pode ser feita de diversas formas:

» **Ha chiamato qualcuno per me?** (a kia-*ma*-to kual-*ku*-no per me) (*Alguém me ligou?*)

» **Mi ha chiamato qualcuno?** (mi a kia-*ma*-to kual-*ku*-no) (*Alguém me ligou?*)

» **Mi ha cercato nessuno?** (mi a tcher-*ka*-to ne-*su*-no) (*Ninguém me procurou?*)

Tendo uma Conversa

Leo quer telefonar para Camilla, mas ela não está em casa. Portanto, ele deixa um recado.

Leo:	**Buongiorno, sono Leo.**
	buon-*djior*-no *so*-no *le*-o
	Bom dia, aqui é o Leo.

Voz:	**Ciao Leo.**
	tcha-o *le*-o
	Oi, Leo.

Leo:	**C'è Camila?**
	tché ka-*mi*-la
	A Camila está?

Voz:	**No, è appena uscita.**
	no é a-*pe*-na u-*chi*-ta
	Não, acabou de sair.

Leo:	**Quando la trovo?**
	kuan-do la *tro*-vo
	Quando a encontro?

Voz:	**Verso le nove.**
	ver-so le *no*-ve
	Por volta das nove.

Leo:	**Le posso lasciare un messaggio?**
	le *po*-so la-*chia*-re un me-*sa*-djio
	Posso deixar um recado para ela?

Voz:	**Come no, dimmi.**
	ko-me no *di*-mi
	É claro, diga.

Como pode ver, há diferentes maneiras de perguntar por pessoas, dizer que elas não estão e perguntar se pode deixar um recado. Esse diálogo informal mostra uma maneira de dizer tudo isso. A conversa a seguir traz a versão formal desse diálogo.

Tendo uma Conversa

O Sr. Marchi liga para o escritório do Sr. Trevi para falar sobre uma reunião. A secretária do Sr. Trevi atende. (Faixa 22)

Secretária:	**Pronto?**
	pron-to
	Alô?

Sig. Marchi:	**Buongiorno, sono Ennio Marchi.**
	buon-*djior*-no *so*-no e-ni-o *mar*-ki
	Bom dia, aqui é Ennio Marchi.

Secretária:	**Buongiorno, dica.**
	buon-*djior*-no *di*-ka
	Bom dia, pois não?

Sig. Marchi:	**Potrei parlare con il signor Trevi?**
	po-*trei* par-*la*-re kon il si-*nhor* tre-vi
	Eu poderia falar com o Sr. Trevi?

Secretária:	**Mi dispiace, è in riunione.**
	mi dis-*pia*-tche *é* in ri-u-ni-*o*-ne
	Lamento, ele está em reunião.

Sig. Marchi:	**Potrei lasciargli un messaggio?**
	po-*trei* la-*char*-lhi un me-*sa*-djio
	Eu poderia deixar um recado?

Secretária:	**Certo. Prego.**
	tcher-to *pre*-go
	Claro. Por favor.

Às vezes você não entende o nome da pessoa com quem está falando e precisa pedir que ela o soletre. Se alguém precisar que você soletre seu nome, poderá ouvir uma das seguintes perguntas:

» **Come si scrive?** (*ko*-me si *skri*-ve) (*Como se escreve?*)

» **Può fare lo spelling?** (puo *fa*-re lo *spe*-lin) (*Você pode soletrar?*)

Não se preocupe; basta saber o alfabeto básico, apresentado no Capítulo 1, para soletrar seu nome e o que quiser para qualquer um!

Palavras a Saber

pronto	<u>pron</u>-to	alô
arrivederci	a-ri-ve-<u>der</u>-tchi	até logo
chiacchierare	ki-a-ki-e-<u>ra</u>-re	bater papo
Attenda in linea!	a-<u>ten</u>-da in <u>li</u>-ne-a	Aguarde na linha!
chiamare	ki-a-<u>ma</u>-re	telefonar
chiamata [f]	ki-a-<u>ma</u>-ta	ligação
informazione [f]	in-for-ma-tzi-<u>o</u>-ne	informação
sorpresa [f]	sor-<u>pre</u>-za	surpresa

O que Você Fez no Último Fim de Semana? — Falando sobre o Passado

Nem todas as ligações envolvem deixar recados, é claro. Bater papo com seus amigos é um dos motivos para telefonar para alguém. Imagine que você passou um ótimo final de semana na praia e não pode esperar para contar os detalhes ao seu melhor amigo. Mas, para falar do passado, do que viu, de onde foi, primeiro você precisa entender o tempo pretérito em italiano.

FALANDO DE GRAMÁTICA

Ao contar, em italiano, algo que ocorreu no passado — por exemplo, "eu falei" —, você usa, na maioria das vezes, o **passato prossimo** (pa-*sa*-to *pro*-si-mo), que corresponde, em português, ao pretérito perfeito.

O **passato prossimo** é um tempo composto: tem mais de uma palavra, como em "eu tenho ouvido". Veja como funciona nos seguintes exemplos:

> » **Ho ascoltato un CD.** (o as-kol-*ta*-to un tchi-*di*) (*Eu escutei um CD.*)
>
> » **Sono andata alla spiaggia.** (*so*-no an-*da*-ta *a*-la *spia*-djia) (*Eu fui à praia.*)

A estrutura do **passato prossimo** é composta do verbo **avere** (a-*ve*-re) (*ter/ haver*) ou **essere** (e-*se*-re) (*ser/estar*), mais o particípio passado do verbo principal, que descreve a ação. Nos exemplos anteriores, **ascoltato** (as-kol-*ta*-to) (*escutado*) é o particípio passado de **ascoltare** (as-kol-*ta*-re) (*escutar*), e **andata** (an-*da*-ta) (*andado*) é o particípio passado de **andare** (an-*da*-re) (*andar*).

Resumindo: o verbo auxiliar **essere** ou **avere** + particípio passado do verbo principal (geralmente terminado em **–ato, –uto, –ito** [*a*-to, *u*-to, *i*-to]). Para formar os particípios passados, pegue o verbo no infinitivo, mantenha a raiz e acrescente a terminação.

LEMBRE-SE

Lei (lei) é o modo formal para "você" (equivale a Sr./Sra.). Use **Lei** para se dirigir a alguém que não conhece bem ou quando quiser ser educado.

Então como saber quando usar **essere** ou **avere** como verbo auxiliar no **passato prossimo**? Os verbos transitivos pedem **avere**, e os intransitivos, **essere**. O uso cotidiano será seu guia, mas basicamente todos os verbos, como vir, ir, entrar, sair, ficar, voltar, nascer e morrer, usam **essere**.

Vamos começar pelos verbos transitivos, como mostrados na Tabela 10-1:

TABELA 10-1   Passato Prossimo com *avere*

Avere + Particípio Passado	Tradução
ho chiamato (o kia-*ma*-to)	*eu liguei*
hai chiamato (ai kia-*ma*-to)	*você ligou*
ha chiamato (a kia-*ma*-to)	*ele/ela/o Sr./a Sra. ligou*
abbiamo chiamato (a-*bia*-mo kia-*ma*-to)	*nós ligamos*
avete chiamato (a-*ve*-te kia-*ma*-to)	*vocês ligaram*
hanno chiamato (*a*-no kia-*ma*-to)	*eles/elas ligaram*

Alguns particípios passados são irregulares e estão listados no final desta seção: eles não seguem uma regra específica, então simplesmente devem ser memorizados. Veja o Apêndice A para mais exemplos.

A Tabela 10–2 traz alguns particípios passados regulares e irregulares dos verbos que são conjugados com *avere*.

TABELA 10-2   Particípio Passado com *avere* — Ter/haver

Infinitivo	Particípio Passado
ascoltare (as-kol-*ta*-re) *(escutar)*	**ascoltato** (as-kol-*ta*-to) *(escutado)*
comprare (kom-*pra*-re) *(comprar)*	**comprato** (kom-*pra*-to) *(comprado)*
telefonare (te-le-fo-*na*-re) *(telefonar)*	**telefonato** (te-le-fo-*na*-to) *(telefonado)*
conoscere (ko-*no*-che-re) *(conhecer)*	**conosciuto** (ko-no-*chu*-to) *(conhecido)*
ricevere (ri-*tche*-ve-re) *(receber)*	**ricevuto** (ri-tche-*vu*-to) *(recebido)*
partire (par-*ti*-re) *(partir)*	**partito** (par-*ti*-to) *(partido)*
dire (*di*-re) *(dizer)*	**detto** (*de*-to) *(dito)*
fare (*fa*-re) *(fazer)*	**fatto** (*fa*-to) *(feito)*
leggere (*le*-dje-re) *(ler)*	**letto** (*le*-to) *(lido)*
scrivere (*skri*-ve-re) *(escrever)*	**scritto** (*skri*-to) *(escrito)*
vedere (ve-*de*-re) *(ver)*	**visto** (*vis*-to) *(visto)*

O final de semana é sempre uma boa razão para ligar a um amigo e perguntar o que ele fez.

Tendo uma Conversa

Rosa liga para sua melhor amiga, Tiziana, para saber das novidades do final de semana.

Rosa: **Che cosa hai fatto questo fine settimana?**
ke *ko*-za ai *fa*-to *kues*-to *fi*-ne se-ti-*ma*-na
O que você fez este final de semana?

Tiziana: **Ho conosciuto un uomo meraviglioso!**
o ko-no-*chu*-to un *uo*-mo me-ra-vi-*lhio*-zo
Conheci um homem maravilhoso!

Rosa: **Racconta tutto!**
ra-*kon*-ta *tu*-to
Conte tudo!

Tiziana: **Sabato sono andata al mare.**
sa-ba-to *so*-no an-*da*-ta al *ma*-re
Sábado fui à praia.

Rosa: **Da sola?**
da *so*-la
Sozinha?

Tiziana: **Sì, e lì ho incontrato Enrico.**
si e li o in-kon-*tra*-to en-*ri*-ko
Sim, e conheci o Enrico lá.

Rosa: **Per caso?**
per *ka*-zo
Por acaso?

Tiziana: **No, me l'ha presentato Davide.**
no me la pre-zen-*ta*-to *da*-vi-de
Não, Davide me apresentou a ele.

Agora observe alguns verbos intransitivos que pedem **essere** como verbo auxiliar.

Quando o **passato prossimo** é composto pelo tempo presente do verbo **essere** (*ser/estar*), o particípio passado concorda com o sujeito: feminino singular **-a**, masculino singular **-o**, feminino plural **-e** e masculino plural **-i**. Observe as terminações do particípio passado na Tabela 10–3.

TABELA 10-3   Passato Prossimo com *essere*

Essere + Particípio Passado	Pronúncia	Tradução
io sono uscita/o	(*i*-o *so*-no u-*chi*-ta/o)	*eu saí*
tu sei uscita/o	(tu sei u-*chi*-ta/o)	*você saiu*
lei/lui/Lei è uscita/o	(lei/*lu*-i/Lei é u-*chi*-ta/o)	*ele/ela/o Sr./a Sra. saiu*
noi siamo uscite/i	(noi si-*a*-mo u-*chi*-te/i)	*Nós saímos*
voi siete uscite/i	(voi si-*e*-te u-*chi*-te/i)	*Vocês saíram*
loro sono uscite/i	(*lo*-ro *so*-no u-*chi*-te/i)	*Eles/elas saíram*

Familiarize-se bem com os verbos intransitivos na Tabela 10-4. Eles sempre são conjugados com **essere**, não apenas no pretérito perfeito, mas em outros tempos compostos em italiano.

TABELA 10-4   Particípio Passado com *essere* — Ser/estar

Infinitivo	Particípio Passado
andare (an-*da*-re) (*ir*)	**andata/-o/-e/-i** (an-*da*-ta/-to/-te/-ti) (*ido*)
arrivare (a-ri-*va*-re) (*chegar*)	**arrivata/-o/-e/-i** (a-ri-*va*-ta/-to/-te/-ti) (*chegado*)
entrare (en-*tra*-re) (*entrar*)	**entrata/-o/-e/-i** (en-*tra*-ta/-to/-te/-ti) (*entrado*)
partire (par-*ti*-re) (*partir*)	**partita/-o/-e/-i** (par-*ti*-ta/-to/-te/-ti) (*partido*)
venire (ve-*ni*-re) (*vir*)	**venuta** (ve-*nu*-ta/-to/-te/ti) (*vindo*)
tornare (tor-*na*-re) (*voltar*)	**tornata/-o/-e/-i** (tor-*na*-ta/-to/-te/-ti) (*voltado*)

Falando de Negócios

O mundo está cada vez menor, e os contatos comerciais com estrangeiros têm sido bastante comuns. Seja por telefone, fax ou e-mail, está se tornando mais e mais importante saber como se comunicar com colegas de trabalho ao redor do mundo. Se você possui contatos com empresas italianas, pode ser muito útil aprender o vocabulário básico de negócios.

O italiano tem pelo menos quatro palavras para "empresa": **la compagnia** (la kom-pa-*nhi*-a), **la ditta** (la *di*-ta) (que também significa *a firma*), **l'azienda** (la-*dzen*-da) e **la società** (la so-tchie-*ta*). Todas elas são praticamente sinônimas.

L'ufficio (lu-*fi*-tcho) significa "escritório". As sentenças a seguir trazem uma amostra das frases que você pode ouvir em todos os tipos de **uffici** (u-*fi*-tchi) (*escritórios*):

> » **La mia scrivania è troppo piccola.** (la *mi*-a skri-va-*ni*-a é tro-po *pi*-ko-la) (*Minha escrivaninha é muito pequena.*)
>
> » **È una grande società?** (é u-na *gran*-de so-tche-*ta*) (*É uma empresa grande?*)
>
> » **Lavora per una piccola agenzia.** (la-*vo*-ra per u-na *pi*-ko-la a-djen-*dzi*-a) (*Ele trabalha para uma pequena empresa.*)
>
> » **Amo il mio lavoro.** (*a*-mo il *mi*-o la-*vo*-ro) (*Eu amo meu trabalho.*)

O elemento humano

Mesmo que você seja um **libero professionista** (*li*-be-ro pro-fe-si-o-*nis*-ta) (*profissional liberal*), é provável que seu **lavoro** (la-*vo*-ro) (*trabalho*) coloque você em contato com outras pessoas. Todos têm cargos, títulos e nomes, como mostram os diálogos a seguir:

> » **Il mio capo è una donna.** (il *mi*-o *ka*-po e u-na *do*-na) (*Meu chefe é uma mulher.*)
>
> » **Hai un'assistente personale?** (*ai* u-na-sis-*ten*-te per-so-*na*-le) (*Você tem uma assistente pessoal?*)
>
> **No, il nostro team ha un segretario.** (no il *nos*-tro tim a un se-gre-*ta*-ri-o) (*Não, nossa equipe tem um secretário.*)
>
> » **Dov'è il direttore?** (do-*vé* il di-re-*to*-re) (*Onde está o diretor?*)
>
> **Nel suo ufficio.** (nel *su*-o u-*fi*-tcho) (*No escritório dela.*)

Equipamentos de escritório

Mesmo os menores escritórios utilizam, hoje em dia, uma enorme variedade de equipamentos. Muitos desses termos de "tecnologia" são palavras da língua inglesa, como *computer*, *fax* e *e-mail*. E **fotocopia** (fo-to-*ko*-pi-a) (*fotocópia*) e **fotocopiatrice** (fo-to-ko-pi-a-*tri*-tche) (*fotocopiadora*) são bastante semelhantes a essas palavras em português.

As sentenças a seguir podem ajudá-lo a desenvolver bem seu vocabulário de negócios em italiano.

>> **Posso usare la stampante, per favore?** (*po*-so u-*za*-re la stam-*pan*-te per fa-*vo*-re) (*Posso usar a impressora, por favor?*)

>> **Il lavoro non va bene.** (il la-*vo*-ro non va *be*-ne) (*O trabalho não está indo bem.*)

>> **Il fax è arrivato.** (il *faks* e a-ri-*va*-to) (*O fax chegou.*)

>> **Quando ha spedito l'e-mail?** (*kuan*-do a spe-*di*-to le-*mail*) (*Quando você enviou o e-mail?*)

Tendo uma Conversa

O Sr. Miller, um executivo americano, está tentando, sem sucesso, enviar informações importantes para seu associado italiano, **il signor** Tosi.

Sr. Miller: **Ha ricevuto la mia raccomandata?**
a ri-tche-*vu*-to la *mi*-a ra-ko-man-*da*-ta
Você recebeu a carta registrada que enviei?

Sig. Tosi: **No, oggi non è arrivato niente.**
no o-dji no-*né* a-ri-*va*-to ni-*en*-te
Não, não chegou nada hoje.

Sr. Miller: **Le mando subito un fax.**
le *man*-do *su*-bi-to un *faks*
Enviarei um fax imediatamente.

Sig. Tosi: **Purtroppo è rotto.**
pur-*tro*-po é *ro*-to
Infelizmente, está quebrado.

Sr. Miller: **Le invio un'e-mail allora.**
le in-*vi*-o u-ne-*mei*-o a-*lo*-ra
Enviarei um e-mail agora, então.

Sig. Tosi: **Va bene. E può mandarmi il documento?**
va *be*-ne e puo man-*dar*-mi il do-ku-*men*-to
Sim. E pode me mandar o documento?

Sr. Miller: **Certo, glielo mando come allegato, ma avrò bisogno di più tempo.**
tcher-to *lhie*-lo *man*-do *ko*-me a-le-*ga*-to ma a-*vro* bi-*zo*-nho di pi-*u* tem-po
Claro, enviarei como anexo, mas precisarei de um pouco mais de tempo.

Sig. Tosi: **Va benissimo. Oggi lavoro fino a tardi.**
va be-*ni*-si-mo o-dji la-*vo*-ro *fi*-no a *tar*-di
Ótimo. Vou trabalhar até tarde hoje.

Palavras a Saber

messaggio [m]	me-<u>sa</u>-djio	mensagem
lavoro [m]	la-<u>vo</u>-ro	trabalho
È rotto.	e <u>ro</u>-to	está quebrado
macchina [f]	<u>ma</u>-ki-na	máquina
tempo [m]	<u>tem</u>-po	tempo
tardi	<u>tar</u>-di	tarde

DICA

Na Itália, os classificados de emprego normalmente especificam informações sobre a personalidade do candidato. Esses anúncios normalmente não contêm endereços postais. Em vez disso, indicam o número de um fax ou um e-mail. Mande sua **domanda d'assunzione** (do-*man*-da da-sun-*tzio*-ne) (*formulário de emprego*) e/ou seu currículo via fax ou e-mail.

Palavras a Saber

colloquio [m]	ko-<u>lo</u>-kui-o	entrevista
assistente [f/m]	a-sis-<u>ten</u>-te	assistente
annuncio [m]	a-<u>nun</u>-tchio	anúncio
responsabile	res-pon-<u>sa</u>-bi-le	responsável
affidabile	a-fi-<u>da</u>-bi-le	confiável

Diversão & Jogos

Você está na casa do Mario, mas ele saiu por um momento. O telefone toca, e você precisa atendê-lo. Preencha as lacunas nesta conversa incompleta. Veja o Apêndice D para as respostas.

Você: (1) _____! (Alô!)

Voz: Ciao, sono Chiara. Con chi (2) _____? (Oi, é a Chiara. Com quem falo?)

Você: Sono un (3) _____ di Mario. (Sou amigo do Mario.)

Voz: (4) _____ Mario? (O Mario está?)

Você: No, è (5) _____ uscito. (Não, acabou de sair).

Voz: Gli posso (6) _____? (Posso deixar um recado para ele?)

Você: Certo (7) _____. (Claro, por favor.)

Mario volta e pergunta:

Mario: Ha (8) _____ qualcuno per me? (Alguém me ligou?)

NESTE CAPÍTULO

Descobrindo atividades ao ar livre com animais e plantas

Divertindo-se com verbos reflexivos e *piacere*

Explorando esportes e outros hobbies

Capítulo 11
Diversão e Atividades ao Ar Livre

N este capítulo falamos sobre a diversão — praticar esportes e passatempos e criar maneiras de se divertir. Além disso, há uma seção sobre verbos reflexivos para que você fale corretamente sobre divertir-se.

Talvez você use seu **fine settimana** (*fi*-ne se-ti-*ma*-na) (*fim de semana*) para praticar esportes como **calcio** (*kal*-tcho) (*futebol*), **tennis** (*te*-nis) (*tênis*) ou **pallavolo** (pa-la-*vo*-lo) (*vôlei*). Ou talvez você se jogue diante da TV para ver **pallacanestro** (pa-la-ka-*nes*-tro) (*basquete*). Em todos os casos, ser capaz de conversar sobre esportes e outras atividades de recreação é um ponto a mais em qualquer idioma.

Passeando

Você pode estar na cidade ou no campo, sempre vai encontrar coisas divertidas e interessantes para ver. Você pode viajar de carro ou deixar que outra pessoa dirija e inscrever-se em uma excursão para conhecer lugares especiais. As excursões de ônibus são, em sua maioria, organizadas detalhadamente, e o preço costuma incluir os gastos com hotel, almoço, jantar e guia turístico.

Uma excursão com guia talvez seja a forma mais eficiente, informativa e barata de conhecer as atrações de uma cidade desconhecida. Você pode fazer as seguintes perguntas para descobrir mais sobre **una gita organizzata** (*u*-na *dji*-ta or-ga-ni-*tza*-ta) (*uma excursão organizada*). Note que o italiano tem duas maneiras basicamente intercambiáveis para "fazer uma viagem": **fare una gita** (*fa*-re *u*-na *dji*-ta) e **fare un'escursione** (*fa*-re u-nes-kur-*sio*-ne).

>> **Ci sono gite organizzate?** (tchi *so*-no *dji*-te or-ga-ni-*tza*-te) (*Há excursões organizadas?*)

>> **Che cosa c'è da vedere?** (ke *ko*-za *tché* da ve-*de*-re) (*Quais atrações estão inclusas?*)

>> **Quanto costa la gita?** (*kuan*-to *kos*-ta la *dji*-ta) (*Quanto custa a viagem?*)

>> **C'è una guida portoghese?** (*tché* *u*-na gu-*i*-da por-to-*gue*-ze) (*Há algum guia que fale português?*)

>> **Dove si comprano i biglietti?** (*do*-ve si kom-*pra*-no i bi-*lhie*-ti) (*Onde se compram os ingressos?*)

Perceba, nas próximas sentenças, que os italianos se apropriaram de algumas palavras inglesas, como *picnic* e *jogging*.

>> **Mi piace camminare nel verde.** (mi *pia*-tche ka-mi-*na*-re nel *ver*-de) (*Gosto de caminhar no meio da natureza.*)

>> **Facciamo un picnic sul prato?** (fa-*tcha*-mo un pic-*nic* sul *pra*-to) (*Vamos fazer um piquenique no gramado?*)

>> **Ti piace l'osservare degli ucceli?** (ti *pia*-tche lo-ser-*va*-re de-lhi u-*tche*-li) (*Você gosta de observar os pássaros?*)

>> **Faccio jogging nel parco.** (*fa*-tcho *djio*-guin nel *par*-ko) (*Faço jogging no parque*).

Você gosta de escalar montanhas para se aproximar da natureza? Mesmo quando **ti godi** (ti *go*-di) (*você curte*) a Mãe Natureza sozinho, pode aprender algumas palavras para descrever as maravilhas que vê, como **Che bel panorama!** (ke bel pa–no–*ra*–ma) (*Que bela vista!*). Vamos lá!

» **l'albero** (*lal*-be-ro) (*árvore*)

» **il bosco** (il *bos*-ko) (*bosque*)

» **il fiore** (il *fio*-re) (*flor*)

» **la pianta** (la *pian*-ta) (*planta*)

» **il pino** (il *pi*-no) (*pinho*)

» **il prato** (il *pra*-to) (*gramado, prado*)

» **la quercia** (la *kuer*-tcha) (*carvalho*)

» **il tramonto** (il tra-*mon*-to) (*pôr do sol*)

» **il panorama** (il pa-no-*ra*-ma) (*vista*)

Palavras a Saber

campagna [f]	kam-<u>pa</u>-nha	campo
fiume [m]	fi-<u>u</u>-me	rio
lago [m]	<u>la</u>-go	lago
mare [m]	<u>ma</u>-re	mar
montagna [f]	mon-<u>ta</u>-nha	montanha

Tendo uma Conversa

É sempre interessante conversar sobre animais, então é útil aprender os nomes de alguns deles em italiano. Aqui vai um diálogo:

Carla: **Ti piacciono gli animali?**
ti *pia*-tcho-no lhi a-ni-*ma*-li
Você gosta de animais?

Alessandra: **Sì, ho una piccola fattoria.**
si o *u*-na *pi*-ko-la fa-to-*ri*-a
Sim, tenho uma pequena fazenda.

Carla:	**Davvero?**	
	da-*ve*-ro	
	Verdade?	
Alessandra:	**Ho un cane, due gatti e un maialino.**	
	o un *ka*-ne *du*-e *ga*-ti e un mai-a-*li*-no	
	Tenho um cachorro, dois gatos e um porquinho.	
Carla:	**Ti piacciono i cavalli?**	
	ti *pia-tcho*-no i ka-*va*-li	
	Você gosta de cavalos?	
Alessandra:	**No, preferisco le mucche.**	
	no pre-fe-*ris*-ko le *mu*-ke	
	Não, prefiro vacas.	

Palavras a Saber

cane [m]	<u>ka</u>-ne	cachorro
cavallo [m]	ka-<u>va</u>-lo	cavalo
capra [f]	<u>ka</u>-pra	cabra
gallo [m]	<u>ga</u>-lo	galo
gatto [m]	<u>ga</u>-to	gato
gallina [f]	ga-<u>li</u>-na	galinha
maiale [m]	mai-<u>a</u>-le	porco
mucca [f]	<u>mu</u>-ka	vaca
uccello [m]	u-<u>tche</u>-lo	pássaro
lupo [m]	<u>lu</u>-po	lobo
pecora [f]	<u>pe</u>-ko-ra	ovelha
tacchino [m]	ta-<u>ki</u>-no	peru

Falando de Forma Reflexiva

FALANDO DE GRAMÁTICA

Quando dizemos "divertir-se", usamos um verbo reflexivo. Isso significa que a ação volta para o sujeito. O mesmo se aplica ao italiano. Mas nem todos os verbos reflexivos em italiano também o são em português, e vice-versa. Alguns, como **riposarsi** (ri-po-*zar*-si) (*repousar*) e **svegliarsi** (sve-*lhiar*-si) (*acordar*), não são reflexivos em português, mas são em italiano.

Você pode identificar o verbo reflexivo, em italiano, ao observar sua forma infinitiva. Se a última sílaba do infinitivo for **-si** (*si*), que se traduz como "se", o verbo é reflexivo. Para conjugar um verbo reflexivo, modifique a última sílaba **-si** por outra terminação. A seguir mostramos a conjugação de **divertirsi** (di-ver-*tir*-si) (*divertir-se*), que é regular. Depois de remover o **-si** do verbo reflexivo, a conjugação é igual à de qualquer outro verbo, conforme sua terminação **-are**, **-ere** ou **-ire**. A única diferença é o acréscimo do pronome reflexivo, que se refere à pessoa envolvida (o sujeito). Observe como **divertirsi** se transforma no verbo regular terminado em **-ire** no tempo presente, com a exceção de que precisará dos pronomes reflexivos.

Conjugação	Pronúncia	Tradução
mi diverto	mi di-*ver*-to	*eu me divirto*
ti diverti	ti di-*ver*-ti	*você se diverte*
si diverte	si di-*ver*-te	*ele/ela se diverte*
ci divertiamo	tchi di-ver-*tia*-mo	*nós nos divertimos*
vi divertite	vi di-ver-*ti*-te	*você se divertem*
si divertono	si di-*ver*-to-no	*eles/elas se divertem*

Mais alguns exemplos:

» **divertirsi: Mi diverto molto a cantare.** (mi di-*ver*-to *mol*-to a kan-*ta*-re) (*Eu me divirto muito cantando.*)

» **annoiarsi** (a-noi-*ar*-si) (*entendiar-se*): **Vi annoiate in campagna?** (vi a-noi-*a*-te in kam-*pa*-nha) (*Você se entedia no campo?*)

» **svegliarsi** (sve-*lhiar*-si) (*acordar*): **A che ora ti svegli?** (a ke *o*-ra ti *sve*-lhi) (*A que horas você acorda?*)

» **mettersi** (*me*-ter-si) (*colocar/vestir*): **Mi metto la giacca nera.** (mi *me*-to la *djia*-ka *ne*-ra) (*Visto minha jaqueta preta.*)

» **lavarsi** (la-*var*-si) **Ti sei lavata i denti?** (ti sei la-*va*-ta i *den*-ti) (*Você escovou os dentes?*)

Tendo uma Conversa

ÁUDIO

Maria Pia e Mauro estão discutindo o que gostam de fazer nos finais de semana. (Faixa 23)

Maria Pia: **Cosa fai durante i fine settimana?**
ko-sa fai durante i *fi*-ne se-ti-*ma*-na
O que você faz nos finais de semana?

Mauro:	**Faccio sport, leggo, incontro amici.** *fa*-tcho sport *le*-go in-*kon*-tro a-*mi*-tchi Pratico esportes, leio, encontro os amigos.
	Ti piace leggere? ti *pia*-tche *le*-dje-re Você gosta de ler?
Maria Pia:	**È la mia passione!** é la *mi*-a pa-si-*o*-ne É a minha paixão!
	Che cosa leggi? ke *ko*-za *le*-dji O que você lê?
Mauro:	**Soprattutto letteratura contemporanea.** so-pra-*tu*-to le-te-ra-*tu*-ra kon-tem-po-*ra*-ne-a Sobretudo literatura contemporânea.

Praticando Esportes

Praticar esportes e falar sobre eles é um dos passatempos favoritos das pessoas. E se você viajar à Itália ou se apenas quiser convidar seu vizinho italiano para jogar tênis, é sempre útil conhecer termos esportivos.

No italiano, você faz alguns esportes. Portanto, deve combinar essas palavras com **fare** (*fa*-re) (*fazer, praticar*). Com outros esportes, use **giocare** (djio-*ka*-re) (*jogar*) ou **andare** (an-*da*-re) (*ir*). Há alguns esportes cujo verbo o descreve, como **pattinare** (pa-ti-*na*-re) (*patinar*). A Tabela 11-1 lista a maioria dos esportes e os verbos usados com eles.

TABELA 11-1   Verbos sobre Esportes

Italiano	Pronúncia	Tradução
*fare	*fa*-re	*fazer, praticar*
atletica leggera	a-tle-*ti*-ka le-*dje*-ra	*trilha*
canotaggio	ka-no-*ta*-djio	*canoagem*
ciclismo	tchi-*klis*-mo	*ciclismo*
danza	*dan*-dza	*dança*
equitazione	e-ku-*i*-ta-tzi-*o*-ne	*equitação*
ginnastica artistica	dji-*nas*-ti-ka ar-*tis*-ti-ka	*ginástica artística*
jogging	*djio*-guin	*jogging*

Italiano	Pronúncia	Tradução
lotta	*lo*-ta	*luta*
nuoto	nu-*o*-to	*natação*
palestra	pa-*les*-tra	*ir à academia*
scherma	*sker*-ma	*esgrima*
lo sci	lo chi	*esqui*
lo sci nautico	lo chi *nau*-ti-ko	*esqui aquático*
sollevamento pesi	so-le-va-*men*-to *pe*-zi	*levantamento de peso*
lo sno/snowboarding	lo sno/snou-*bor*-din	*snowboarding*
*giocare a	djio-*ka*-re	*jogar*
calcio	*kal*-tcho	*futebol*
pallacanestro	*pa*-la-ka-*nes*-tro	*basquete*
pallavolo	*pa*-la-*vo*-lo	*vôlei*
ping pong	*pin*-gue-*pon*-gue	*pingue-pongue*
tennis	*te*-nis	*tênis*
golf	golf	*golfe*
*andare	an-*da*-re	*andar*
a cavallo	a ka-*va*-lo	*a cavalo*
in bicicletta	in bi-tchi-*kle*-ta	*de bicicleta*

A seguir, veja como se conjugam três verbos importantes usados com esportes: **fare**, **andare** e **giocare**.

Conjugação	Pronúncia
io faccio	*i*-o *fa*-tcho
tu fai	tu fai
lui/lei/Lei fa	*lu*-i/lei/lei fa
noi facciamo	noi fa-*tcha*-mo
voi fate	voi *fa*-te
loro fanno	*lo*-ro *fa*-no
io vado	*i*-o *va*-do

tu vai	tu *va*-i
lui/lei/Lei va	*lu*-i/lei/lei va
noi andiamo	noi an-*dia*-mo
voi andate	voi an-*da*-te
loro vanno	*lo*-ro *va*-no
io gioco	*i*-o *djio*-ko
tu giochi	tu *djio*-ki
lui/lei/Lei gioca	*lu*-i/lei/lei *djio*-ka
noi giochiamo	noi djio-*kia*-mo
voi giocate	voi djio-*ka*-te
loro giocano	*lo*-ro *djio*-ka-no

Os italianos adoram acompanhar esportes na TV. A seguir, há uma lista dos mais populares, mais ou menos na ordem:

calcio (*kal*-tcho) (*futebol*)

Formula 1 (*for*-mu-la *u*-no) (*Fórmula 1*)

ciclismo (tchi-*klis*-mo) (*ciclismo*)

moto GP (*mo*-to *dji*-pi) (*motovelocidade*)

pugilato (pu-dji-*la*-to) (*boxe*)

lo sci alpino (lo chi al-*pi*-no) (*esqui de montanha*)

Le ragazze (le ra-*ga*-tze) (*garotas*) não jogam **calcio** na Itália, como fazem em outros países, mas jogam **pallavolo**. Muitos **ragazzi** (ra-*ga*-tzi) (*rapazes*) praticam futebol, e homens costumam praticar **calcetto** (kal-*tche*-to), também chamado de **calcio a cinque** (*kal*-tcho a *tchin*-kue), com cinco jogadores em cada time, em geral em quadras fechadas ou campos pequenos.

Há também a **bocce** (*bo*-tche) (*bocha*). Muitas cidades têm pequenas quadras de **bocce**, mais frequentadas por homens mais velhos.

Tendo uma Conversa

ÁUDIO

Giulia e Stefano acabaram de se conhecer na universidade e descobrem que moram na mesma vizinhança. A caminho do ponto de ônibus, Stefano começa a conversar sobre seu assunto favorito: esportes. (Faixa 24)

Stefano: **Che sport pratichi?**
ke sport *pra*-ti-ki
Quais esportes você pratica?

Giulia: **Faccio nuoto e vado a cavallo.**
fa-tcho *nuo*-to e *va*-do a ca-*va*-lo
Nado e cavalgo.

Stefano: **Equitazione?**
e-ku-*i*-ta-tzi-o-ne
Equitação?

Giulia: **È il mio sport preferito!**
é il *mi*-o sport pre-fe-*ri*-to
É o meu esporte favorito!

Giochi a tennis?
djio-ki a *te*-nis
Você joga tênis?

Stefano: **No, faccio palestra.**
no *fa*-tcho pa-*les*-tra
Não, vou à academia.

Giulia: **Body building?**
ba-ri *bil*-din
Musculação?

Stefano: **Uso le machine come il tapis roulant* in inverno e corro in pineta in estate.**
u-zo le *ma*-ki-ne *ko*-me il ta-*pi* ru-*lan* in in-*ver*-no e *ko*-ro in pi-*ne*-ta in es-*ta*-te.
Uso os equipamentos, como a esteira, durante o inverno, e corro na floresta, durante o verão.

SABEDORIA CULTURAL

*Os italianos usam a palavra francesa **tapis roulant** para "esteira".

Falando sobre Hobbies e Interesses

Você pode fazer muitas outras coisas nas horas de lazer, em vez de praticar esportes o tempo todo. Aqui você conhece uma porção delas em italiano.

Algumas perguntas típicas (e respostas diversas) para saber sobre **il tempo libero** (il *tem*-po *li*-be-ro) (*tempo livre*) incluem:

> **» Che cosa ti piace fare nel tempo libero?**
> ke *ko*-za ti *pia*-tche *fa*-re nel *tem*-po *li*-be-ro
> *O que você gosta de fazer no seu tempo livre?*

> **Mi piace cucinare e fare l'uncinetto.**
> mi *pia*-tche ku-tchi-*na*-re e *fa*-re lun-tchi-*ne*-to
> *Gosto de cozinhar e de fazer crochê.*

> **» Qual è il tuo passatempo preferito?**
> kual *é* il *tu*-o pa-sa-*tem*-po pre-fe-*ri*-to
> *Qual é o seu passatempo favorito?*

> **Il mio passatempo preferito è... /i miei passatempi preferiti sono...**
> il *mi*-o pa-sa-*tem*-po pre-fe-*ri*-to *é*.../i miei pa-sa-*tem*-pi pre-fe-*ri*-ti *so*-no...
> *Meu passatempo favorito é.../Meus passatempos favoritos são...*

Se estiver escrevendo em vez de falando, prefira iniciar a frase com o pronome possessivo na oração anterior.

> **... fare i giochi da tavolo e giocare a scacchi.**
> *fa*-re i *djio*-ki da *ta*-vo-lo e djio-*ka*-re a *ska*-ki
> *... jogar jogos de tabuleiro e xadrez.*

> **... stare con gli amici.**
> *sta*-re kon lhi a-*mi*-tchi
> *... curtir com amigos.*

> **» Quali sport fai?**
> *kua*-lhi sport fai
> *Quais esportes você pratica?*

> **Faccio lo sci./Gioco a tennis.**
> *fa*-tcho lo chi/*djio*-ko a *te*-nis
> *Faço ski/Jogo tênis.*

Tendo uma Conversa

Dê uma olhada no que Serena e Nicoletta estão falando. Nicoletta parece preferir atividades tranquilas, enquanto Serena gosta de praticar esportes que a façam suar.

Serena:	**Cosa fai questo fine settimana?**
	ko-za fai *kues*-to *fi*-ne se-ti-*ma*-na
	O que você vai fazer esse final de semana?
Nicoletta:	**Vado in campagna.**
	va-do in kam-*pa*-nha
	Vou para o campo.
Serena:	**È un'idea fantastica!**
	é u-ni-*de*-a fan-*tas*-ti-ka
	Que ótima ideia!
Nicoletta:	**Ho una casetta vicino al lago.**
	o *u*-na ka-*se*-ta vi-*tchi*-no al *la*-go
	Tenho uma casinha perto do lago.
Serena:	**Ideale per riposarsi.**
	i-de-*a*-le per ri-po-*zar*-si
	Ideal para relaxar.

Nicoletta:	**Sì, leggo, scrivo, passeggio lungo il lago.** si *le*-go *skri*-vo pa-*se*-djio *lun*-go il *la*-go Sim. Leio, escrevo, passeio em torno do lago.
Serena:	**Non fai sport?** non fai sport Você não pratica esportes?
Nicoletta:	**Vado in bicicletta.** *va*-do in bi-tchi-*kle*-ta Ando de bicicleta.

Obviamente, você não precisa apenas praticar esportes no seu tempo livre. Existem alguns hobbies mais sedentários, como ler, costurar ou tocar instrumentos musicais.

Tendo uma Conversa

Ernesto e Tommaso estão descobrindo que nem todos os esportes são atividades físicas. (Faixa 25)

Ernesto:	**Non ti annoi mai?** non ti a-*noi* mai Você nunca se entedia?
Tommaso:	**No, ho molti interessi.** no o *mol*-ti in-te-*re*-si Não, eu faço muitas coisas.
Ernesto:	**Per esempio?** per e-*zem*-pi-o Por exemplo?
Tommaso:	**Amo leggere e andare al cinema.** *a*-mo *le*-dje-re e an-*da*-re al *tchi*-ne-ma Adoro ler e ir ao cinema.
Ernesto:	**Non fai sport?** non fai sport Você não pratica esportes?
Tommaso:	**Faccio yoga e meditazione.** *fa*-tcho *io*-ga e me-di-ta-*tzio*-ne Faço ioga e meditação.

Muitas pessoas adoram música, seja para **ascoltare la musica** (as-kol-*ta*-re la *mu*-zi-ka) (*ouvir música*) ou **suonare uno strumento** (suo-*na*-re *u*-no stru--*men*-to). É claro, há todos os tipos de músicas, de **classica** (*kla*-si-ka) ao **jazz** (*djets*) e **rock** (*rok*).

Tendo uma Conversa

Emilia e Isabel são colegas de classe que estão se conhecendo um pouco melhor.

Emilia: **Mi piace molto ascoltare la musica. E tu?**
mi *pia*-tche *mol*-to as-kol-*ta*-re la *mu*-zi-ka e tu
Eu gosto de ouvir música. E você?

Isabel: **Ho molta musica sul mio i-Pod.**
o *mol*-ta *mu*-zi-ka sul *mi*-o *ai*-pod
Tenho muitas músicas no meu iPod.

Emilia: **Tu suoni uno strumento?**
tu *suo*-ni *u*-no stru-*men*-to
Você toca algum instrumento?

Isabel: **Suono il violoncello e il pianoforte.**
suo-no il vi-o-lon-*tche*-lo e il pi-*a*-no-*for*-te
Toco violoncelo e piano.

Emilia: **Sei brava?**
sei *bra*-va
Você toca bem?

Isabel: **Si, mi piace molto suonare. E tu?**
si mi *pia*-tche *mol*-to suo-*na*-re e tu
Sim, gosto muito de tocar. E você?

Emilia: **Suono il flauto, ma preferisco cantare nel coro.**
suo-no il *flau*-to ma pre-fe-*ris*-ko kan-*ta*-re nel *ko*-ro
Toco flauta, mas prefiro cantar no coro.

Palavras a Saber

ascoltare	as-kol-*ta*-re	ouvir
batteria	ba-te-*ri*-a	bateria
chitarra	ki-*ta*-ra	guitarra
clarinetto	kla-ri-*ne*-to	clarinete
flauto	*flau*-to	flauta
giocare	djo-o-*ka*-re	jogar cartas, jogos ou um esporte
pianoforte	pi-*a*-no-*for*-te	piano
sassofono	sa-*zo*-fo-no	saxofone
suonare	su-o-*na*-re	tocar um instrumento
tromba	*trom*-ba	trompete
violoncello	vi-o-lon-*tche*-lo	violoncelo
violino	vi-o-*li*-no	violino
voce	*vo*-tche	voz

Diversão & Jogos

Agora está na hora de você se divertir! No quadro a seguir, tente encontrar os nomes de algumas plantas e animais apresentados neste capítulo. Fornecemos os nomes em português, mas você deverá encontrá-los em italiano.

Encontre o equivalente em italiano para estas palavras: cavalo, flor, pássaro, gato, lobo, carvalho, pinho, vaca, ovelha, árvore. Confira as respostas no Apêndice D.

Caça-Palavras

A	J	A	R	O	C	E	P	O	S
U	I	V	S	W	S	O	P	A	B
A	H	C	E	M	L	U	Y	O	A
C	I	K	R	L	L	U	V	G	D
C	G	B	A	E	F	O	L	E	D
U	N	V	M	Z	U	I	N	S	D
M	A	R	X	J	C	Q	O	I	Y
C	G	A	T	T	O	E	I	R	P
A	L	B	E	R	O	P	S	T	E
F	R	H	O	L	L	E	C	C	U

3

Italiano em Movimento

Capítulo 12

Planejando uma Viagem

Todo mundo gosta de fugir da rotina massacrante e conhecer novos ambientes e atividades em seus momentos de lazer. Turistas e nativos se aglomeram em **la spiaggia** (la *spia*-djia) (*na praia*), **in montagna** (in mon-*ta*-nha) (*na montanha*) ou **in campagna** (in kam-*pa*-nha) (*no campo*). Alguns italianos fazem longas viagens para fora do país. Seja qual for sua escolha, **buon viaggio!** (buon *via*-djio) (*boa viagem!*) ou **buone vacanze!** (*buo*-ne va-*kan*-dze) (*boas férias!*).

Decidindo Quando e Aonde Ir

Decidir quando viajar pode ser tão importante quanto a escolha do destino. Você provavelmente não vai querer visitar Washington, D.C. em agosto, quando o clima pode ser insuportavelmente quente e úmido. É melhor evitar certas cidades da Itália no calor do verão. Na verdade, muitos habitantes dessas cidades fogem para lugares mais frescos nos meses mais quentes. Por outro lado, essa época é de **alta stagione** (*al*–ta sta–*djio*–ne) (*alta temporada*) para os turistas.

Tendo uma Conversa

ÁUDIO

Enzo está contando para Cristina sobre suas férias de verão. Ele já planejou tudo, mas Cristina está relutante. (Faixa 26)

Enzo: **Quest'anno andiamo in montagna!**
kues-ta-no an-*dia*-mo in mon-*ta*-nha
Este ano vamos para as montanhas!

Cristina: **Stai scherzando?**
stai sker-*tzan*-do
Está brincando?

Enzo: **È rilassante: boschi, aria fresca...**
é ri-la-*san*-te *bos*-ki *a*-ri-a *fres*-ka
É relaxante: bosques, ar fresco...

Cristina: **È noioso! E non si può nuotare!**
é noi-*o*-zo e non si pu-*o* nuo-*ta*-re
É chato! E não dá para nadar!

Enzo: **Ci sono le piscine, i laghi e i fiumi!**
tchi *so*-no le pi-*chi*-ne i *la*-gui e i *fiu*-me
Tem piscinas, lagos e rios!

Cristina: **Ma dai, pensa al mare, al sole...**
ma dai *pen*-sa al *ma*-re al *so*-le
Vamos lá, pense no mar, no sol...

Enzo: **Facciamo passeggiate, visitiamo i rifugi, mangiamo quel buon cibo di montagna.**
fa-*tcha*-mo pa-se-*djia*-te vi-zi-*tia*-mo i ri-*fu*-dji man-*djia*-mo kuel buon *tchi*-bo di mon-*ta*-nha
Podemos caminhar, visitar alguns refúgios e comer uma boa comida da montanha.

Cristina: **Oh no. Io rimango a casa!**
o no i-o ri-*man*-go a *ka*-za
Ah, não. Vou ficar em casa!

SABEDORIA CULTURAL

Os Alpes e as Dolomitas oferecem um terreno maravilhoso para caminhadas e prática de esqui. Um **rifugio** (ri–*fu*–djio) é um refúgio rústico nas montanhas para pessoas que gostam de caminhadas ou esqui. Você pode curtir uma refeição caseira saborosa e até passar uma noite em alguns deles.

Fazendo uma Excursão

Seja no campo ou na cidade, sempre é possível fazer passeios divertidos e inte-ressantes. A maioria das excursões de ônibus é organizada nos mínimos deta-lhes, e os preços normalmente incluem transporte, almoço, jantar e serviços de guia de turismo. Uma excursão guiada ou passeio de um dia, **una gita organiz-zata** (u–na *dji*–ta or–ga–ni–*tza*–ta) (*uma excursão organizada*), pode ter uma boa relação custo–benefício e é um jeito informativo de conhecer atrações próximas.

» **Ci sono gite organizzate?** (tchi *so*-no *dji*-te or-ga-ni-*tza*-te) (*Vocês organizam excursões?*)

» **Quanto costa la gita?** (*kuan*-to *kos*-ta la *dji*-ta) (*Quanto custa a excursão?*)

» **C'è una guida che parla portoghese?** (*tché* u-na gu-*i*-da ke *par*-la por-to-gue-ze) (*Tem um guia que fale português?*)

» **Dove si comprano i biglietti?** (*do*-ve si *kom*-pra-no i bi-*lhe*-ti) (*Onde compramos os ingressos?*)

Tendo uma Conversa

Lucia e Renzo estão em uma agência, conversando com um atendente e deci-dindo qual passeio fazer no dia seguinte.

Lucia: **C'è una bella gita sul lago di Como domani.**
tché u-na be-la *dji*-ta sul *la*-go di *ko*-mo do-*ma*-ni
Há uma linda excursão para o Lago Como amanhã.

Renzo: **Vuoi andare, vero?**
vuoi an-*da*-re *ve*-ro
Você quer ir, não é?

Lucia: **Sarebbe carino. E tu?**
sa-*re*-be ka-*ri*-no e tu
Seria legal. E você?

Renzo: **Non amo le gite in autobus.**
non *a*-mo le *dji*-te in *au*-to-bus
Não gosto de viagens de ônibus.

Lucia:	**Ma è una gita a piedi!**	
	ma é u-na dji-ta a pie-di	
	Mas é um passeio a pé.	

Renzo:	**Ottimo! A che ora inizia la gita?**	
	o-ti-mo a ke o-ra i-ni-tzi-a la dji-ta	
	Ótimo! A que horas começa a excursão?	

Agente:	**Alle sette e trenta.**	
	a-le se-te e tren-ta	
	Às sete e meia da manhã.	

Renzo:	**Quanto dura?**	
	kuan-to du-ra	
	Quanto tempo dura?	

Agente:	**Circa cinque ore.**	
	tchir-ka tchin-kue o-re	
	Cerca de cinco horas.	

Palavras a Saber

campagna [f]	kam-pa-nha	campo
gita [f]	dji-ta	excursão
fiume [m]	fi-u-me	rio
guida [f]	gui-da	guia
lago [m]	la-go	lago
mare [f]	ma-re	mar
montagna [f]	mon-ta-nha	montanha

Agendando uma Viagem/ Viajando para o Exterior

Nunca se sabe, talvez você tenha que agendar uma viagem para o exterior enquanto estiver na Itália. Quando quiser reservar seu voo ou hotel, considere utilizar os serviços de **un'agenzia viaggi** (u-na-djen-tzi-a vi-a-dji) (*uma agência de viagem*). Lá você pode comprar as passagens aéreas, reservar um hotel ou comprar um pacote turístico.

Ao entrar na agência, sem dúvida se sentirá atraído pelas ofertas de pacotes com tudo incluso para Malta, Tunísia e Ilhas Canárias, entre outros.

INCREDIBILI OFFERTE!! Gran Canaria, La Palma. Euro 616 a persona. Comprende: volo + hotel + tasse e commissioni. Colazione a buffet.

in-kre-*di*-bi-li o-*fer*-te gran ka-*na*-ri-a la *pal*-ma sei-*tchen*-to *eu*-ro a per--*so*-na kom-*pren*-de *vo*-lo o-*tel ta*-se e ko-mi-si-*o*-ne ko-la-tzi-*o*-ne a bu-*fe*

Ofertas incríveis! Gran Canaria. La Palma. 616 euros por pessoa. Inclui: aéreo + hotel + taxas de embarque e café da manhã.

Tendo uma Conversa

Alessandro acaba de ver este anúncio para as Ilhas Canárias. Ele está conversando com Giorgio, o agente de viagens.

Giorgio:	**Buongiorno, mi dica.**
	buon-*djior*-no mi *di*-ka
	Bom dia, posso ajudá-lo? (*Literalmente:* Me diga.)

Alessandro:	**Vorrei fare un viaggio alle Isole Canarie.**
	vo-rei *fa*-re un vi-*a*-djio *a*-le *i*-zo-le ka-*na*-ri-e
	Gostaria de fazer uma viagem para as Ilhas Canárias.

Giorgio:	**Dove, esattamente?**
	do-ve e-za-ta-*men*-te
	Onde exatamente?

Alessandro:	**Tenerife o La Palma.**
	te-ne-*ri*-fe o la *pal*-ma
	Tenerife ou La Palma.

Giorgio:	**Un viaggio organizzato?**
	un vi-*a*-djio or-ga-ni-*tsa*-to
	Uma excursão?

Alessandro:	**No, vorrei soltanto prenotare il volo.**
	no vo-*rei* sol-*tan*-to pre-no-*ta*-re il *vo*-lo
	Não, apenas gostaria de reservar o voo.

Giorgio:	**E per gli spostamenti interni?**
	e per lhi *spos*-ta-*men*-ti in-*ter*-ni
	E quando ao transporte entre as ilhas?

Alessandro:	**No, mi sposterò in autobus e traghetto.**
	no mi spos-te-*ro* in *au*-to-bus e tra-*gue*-to
	Não, vou viajar de ônibus e balsa.

Giorgio:	**Quando vuole partire?**
	kuan-do *vuo*-le par-*ti*-re
	Quando quer ir?
Alessandro:	**La prima settimana di febbraio.**
	la *pri*-ma se-ti-*ma*-na di fe-*brai*-o
	Na primeira semana de fevereiro.
Giorgio:	**E il ritorno?**
	e il ri-*tor*-no
	E a volta?
Alessandro:	**La terza settimana di febbraio.**
	la *ter*-tsa se-ti-*ma*-na di fe-*brai*-o
	Na terceira semana de fevereiro.

SABEDORIA CULTURAL

Há muitos anos, um novo conceito de férias se popularizou na Itália: **l'agriturismo** (la-gri-tu-*ris*-mo) (*o agroturismo*). As pessoas viajam para as montanhas ou para o interior e se hospedam em casas de fazenda. As acomodações variam de espartanas a luxuosas e românticas; costumam ser uma boa opção para a família. Os hóspedes podem ajudar na fazenda, cavalgar e nadar em alguns **agriturismi**. As fazendas também oferecem comida regional tradicional e fica a milhas de distância dos hotéis impessoais das grandes cidades.

Outro tipo de acomodação popular é o *bed and breakfast* (literalmente *cama e café*), que são semelhantes a pequenas pousadas no campo e nos centros urbanos, como Roma e Milão.

VISTOS E PASSAPORTES

Você precisa apenas de **un passaporto** (un pa-sa-*por*-to) (*um passaporte*) para visitar a Itália, caso pretenda passar menos que seis meses no país. Se pretende passar mais tempo, precisará de **un visto** (un *vis*-to) (*um visto*).

Ao viajar para a Itália, os principais aeroportos são os de **Malpensa** (mal-*pen*-sa), em Milão, e o **Leonardo da Vinci** (le-o-*nar*-do da *vin*-tchi), em Roma, mas você ainda pode voar para Veneza, Bolonha, Palermo e Nápoles, outros aeroportos populares (e menos tumultuados).

Quando você pesquisar para a sua viagem, vai encontrar uma enorme variedade delas na internet.

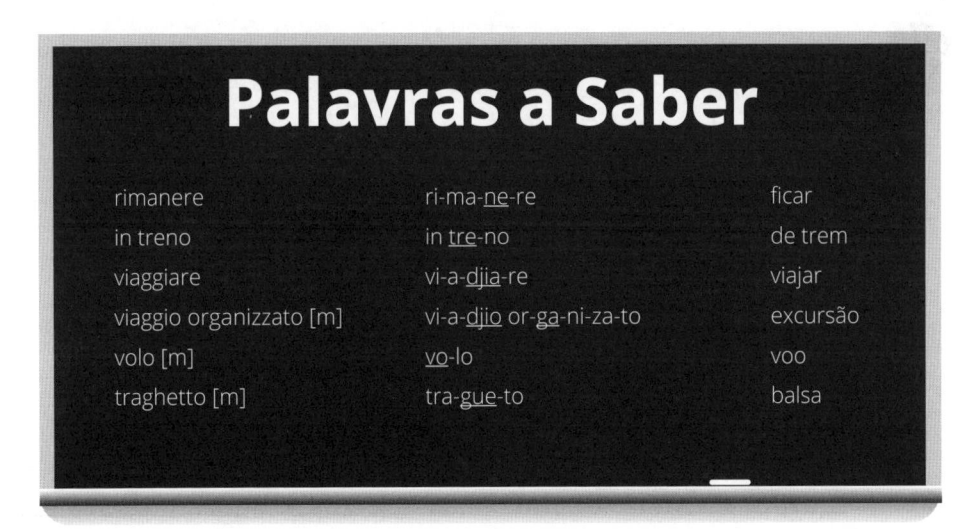

Palavras a Saber

rimanere	ri-ma-<u>ne</u>-re	ficar
in treno	in <u>tre</u>-no	de trem
viaggiare	vi-a-<u>djia</u>-re	viajar
viaggio organizzato [m]	vi-a-<u>djio</u> or-ga-ni-za-to	excursão
volo [m]	<u>vo</u>-lo	voo
traghetto [m]	tra-<u>gue</u>-to	balsa

Chegando e Partindo: Os Verbos *Arrivare* e *Partire*

Para ajudá-lo a entender os verbos **arrivare** (a-ri-*va*-re) (*chegar*) e **partire** (par-*ti*-re) (*partir*), mostramos a seguir algumas sentenças. Como você pode ver, se você chega a uma cidade, **arrivare** pede a preposição **a** (a) (*a*); se você chega a um país, usa-se a preposição **in** (in) (*em*; no entanto, em português, o verbo "chegar" sempre pede a preposição "a"). **Partire** é sempre seguido da preposição **da** (da) (*de*), quando se parte de um local, e da preposição **per** (per) (*para*), quando se está indo para o local.

» **Luca parte da Torino alle cinque.** (*lu*-ka *par*-te da to-*ri*-no *a*-le *tchin*-kue) (*Luca parte de Turim às cinco.*)

» **Arrivo a Taormina nel pomeriggio.** (a-*ri*-vo a ta-or-*mi*-na nel po-me-*ri*-djio) (*Chego a Taormina à tarde.*) Os verbos **partire** (par-*ti*-re) (*partir*) e **arrivare** (a-ri-*va*-re) (*chegar*) são conjugados como qualquer outro verbo regular terminado em **-ARE** e em **-IRE**. Consulte o Capítulo 2 ou o Apêndice A.

Tendo uma Conversa

Filippo e Marzia estão passando um tempo juntos antes de Filippo pegar o avião. (Faixa 27)

Marzia: **A che ora parte l'aereo?**
a ke *o*-ra *par*-te la-*e*-re-o
A que horas parte o avião?

Filippo: **Alle nove di mattina.**
a-le *no*-ve di ma-*ti*-na
Às nove da manhã.

Marzia: **A che ora arrivi a Los Angeles?**
a ke *o*-ra a-*ri*-vi a los *an*-dje-les
A que horas chega a Los Angeles?

Filippo: **Alle undici di notte.**
a-le *un*-di-tchi di *no*-te
Às onze da noite.

Indo à Praia e ao Spa

A Itália tem 7.600 quilômetros de litoral, então não é nenhuma surpresa que italianos e turistas se aglomerem nas suas famosas praias, que podem ser de **sabbia** (sa-bi-*a*-i) (*areia*) ou **scoglio** (*sko*-lho) (*rochosas*), cada uma com vantagens (e clientela) próprias. A maioria das praias tem **il bagno** (il *ba*-nho). Não são exatamente banheiros, e sim uma combinação de bar/restaurante, onde é possível alugar um **ombrellone** (on-bre-*lo*-ne) (*guarda-sol*) e **un lettino** (un le-*ti*-no) (*uma cadeira de praia*) por um dia, uma semana ou um mês. Ali você e seus filhos podem jogar **beach volley** (*vôlei de praia*) ou **racchettone** (ra-ke-*to*--ne) (*frescobol*), ou alugar um **pedalò** (pe-da-*lo*) (*pedalinho*).

A Itália também possui muitas fontes termais naturais maravilhosas, spas ou **terme** (*ter*-me). Alguns deles são muito bem-equipados, e você pode pagar pelos diversos serviços. Outras **terme** são gratuitas em locais como Vulcano, Ischia e Calábria.

Usando o Futuro Simples

Às vezes é preciso uma forma verbal que indique que algo irá acontecer em breve. Em italiano, esse tempo é chamado de **futuro semplice** (fu-*tu*-ro *sem*-pli-tche) (*futuro simples*). Entretanto, também é possível empregar o tempo presente referindo-se ao futuro. As sentenças a seguir usam o futuro simples:

- » **Andrò in Italia.** (an-*dro* in i-*ta*-li-a) (*Irei à Itália.*)
- » **Quando arriverai a Palermo?** (*kuan*-do a-ri-ve-*rai* a pa-*ler*-mo) (*Quando você chegará a Palermo?*)
- » **Non torneremo troppo tardi.** (non tor-ne-*re*-mo *tro*-po *tar*-di) (*Não voltaremos tarde demais.*)

Para formar o futuro simples dos verbos regulares, basta pegar o infinitivo, cortar o final e adicionar o mesmo conjunto de terminações (**ò**, **ai**, **à**, **emo**, **ete**, **anno**). Para os verbos terminados em **–are**, troque o **–a** do infinitivo por **–e**. Observe a mudança na raiz na Tabela 12-1.

TABELA 12-1   Futuro Simples

Parlare = PARLER	Prendere = PRENDER	Partire = PARTIR	Finire = FINIR	Tradução
parler**ò**	prender**ò**	partir**ò**	finir**ò**	*eu falarei, pegarei, partirei, terminarei*
parler**ai**	prender**ai**	partir**ai**	finir**ai**	*você falará, pegará, partirá, terminará*
parler**à**	prender**à**	partir**à**	finir**à**	*ele/ela/o Sr./a Sra. falará, pegará, partirá, terminará*
parler**emo**	prender**emo**	partir**emo**	finir**emo**	*nós falaremos, pegaremos, partiremos, terminaremos*
parler**ete**	prender**ete**	partir**ete**	finir**ete**	*vocês falarão, pegarão, partirão, terminarão*
perler**anno**	prender**anno**	partir**anno**	finir**anno**	*eles/elas falarão, pegarão, partirão, terminarão*

ENVIANDO CARTAS E CARTÕES-POSTAIS

Se você ainda gosta de enviar **cartoline** (kar-to-*li*-ne) (*cartões-postais*) e **lettere** (*le*-te-re) (*cartas*) quando viaja, precisará encontrar um **ufficio postale** (u-*fi*-tcho pos-*ta*-le) (*correio*) ou **tabaccaio** (ta-ba-*kai*-o) (*tabacaria*), onde poderá comprar selos, **francobolli** (*fran*-ko-*bo*-li) e **buste** (*bus*-te) (*envelopes*). Também é possível encontrar selos e envelopes em uma **cartoleria** (kar-to-le-*ri*-a) (*papelaria*).

Diversão & Jogos

Preencha as lacunas com as palavras que faltam escolhendo uma das três opções abaixo de cada questão. Veja as respostas no Apêndice D.

1. **Quest'anno andiamo in _____.** (Este ano vamos para as montanhas.)

a. albergo

b. montagna

c. aereo

2. **Il volo parte _____ Palermo alle tre.** (O voo parte de Palermo às três horas.)

a. da

b. su

c. a

3. **Passo le vacanze in _____.** (Passo minhas férias no campo.)

a. mare

b. campagna

c. montagna

4. **Dov'è la mia _____?** (Onde está minha mala?)

a. stanza

b. piscina

c. valigia

5. **È un _____ organizzato.** (É uma excursão.)

a. viaggio

b. treno

c. volo

Capítulo 13

Dinheiro, Dinheiro, Dinheiro

P or um lado, nunca se tem o suficiente; por outro, o excesso pode causar problemas. Isso é particularmente verdadeiro em situações no exterior ou ao lidar com moedas estrangeiras em geral. Este capítulo cobre não apenas as moedas — sabemos como a conversão pode ser cansativa —, mas todos os termos relacionados a dinheiro.

Indo ao Banco

Lidar com bancos nem sempre é divertido, mas às vezes é impossível evitá-los. Nem sempre você precisa deles para descontar um cheque gordo, mas pode ter que realizar outras transações mais maçantes. Nesta seção, apresentamos alguns termos bancários que podem ajudá-lo a manter um diálogo.

Talvez você precise ir a um banco por diversos motivos. Por exemplo, pode-se querer **cambiare valuta** (kam-bi-*a*-re *va*-lu-ta) (*trocar moeda*), **prelevare contanti** (pre-le-*va*-re kon-*tan*-ti) (*sacar dinheiro*), **versare soldi sul tuo conto** (ver-*sa*-re *sol*-di sul *tu*-o *kon*-to) (*depositar dinheiro em sua conta*) ou **contrarre un prestito** (kon-*tra*-re un *pres*-ti-to) (*contratar um empréstimo*). Outros motivos podem ser **aprire un conto** (a-*pri*-re un *kon*-to) (*abrir uma conta*) ou **riscuotere un assegno** (ris-*kuo*-te-re un a-*se*-nho) (*descontar um cheque*).

Outras frases que podem ser úteis:

> » **Mi dispiace, il suo conto è scoperto.** (mi dis-*pia*-tche il *su*-o *kon*-to é sko-*per*-to) (*Lamento, sua conta está negativa.*)

> » **Può girare l'assegno, per favore?** (*puo* dji-*ra*-re la-*se*-nho per fa-*vo*-re) (*Pode endossar o cheque, por favor?*)

> » **Quant'è il tasso d'interesse?** (kuan-*té*-il *ta*-so din-te-*re*-se) (*Qual a taxa de juros?*)

> » **Vorrei cambiare dei traveler's checks.** (vo-*rei* kan-bi-*a*-re dei *tra*-ve-lers *tche*-ks) (*Gostaria de trocar alguns cheques de viagem.*)

Quando tiver sorte de ter algum dinheiro sobrando, você talvez queira investi-lo. Aqui está a conjugação do verbo **investire** (in-ves-*ti*-re) (*investir*) no tempo presente, que é conjugado como qualquer outro verbo regular terminado em **-IRE** sem o "isc" (veja o Capítulo 2).

Conjugação	Pronúncia	Tradução
io investo	*i*-o in-*ves*-to	*eu invisto*
tu investi	tu in-*ves*-ti	*você investe*
lui/lei/Lei investe	*lu*-i/lei/lei in-*ves*-te	*ele/ela/o Sr./a Sra. investe*

SABEDORIA CULTURAL

Para que você evite esperar, aqui estão os horários dos bancos italianos: as instituições funcionam de segunda-feira a sexta-feira, das 08h30 às 13h30 e das 14h30 às 16h00. Estas são as normas gerais, o horário de funcionamento pode mudar de cidade para cidade.

Tendo uma Conversa

Il signor Blasio pede um extrato de sua conta. Ele conversa com **un'impiegata** (u–nim–pi–e–*ga*–ta) (*uma funcionária*).

Sig. Blasio:
Vorrei riscuotere un assegno.
vo-*rei* ris-*kuo*-te-re un a-*se*-nho
Gostaria de descontar um cheque.

Funcionária:
Un documento, per favore. Firmi questa ricevuta, per favore.
un do-ku-*men*-to per fa-*vo*-re *fir*-mi *kues*-ta ri-tche-*vu*-ta per fa-*vo*-re
Um documento, por favor. Assine este recibo, por favor.

Sig. Blasio:
Vorrei anche il mio estratto conto.
vo-*rei* an-ke il *mi*-o es-*tra*-to *kon*-to
Gostaria também do extrato de minha conta.

Funcionária:
Il suo numero di conto?
il *su*-o *nu*-me-ro di *kon*-to
O número de sua conta?

Sig. Blasio:
Sette zero cinque nove.
se-te *dze*-ro *tchin*-kue *no*-ve
Sete zero cinco nove.

Funcionária:
Grazie. Attenda un momento...
gra-tzie a-*ten*-da un mo-*men*-to
Obrigada. Aguarde um momento...

Ecco a Lei!
e-ko a Lei
Aqui está!

Sig. Blasio:
Grazie mille, arrivederci!
gra-tzie *mi*-le a-ri-ve-*der*-tchi
Muito obrigado. Até logo!

Palavras a Saber

Italiano	Pronúncia	Português
conto [m] corrente	*kon*-to ko-*ren*-te	conta corrente
estratto conto [m]	es-*tra*-to *kon*-to	extrato de conta
tasso d'interesse	*ta*-so din-te-*re*-se	taxa de juros
libretto [m] degli assegni	li-*bre*-to *de*-lhi a-*se*-nhi	talão de cheques
carta di credito	*kar*-ta di *kre*-di-to	cartão de crédito
ricevuta [f]	ri-tche-*vu*-ta	recibo
girare	dji-*ra*-re	endossar
riscuotere	ris-ku-*o*-te-re	descontar

Trocando Dinheiro

É muito provável que você precise trocar dinheiro quando estiver no exterior. Se estiver na Itália e quiser trocar alguns dólares por **euro** (*eu*-ro) (*euro*), vá **in banca** (in *ban*-ka) (*ao banco*) ou a um **ufficio di cambio** (u-*fi*-tcho di *kam*-bi-o) (*casa de câmbio*). Ainda mais fácil, você pode tirar proveito de um caixa eletrônico. Alguns lugares oferecem taxas e câmbios mais em conta, então pesquise antes.

Como a Itália é muito frequentada por turistas do mundo inteiro, os funcionários das casas de câmbio têm experiência em lidar com pessoas que falam diferentes idiomas. Mas veja como fazer a transação em italiano.

Tendo uma Conversa

ÁUDIO

Liza Campbell, uma turista americana, precisa trocar alguns dólares por euros. Ela vai a um banco e conversa com o atendente. (Faixa 28)

Srta. Campbell:
Buongiorno, vorrei cambiare alcuni dollari in euro.
buon-*djior*-no vo-*rei* kam-bi-*a*-re al-*ku*-ni *do*-la-ri in *eu*-ro
Bom dia, gostaria de cambiar alguns dólares por euros.

Atendente:
Benissimo. Quanti dollari?
be-*ni*-si-mo *kuan*-ti *do*-la-ri
Ótimo. Quantos dólares?

Srta. Campbell:
Duecento. Quant'è il cambio?
du-e-*tchen*-to kuan-*te* il *kam*-bi-o
Duzentos. Quanto está o câmbio?

Atendente:
Oggi un euro costa un dollaro e venti più cinque euro di commissione.
o-dji un *eu*-ro *kos*-ta un *do*-la-ro e *ven*-ti piu *tchin*-kue *eu*-ro di ko-mi-si-o-ne
Hoje o euro equivale a um dólar e vinte centavos, mais cinco euros de taxa de comissão.

Srta. Campbell:
Va bene
va *be*-ne
Certo.

Atendente:
Mi serve un documento.
mi *ser*-ve un do-ku-*men*-to
Preciso de um documento.

Srta. Campbell:
Ecco.
e-ko
Aqui está.

Atendente:	**Sono 175 euro meno i 5 euro di commissione.**
	so-no *tchen*-to se-*tan*-ta *tchin*-kue *eu*-ro *me*-no i *tchin*-kue *eu*-ro di ko-mi--si-*o*-ne
	São 175 euros, menos 5 euros de comissão.

Srta. Campbell:	**Grazie mille!**
	gra-tzie *mi*-le
	Muito obrigada!

Hoje em dia, o câmbio não é a forma mais eficiente para se ter moeda local. Na Itália, como na maioria dos países ocidentais, encontra-se um **bancomat** (*ban--ko-mat*) (*caixa eletrônico*) em quase todos os lugares. Além disso, dependendo de onde você vai comprar ou comer, é possível pagar diretamente com **carta di credito** (*kar*-ta di *kre*-di-to) (*cartão de crédito*). As frases a seguir podem ajudar a ter o dinheiro de que precisa (ou a encontrar o caixa eletrônico):

» **Dov'è il bancomat più vicino?** (do-*ve* il *ban*-ko-mat piu vi-*tchi*-no) (*Onde fica o caixa eletrônico mais próximo?*)

» **Posso pagare con la carta di credito?** (*po*-so pa-*ga*-re kon la *kar*-ta di *kre*-di-to) (*Posso pagar com o cartão de crédito?*)

» **Mi scusi, potrebbe cambiarmi una banconota da 100 euro?** (mi *sku*-zi po-*tre*-be kam-bi-*ar*-mi *u*-na ban-ko-*no*-ta da *tchen*-to *eu*-ro) (*Com licença, poderia trocar uma nota de cem euros?*)

» **Mi dispiace, non accettiamo carte di credito.** (mi dis-*pia*-tche non a-tche-*tia*-mo *kar*-te di *kre*-di-to) (*Lamento, não aceitamos cartões de crédito.*)

» **Mi dispiace, non ho spiccioli.** (mi dis-*pia*-tche non o *spi*-tcho-li) (*Lamento, não tenho trocado.*)

Palavras a Saber

in contanti	in kon-<u>tan</u>-ti	em dinheiro
riscuotere	ris-ku-<u>o</u>-te-re	descontar cheque
accettare	a-tche-<u>ta</u>-re	aceitar
bancomat [m]	<u>ban</u>-ko-mat	caixa eletrônico
cambiare	kam-bi-<u>a</u>-re	cambiar
spiccioli [m]	spi-<u>tcho</u>-li	trocados

Usando Cartões de Crédito

No Brasil, é possível cuidar de quase todas as suas necessidades financeiras sem lidar com dinheiro. Quase tudo pode ser pago com cartões de débito ou crédito. Você pode usar seu cartão de crédito para sacar dinheiro em caixas eletrônicos e em alguns bancos. Isso também acontece na Itália, embora a forma de pagamento mais comum em grande parte do país seja feita em dinheiro.

Tendo uma Conversa

A Sra. Johnson quer sacar alguns euros com seu cartão de crédito, mas descobre que o caixa eletrônico está quebrado. Ela entra no banco e pergunta ao caixa o que está havendo.

Sra. Johnson: **Scusi, il bancomat non funziona.**
sku-zi il ban-ko-mat non fun-tzio-na
Com licença, o caixa eletrônico não está funcionando.

Caixa: **Lo so, signora, mi dispiace!**
lo so si-nho-ra mi dis-pia-tche
Eu sei, senhora. Lamento!

Sra. Johnson: **Ma ho bisogno di contanti.**
ma o bi-zo-nho di kon-tan-ti
Mas preciso de dinheiro.

Caixa: **Può prelevarli qui alla cassa.**
puo pre-le-var-li ku-i a-la ka-sa
Pode sacar aqui no caixa.

Sra. Johnson: **D'accordo, grazie**
da-kor-do gra-tzie
Certo, obrigada.

SABEDORIA
CULTURAL

Normalmente, as coisas são mais simples e não há problemas em usar cartões de crédito. Mas podem solicitar sua identificação por motivos de segurança. As frases a seguir ajudam você a estar pronto para essa situação:

» **Potrei vedere un documento per favore?** (po-trei ve-de-re un do-ku-men-to per fa-vo-re) (*Posso ver uma identificação, por favor?*)

» **Potrebbe darmi il suo passaporto, per favore?** (po-tre-be dar-mi il su-o pa-sa-por-to per fa-vo-re) (*Poderia me dar seu passaporte, por favor?*)

» **Il suo indirizzo?** (il su-o in-di-ri-tzo) (*Seu endereço?*)

Talvez você tenha que esperar para trocar dinheiro. A frase a seguir mostra tudo o que precisa saber sobre este verbo bastante formal: **attendere** (a–*ten*–de–re) (*aguardar*).

Attenda, per favore (a–*ten*–da per fa–*vo*–re) (*Aguarde, por favor.*)

Tendo uma Conversa

Enquanto a Srta. Johnson explora suas opções com o caixa, outra pessoa entra no banco e começa a reclamar:

Signora Gradi: **Il bancomat ha mangiato la mia carta.**
il *ban*-ko-mat a man-*djia*-to la *mi*-a *kar*-ta
O caixa eletrônico comeu meu cartão.

Caixa: **Ha digitato il numero giusto?**
a di-dji-*ta*-to il *nu*-me-ro *djius*-to
A senhora digitou o número correto?

Signora Gradi: **Certo! Che domanda!**
tcher-to ke do-*man*-da
Claro! Que pergunta!

Caixa: **Mi scusi, a volte capita.**
mi *sku*-zi a *vol*-te *ka*-pi-ta
Desculpe, mas pode acontecer.

Signora Gradi: **Cosa posso fare?**
ko-za *po*-so *fa*-re
O que posso fazer?

Caixa: **Attenda un momento...**
a-*ten*-da un mo-*men*-to
Aguarde um momento...

Palavras a Saber

Certo!	tcher-to	Claro!
il bancomat [m]	il ban-ko-mat	o caixa eletrônico
digitare	di-dji-ta-re	digitar
prelevare	pre-le-va-re	sacar
funzionare	fun-tzi-o-na-re	funcionar
contanti [m]	kon-tan-ti	dinheiro
Che domanda!	ke do-man-da	Que pergunta!

Verificando Diversas Unidades Monetárias

Como em outros países da Europa, a moeda corrente na Itália é o **euro** (eu-ro) (*euro*). Existem moedas de 1 e 2 euros e notas de valores maiores (5, 10, 20, 50, 100 euros, e assim por diante). O plural e o singular são euro, e o símbolo é €. Valores menores que 1 euro são chamados de **centesimi** (tchen-*te*-zi-mi) (*centavos*) e são moedas. Veja os números no Capítulo 4.

Tendo uma Conversa

Patrizia está planejando passar as férias na Croácia. Ela pretende pegar o **aliscafo** (a-lis-*ka*-fo) (*balsa rápida*) que parte de Ancona amanhã. E está conversando com sua amiga, Milena, sobre câmbio de moedas.

Patrizia: **Sai qual'è il cambio euro in kuna croata?**
sai qua-*lé* il *kam*-bi-o eu-ro in *ku*-na *kro*-a-ta
Sabe qual é a taxa de câmbio do euro para a kuna croata?

Milena: **Non ne ho idea!**
non ne o i-*de*-a
Não tenho ideia!

Patrizia:	**Domani parto per Zara per un mese...**
	do-*ma*-ni *par*-to per *dza*-ra per un *me*-ze
	Amanhã vou para Zara por um mês...

Milena:	**... e non hai ancora cambiato!**
	e no-*nai* an-*ko*-ra kam-bi-*a*-to
	... e ainda não trocou o dinheiro!

Patrizia:	**Posso farlo al porto.**
	po-so *far*-lo al *por*-to
	Posso fazer isso no porto.

Milena:	**Ma no, è molto più caro!**
	ma no é *mol*-to piu *ka*-ro
	Não, é muito mais caro!

Patrizia:	**Mi accompagni in banca?**
	mi a-kom-*pa*-nhi in *ban*-ka
	Vem comigo ao banco?

SABEDORIA CULTURAL

O **euro** é a moeda oficial em 19 dos 28 países pertencentes à União Europeia (UE). Então, se for viajar pelos países da UE com euros, não será necessário trocar dinheiro ao visitá-los. A lira italiana foi extinta em 2002, e o euro tornou-se a única moeda válida na Itália.

A Tabela 13-1 mostra as moedas de diversos países.

TABELA 13-1   ## Moedas

Italiano	Pronúncia	Português singular/plural	Onde
dollaro/dollari	*do*-la-ro/*do*-la-ri	*dólar/dólares*	Canadá; EUA; Austrália
lira/e sterlina/e	*li*-ra/e ster-*li*-na/ne	*libra/s esterlina/s*	Irlanda; Reino Unido
peseta/s	pe-*se*-ta/s	*peso/s*	México; Espanha; América Latina
real/reali	re-*al*/re-*a*-li	*real/reais*	Brasil

Tendo uma Conversa

Cristina está no banco. **Allo sportello** (*a*-lo spor-*tel*-lo) (*no caixa*), ela encontra Paolo, seu amigo dos tempos de escola, que agora é caixa.

Cristina:	**Ciao, Paolo. Vorrei cambiare cinquecento euro in sterline.**
	tcha-o *pa*-o-lo vo-*rei* kam-bi-*a*-re *tchin*-kue-*tchen*-to *eu*-ro in ster-*li*-ne
	Olá, Paolo. Gostaria de trocar 500 euros em libras esterlinas.

Paolo:	**Vai in Inghilterra?**	
	vai in in-guil-*te*-ra	
	Vai à Inglaterra?	
Cristina:	**Sì.**	
	sì	
	Sim.	
Paolo:	**Sai che puoi usare il bancomat ed è anche più sicuro?**	
	sai ke puoi u-*za*-re il *ban*-ko-mat e-*dé an*-ke piu si-*ku*-ro	
	Sabia que você pode usar o caixa eletrônico e que é até mais seguro?	
Cristina:	**Hai ragione, allora cambio solo duecento euro.**	
	ai ra-*djio*-ne a-*lo*-ra *kam*-bi-o *so*-lo *du*-e-*tchen*-to *eu*-ro	
	Você tem razão, vou trocar apenas 200 euros.	
Paolo:	**Ecco le tue sterline, fai buon viaggio!**	
	e-ko le *tu*-e ster-*li*-ne fai bu-on via-*djio*	
	Aqui estão suas libras, faça uma boa viagem!	

Palavras a Saber

prendere	*pren*-de-re	pegar
viaggio [m]	vi-*a*-djio	viagem
aeroporto [m]	a-e-ro-*por*-to	aeroporto
cambiare	kam-bi-*a*-re	trocar
domani	do-*ma*-ni	amanhã

Diversão & Jogos

Um joguinho para você: defina as palavras a seguir e encontre-as no caça-palavras. Confira o Apêndice D para as respostas.

```
C  A  R  T  A  D  I  C  R  E  D  I  T  O  D
S  O  K  S  Z  N  B  O  Y  D  O  Y  Y  D  O
E  R  R  Y  P  A  Z  G  E  C  L  S  A  M  C
T  R  J  U  N  O  G  P  S  D  L  P  N  F  U
A  X  A  C  E  B  R  P  Q  Z  A  K  U  L  M
M  G  A  I  A  M  I  T  Q  S  R  X  K  J  E
O  L  W  A  B  C  T  O  E  Y  O  R  J  I  N
C  H  L  N  C  M  E  N  I  L  R  E  T  S  T
N  C  K  I  E  B  A  I  N  V  L  N  L  H  O
A  J  O  A  S  S  A  C  K  R  A  O  Z  P  H
B  L  T  R  I  C  E  V  U  T  A  A  S  E  K
I  E  H  T  W  N  L  C  N  X  M  K  Q  G  V
Q  J  A  U  Y  C  V  O  Q  A  G  M  N  A  Q
Q  L  N  Q  E  K  C  Y  P  D  F  Q  L  V  W
Z  Q  X  X  B  E  J  M  W  F  Y  Y  A  L  N
```

Banca_____	Dollaro_____
Bancomat_____	Euro_____
Cambiare_____	Kuna_____
Carta di credito_____	Ricevuta_____
Cassa_____	Spiccioli_____
Contanti_____	Sportello_____
Documento_____	Sterline_____

Capítulo 14

Passeando por Aí: Aviões, Trens, Táxis e Ônibus

Esteja você visitando a Itália ou explicando a um amigo que fale italiano como andar pela cidade, o vocabulário de transporte é sempre útil. Este capítulo traz informações sobre aeroportos e ajuda a encontrar transporte para chegar aonde você quiser depois de aterrissar, seja de táxi, de ônibus, carro ou trem. Além disso, mostramos o que fazer na alfândega, como encontrar sua bagagem perdida e como alugar um carro. **Andiamo** (an-di-*a*-mo) — vamos lá!

Andando pelo Aeroporto

Se você fala inglês, é bem provável que consiga se virar na Itália. Quase todo mundo fala inglês nos aeroportos. Mas você pode se encontrar em uma situação na qual alguém saiba apenas italiano, então é bom ter um vocabulário básico. Além disso, você não vai perder a chance de praticar o idioma depois que sair do aeroporto, certo?

Fazendo o *check-in*

O momento em que você finalmente despacha sua bagagem é chamado de **accettazione** (a-tche-ta-*tzio*-ne) (*check-in*). Na verdade, os italianos também costumam falar "*check-in*". Quando você retira seu cartão de embarque no guichê de *check-in*, torna-se inevitável conversar com alguém. O próximo diálogo contém algumas das frases que as pessoas costumam trocar.

Tendo uma Conversa

A Srta. Adami está fazendo o *check-in*. Ela apresenta seu bilhete e seu passaporte para o agente e deixa suas malas no balcão.

Agente:
Il suo biglietto, per favore.
il *su*-o bi-*lhe*-to per fa-*vo*-re
Seu bilhete, por favor.

Srta. Adami:
Ecco.
e-ko
Aqui está.

Agente:
Passaporto?
pa-sa-*por*-to
Passaporte?

Srta. Adami:
Prego.
pre-go
Aqui está.

Agente:
Quanti bagagli ha?
kuan-ti ba-*ga*-lhi a
Quantas malas tem?

Srta. Adami:
Due valigie e un bagalio a mano.
du-e va-*li*-djie e *un* ba-ga-lhio a *ma*-no
Duas malas e uma bagagem de mão.

Agente:	**Qual è la sua destinazione?**	
	kual *é* la *su*-a des-ti-na-tzi-*o*-ne	
	Qual é o seu destino?	

Srta. Adami:	**Nova York.**
	no-va i-*ork*
	Nova York.

Agente:	**Ha fatto Lei le proprie valige?**
	a fa-to Lei le *pro*-pri-e va-*li*-djie
	Você mesmo arrumou as malas?

Srta. Adami:	**Sì.**
	si
	Sim.

Agente:	**Le ha sempre avute sotto mano da quando le ha chiuse?**
	le a *sem*-pre a-*vu*-te *so*-to *ma*-no da *kuan*-do le a *kiu*-ze
	Elas estão sempre com você, desde que as fechou?

Srta. Adami:	**Sí. Posso avere un posto vicino al finestrino, per favore?**
	si *po*-so a-*ve*-re un *pos*-to vi-*tchi*-no al fi-nes-*tri*-no per fa-*vo*-re
	Sim. Posso me sentar na janela, por favor?

Agente:	**Un attimo. Ora controllo: si, glielo do. Ecco la sua carta d'imbarco.**
	un *a*-ti-mo *o*-ra kon-*tro*-lo si *lhie*-lo do *e*-ko la *su*-a *kar*-ta dim-*bar*-ko
	Um segundo, vou verificar. Sim. Aqui está seu cartão de embarque.
	L'imbarco è alle nove e quindici, uscita tre. Prosegua al controllo di sicurezza.
	lim-*bar*-ko *é a*-le *no*-ve e *kuin*-di-tchi u-*chi*-ta tre pro-*se*-gua al kon-*tro*-lo di si-ku-*re*-tza
	O embarque é às 9h15, portão 3. Prossiga para a segurança.

Palavras a Saber

imbarco [m]	im-**bar**-ko	embarque
valigia [f]	va-**li**-djia	mala
uscita [f]	u-**chi**-ta	portão
bagaglio a mano [m]	ba-**ga**-lhi-o a **ma**-no	bagagem de mão
passaporto [m]	pa-sa-**por**-to	passaporte
bagaglio [m]	ba-**ga**-lhi-o	bagagem

Lidando com o excesso de bagagem

Às vezes carregamos tantas coisas e as malas ficam tão pesadas que a companhia aérea cobra uma taxa extra para transportar sua bagagem. A verdade é que não há muito a dizer: você simplesmente deve pagar.

>> **Questa valigia eccede il limite.** (*kues*-ta va-*li*-djia e-*tche*-de il *li*-mi-te) (*Esta mala excede o limite de peso.*)

>> **Ha un eccesso di bagaglio.** (a un e-*tche*-so di ba-*ga*-lhio) (*Você está com excesso de bagagem.*)

>> **Deve pagare un supplemento.** (*de*-ve pa-*ga*-re un su-ple-*men*-to) (*Você deve pagar uma sobretaxa.*)

>> **Questo bagaglio a mano eccede le misure.** (*kues*-to ba-*ga*-lhio a *ma*-no e-*tche*-de le mi-*zu*-re) (*Esta bagagem de mão excede o limite de tamanho.*)

DICA

Antes de ir para o aeroporto, sempre se informe sobre o limite de peso da sua bagagem e quanto custa levar uma mala extra. Assim, você pode comprar outra mala e evita ter que deixar itens para trás na hora do *check-in*.

Aguardando para embarcar no avião

Antes de embarcar, sempre há a possibilidade de se deparar com situações imprevistas, como atrasos. Caso isso aconteça, você vai precisar fazer algumas perguntas. Leia o próximo diálogo para ter um exemplo do que dizer ao lidar com um atraso.

Tendo uma Conversa

O Sr. Campo está na área de embarque. Ele pergunta ao agente se o voo sairá no horário.

Sig. Campo:	**Il volo è in orario?**
	il *vo*-lo é in o-*ra*-ri-o
	O voo está no horário?

Agente:	**No, è in ritardo.**
	no é in ri-*tar*-do
	Não, está atrasado.

Sig. Campo:	**Di quanto?**
	di *kuan*-to
	Quanto tempo?

Agente:	**Non si sa.**
	non si sa
	Não sabemos.

Organizando-se depois de aterrissar

Ao sair do avião na Itália, você se verá imerso em vozes falando um idioma estrangeiro. Cuide das suas necessidades imediatas: encontre um banheiro, troque dinheiro, procure a área para reclamar suas bagagens e pegue um carrinho para carregá-las e depois um táxi. Os próximos diálogos dão uma ideia de como essas situações podem se desenrolar.

Tendo uma Conversa

A Sra. Johnson acabou de chegar ao aeroporto de Milão. Primeiro, ela quer sacar dinheiro para pagar o táxi e para gastar nos primeiros dias de viagem. Ela pergunta a um carregador onde pode fazê-lo.

Sra. Jonhson: **Mi scusi?**
mi *sku*-zi
Com licença?

Carregador: **Prego!**
pre-go
Pois não!

Sra. Jonhson: **Dovè un bancomat?**
do-*vé* un *ban*-ko-mat
Onde tem um caixa eletrônico?

Carregador: **In fondo al corridoio vicino all'ufficio cambio, signora.**
in *fon*-do al co-ri-*doi*-o vi-*tchi*-no a-lu-*fi*-tcho *kam*-bi-o si-*nho*-ra
No final do corredor, perto da agência de câmbio, senhora.

Sra. Jonhson: **C'è anche una banca?**
tché an-ke *u*-na *ban*-ka
Lá tem um banco também?

Carregador:	**No, c'è soltanto uno sportello di cambio.**	
	no *tché* sol-*tan*-to *u*-no spor-*te*-lo di *kam*-bi-o	
	Não, tem apenas um guichê de câmbio.	

Sra. Jonhson: **Benissimo. Grazie mille?**
be-*ni*-si-mo *gra*-tzie *mi*-le
Ótimo. Muito obrigada.

A Sra. Johnson saca o dinheiro e então precisa ir buscar sua bagagem. Pergunta a uma mulher que está passando onde consegue encontrar um carrinho.

Sra. Jonhson: **Scusi, Dove sono i carrelli?**
sku-zi *do*-ve *so*-no i ka-*re*-li
Com licença. Onde estão os carrinhos de bagagem?

Mulher: **Al ritiro bagagli.**
al ri-*ti*-ro ba-*ga*-lhi
No saguão de retirada de bagagens.

Sra. Jonhson: **Servono monete?**
ser-vo-no mo-*ne*-te
Preciso de moedas?

Mulher: **Sì, da un euro.**
si da un *eu*-ro
Sim, um euro.

SABEDORIA CULTURAL

Turistas nascidos em países da União Europeia precisam apenas de **la carta d'identità** (la *kar*-ta di-den-ti-*ta*) (*carteira de identidade*) para entrar na Itália. Cidadãos dos demais países precisam de um **passaporto** (pa-sa-*por*-to) (*passaporte*) válido e, às vezes, de um visto. Normalmente, no **controllo passaporti** (kon-*tro*-lo pa-sa-*por*-ti) (*controle de passaportes*), não se trocam muitas palavras, e as necessárias são rotineiras.

Palavras a Saber

arrivo [m]	a-*ri*-vo	chegada
partenza [f]	par-*ten*-za	partida
vacanza [f]	va-*kan*-tza	férias
consegna bagagli [f]	kon-*se*-nha ba-ga-lhi	retirada de bagagem
cambio [m]	*kam*-bi-o	câmbio (de moeda)
destinazione [f]	des-ti-na-tzi-*o*-ne	destino
entrata [f]	en-*tra*-ta	entrada

Passando pela Alfândega

Não é possível entrar em um país estrangeiro sem passar pela alfândega. Quando há algo a declarar, isso é feito **alla dogana** (*a*-la do-*ga*-na) (*na alfândega*). Estes exemplos devem evitar quaisquer preocupações linguísticas. Geralmente, basta entrar na fila que diz "**Niente da dichiarare**" (ni-*en*-te da di-kia-*ra*-re) (*nada a declarar*). É bem provável que não precise conversar com ninguém, mas às vezes você é abordado.

> **Niente da dichiarare?** (ni-*en*-te da di-kia-*ra*-re) (*Nada a declarar?*)

> **No, niente.** (no ni-*en*-te) (*Não, nada.*)

> **Per favore, apra questa valigia.** (per fa-*vo*-re *a*-pra *kues*-ta va-*li*-djia) (*Por favor, abra esta mala.*)

> **È nuovo il computer?** (*é* nu-*o*-vo il kom-*pu*-ter) (*É novo o computador?*)

> **Sì, ma è per uso personale.** (si ma *é* per *u*-zo per-so-*na*-le) (*Sim, mas é para uso pessoal.*)

> **Per questo deve pagare il dazio.** (per *kues*-to *de*-ve pa-*ga*-re il *da*-tzi-o) (*Você terá que pagar o imposto sobre isso.*)

Ao passar pela alfândega, deve-se declarar quaisquer mercadorias que tenham sido adquiridas caso ultrapassem determinado valor.

> **Ho questo/queste cosa/cose da dichiarare.** (o *kues*-to/*kues*-te ko-za/ko-ze da di-kia-*ra*-re) (*Preciso declarar esse/s item/ns.*)

Perda de Bagagem

Ter a bagagem extraviada é sempre uma possibilidade ao se voar para a Itália, especialmente se fizer conexões. Mas não se desespere: 80% das bagagens extraviadas são devolvidas em até 24 horas, e os outros 20%, normalmente em até três dias. A companhia aérea entrega sua bagagem direto no hotel ou apartamento onde você está hospedado. Você também pode voltar ao aeroporto para buscá-la antes, se precisar.

A seguir, um diálogo típico.

Tendo uma Conversa

Giancarlo, Teresa e Emilia acabaram de chegar ao aeroporto de Bolonha via Amsterdã, mas não encontraram suas malas na esteira de bagagem.

Giancarlo:	**Ci sono altre valige dal volo da Amsterdam?** tchi *so*-no *al*-tre va-*li*-djie dal *vo*-lo da *ams*-ter-dam Ainda há bagagem do voo de Amsterdã?
Facchino (carregador):	**Non ce ne sono altre.** non tche ne *so*-no *al*-tre Não, não tem mais.
Giancarlo:	**Le nostre mancano.** le *nos*-tre *man*-ka-no As nossas não chegaram.
	Cosa dobbiamo fare? *ko*-za do-*bia*-mo *fa*-re O que devemos fazer?
Facchino:	**Si rivolga allo sportello Bagagli Smarriti.** si ri-*vol*-ga *a*-lo spor-*te*-lo ba-*ga*-lhi sma-*ri*-ti Vá até ao balcão de Bagagem Extraviada.

(No balcão de Bagagem Extraviada.)

Impiegato (funcionário):	**Dica pure.** *di*-ka *pu*-re Como posso ajudar?
Giancarlo:	**Non sono arrivati i nostri bagagli da Amsterdam.** non *so*-no a-ri-*va*-ti i *nos*-tri ba-*ga*-lhi da *ams*-ter-dam Nossas malas não chegaram de Amsterdã.
Impiegato (funcionário):	**Avete le ricevute dei bagagli?** a-*ve*-te le ri-tche-*vu*-te dei ba-*ga*-lhi Vocês têm os recibos de bagagem?
Giancarlo:	**Eccole qui.** *e*-ko-le ku-*i* Aqui estão.
Impiegato (funcionário):	**Bisogna riempire questo modulo con il vostro recapito, numero di telefono, e descrizione dei bagagli.** bi-*zo*-nha ri-em-*pi*-re *kues*-to *mo*-du-lo kon il *vos*-tro re-*ka*-pi-to *nu*-me-ro di te-*le*-fo-no e des-kri-tzi-*o*-ne dei ba-*ga*-lhi Vocês precisam preencher este formulário com endereço, número de telefone e descrição das malas.
	Noi vi telefoneremo appena arriveranno. noi vi te-le-fo-ne-*re*-mo a-*pe*-na a-ri-ve-*ra*-no Ligaremos assim que elas chegarem.

Palavras a Saber

dogana [f]	do-ga-na	alfândega
dichiarare	di-ki-a-ra-re	declarar
niente	ni-en-te	nada
pagare	pa-ga-re	pagar
uso personale	u-zo per-so-na-le	uso pessoal
modulo	mo-du-lo	formulário
ricevute	ri-tche-vu-te	recibos

Alugando um Carro

A Itália é um belo país, então considere passear de automóvel pelas cidades e pelo interior. Se não tiver, é uma boa ideia alugá-lo, mas não se esqueça de que o trânsito não é muito tranquilo. Os italianos não costumam seguir em apenas uma faixa, e encontrar um lugar para estacionar pode esgotar sua paciência — especialmente nos centros urbanos, onde, às vezes, nem é possível transitar com carros. É difícil circular pelas ruas estreitas mesmo com veículos de porte médio. Não queremos assustá-lo, porém, apenas curta a aventura!

SABEDORIA CULTURAL

Para dirigir um carro ou uma motocicleta na Itália, é preciso ter a idade mínima de 18 anos. Além disso, deve possuir uma permissão internacional para dirigir ou uma **patente** (pa-*ten*-te) (*carteira de habilitação*) nacional válida. Encontrar carros para locação é bastante fácil em todos os aeroportos.

Alugar um carro, por telefone, no balcão da empresa ou na internet, requer o mesmo processo: informe o tipo de carro que deseja e em quais condições. Pesquise as alternativas antes de desembarcar na Itália, se possível. Assim, o carro estará à sua espera no quando você chegar. O diálogo a seguir representa uma conversa típica sobre o assunto.

Tendo uma Conversa

O Sr. Brown vai passar duas semanas na Itália e quer alugar um carro para visitar cidades diferentes. Ele vai até o balcão da empresa de locação no aeroporto e conversa com **l'impiegato** (lim–pie–*ga*–to) (*o funcionário*).

Sr. Brown: **Vorrei noleggiare una macchina.**
vo-*rei* no-le-*djia*-re *u*-na *ma*-ki-na
Gostaria de alugar um carro.

Funcionário: **Che tipo?**
ke *ti*-po
De que tipo?

Sr. Brown: **Di media cilindrata col cambio automatico.**
di *me*-di-a tchi-lin-*dra*-ta kol *kam*-bi-o au-to-*ma*-ti-ko
De porte médio com câmbio automático.

Funcionário: **Per quanto tempo?**
per *kuan*-to *tem*-po
Por quanto tempo?

Sr. Brown: **Una settimana.**
u-na se-ti-*ma*-na
Uma semana.

Quanto è per la settimana?
kuan-to é per la se-ti-*ma*-na
Quanto custa por semana?

Funcionário: **C'è una tariffa speciale: 18 Euro al giorno.**
tché *u*-na ta-*ri*-fa spe-*tcha*-le di-*tcho*-to *eu*-ro al *djior*-no
Temos um preço especial: 18 euros por dia.

Sr. Brown: **L'assicurazione è inclusa?**
la-si-ku-ra-tzi-*o*-ne é in-*klu*-za
O seguro está incluído?

Funcionário: **Sì, con la polizza casco.**
si kon la *po*-li-tza *kas*-ko
Sim, um seguro básico.

Outras palavras que podem ser necessárias para alugar um carro ou colocar combustível no posto de gasolina:

» **l'aria condizionata** (*la*-ri-a kon-di-tzi-o-*na*-ta) (*ar-condicionado*)

» **il cabriolet** (il *ka*-bri-o-le) (*conversível*)

» **fare benzina** (*fa*-re ben-*dzi*-na) (*colocar gasolina*)

» **Faccia il pieno** (*fa*-tcha il *pie*-no) (*encha o tanque*)

- » **la benzina verde** (la ben-*dzi*-na *ver*-de) (*combustível sem chumbo*)
- » **la benzina super** (la ben-*dzi*-na *su*-per) (*combustível premium*)
- » **Controlli l'olio** (kon-*tro*-li *lo*-lio) (*verifique o óleo*)

DICA

Um carro com câmbio automático custa significativamente mais, pois são incomuns na Itália, onde todo mundo dirige carros com câmbio manual.

Usando o Transporte Público

Se preferir não dirigir, é possível locomover-se confortavelmente com a ajuda do transporte público, como táxis, trens e ônibus. As próximas seções mostrarão como fazer isso em italiano.

Chamando um táxi

O processo de chamar um táxi é igual na Itália e no Brasil — até se usa a mesma palavra: **taxi** (*ta*-ksi). O único desafio será comunicar-se em italiano. Aqui estão algumas frases para ajudá-lo a encontrar seu caminho.

- » **Può chiamarmi un taxi?** (puo kia-*mar*-mi un *ta*-ksi) (*Pode me chamar um táxi?*)
- » **Vorrei un taxi, per favore.** (vo-*rei* un *ta*-ksi per fa-*vo*-re) (*Gostaria de um táxi, por favor.*)

Caso lhe perguntem **per quando?** (per *kuan*-do) (*para quando?*), você deve estar pronto para responder. Seguem algumas respostas comuns:

- » **subito** (*su*-bi-to) (*imediatamente*)
- » **fra un'ora** (fra u-*no*-ra) (*em uma hora*)
- » **alle due del pomeriggio** (*a*-le *du*-e del po-me-*ri*-djio) (*às duas da tarde*)
- » **domani mattina alle 5 e mezzo** (do-*ma*-ni ma-*ti*-na *a*-le *tchin*-kue e *me*-tzo) (*amanhã de manhã às cinco e meia*)

Após acomodar-se no táxi, o motorista irá perguntar aonde deve levá-lo. Aqui estão alguns destinos em potencial:

- » **Alla stazione, per favore.** (*a*-la sta-tzi-o-ne per fa-*vo*-re) (*À estação, por favor.*)
- » **All'aeroporto.** (*a*-la-e-ro-*por*-to) (*Ao aeroporto.*)

>> **In via Veneto.** (in *vi*-a *ve*-ne-to) (*Para a Via Veneto.*)

>> **A questo indirizzo: via Leopardi, numero 3.** (a *kues*-to in-di-*ri*-tzo *vi*-a le-o-*par*-di *nu*-me-ro tre) (*A este endereço: Via Leopardi, número 3.*)

Finalmente, você tem que pagar. Basta perguntar ao motorista **Quant'è?** (kuan--*té*) (*Quanto é?*). Para mais informações sobre dinheiro, veja o Capítulo 13.

Movimentando-se de trem

Você pode comprar uma passagem de trem **alla stazione** (*a*-la sta-tzi-*o*-ne) (*na estação*) ou em **un'agenzia di viaggi** (*u*-na-djen-*dzi*-a di vi-*a*-dji) (*uma agência de viagens*). Se quiser pegar um **treno rapido** (*tre*-no *ra*-pi-do) (*trem expresso*) que para apenas nas principais estações, pague um **supplemento** (su-ple-*men*-to) (*sobretaxa*). Esses trens mais rápidos são conhecidos na Itália como **Inter City (IC)** — ou **Euro City (EC)** quando seu destino final fica fora do país. O **Euro Star** e os diferentes tipos de **Freccia** são alternativas ainda mais rápidas (**Frecciarossa** e **Frecciaargento** são os mais velozes: percorrem todo o trajeto a mais de 250 quilômetros por hora).

Tenha em mente que na Itália é necessário validar a passagem antes de entrar em **il binario** (il bi-*na*-ri-o) (*a plataforma*). Para isso, a estação de trem tem guichês de validação em frente às plataformas.

Descubra tudo sobre os trens italianos no site da companhia de trens nacional www.trenitalia.com. Lá você encontra tudo sobre a duração das viagens, os preços, e pode até comprar passagens com antecedência.

Tendo uma Conversa

Bianca está na estação de trem em Roma. Ela vai ao balcão de informações para perguntar sobre uma conexão para Perugia. (Faixa 29)

Bianca: **Ci sono treni diretti per Perugia?**
tchi *so*-no *tre*-ni di-*re*-ti per pe-*ru*-djia
Há algum trem direto para Perugia?

Agente: **No, deve prendere un treno per Terni.**
no *de*-ve *pren*-de-re un *tre*-no per *ter*-ni
Não, é preciso pegar um trem para Terni.

Bianca: **E poi devo cambiare?**
e poi *de*-vo kam-*bia*-re
E depois devo trocar [de trem]?

Agente:	**Sì, prende un locale per Perugia.** si *pren*-de un lo-*ka*-le per pe-*ru*-djia Sim, pegue um até Perugia.
Bianca:	**A che ora parte il prossimo treno?** a ke *o*-ra *par*-te il *pro*-si-mo *tre*-no A que horas parte o próximo trem?
Agente:	**Alle diciotto e arriva a Terni alle diciannove.** *a*-le di-*tcho*-to e a-*ri*-va a *ter*-ni *a*-le di-tcha-*no*-ve Às dezoito, e chega a Terni às dezenove.
Bianca:	**E per Perugia?** e per pe-*ru*-djia E para Perugia?
Agente:	**C'è subito la coincidenza.** *tché su*-bi-to la ko-in-tchi-*den*-tza Há uma conexão imediata.

Depois de explorar suas alternativas, será preciso tomar uma decisão e comprar uma passagem. No próximo diálogo, é isso que Bianca faz.

Tendo uma Conversa

Bianca vai até a bilheteria e compra sua passagem. (Faixa 30)

Bianca:	**Un biglietto per Perugia, per favore.** un bi-*lhie*-to per pe-*ru*-djia per fa-*vo*-re Uma passagem para Perugia, por favor.
Agente:	**Andata e ritorno?** an-*da*-ta e ri-*tor*-no Ida e volta?
Bianca:	**Solo andata. Quanto viene?** *so*-lo an-*da*-ta *kuan*-to *vie*-ne Só de ida. Quanto fica?
Agente:	**In prima classe 30 euro.** in *pri*-ma *kla*-se *tren*-ta eu-ro Na primeira classe, 30 euros.
Bianca:	**E in seconda?** e in se-*kon*-da E na segunda?
Agente:	**Diciotto.** di-*tcho*-to 18.

Bianca: **Seconda classe, per favore.**
se-*kon*-da *kla*-se per fa-*vo*-re
Segunda classe, por favor.

Da che binario parte?
da ke bi-*na*-ri-o *par*-te
De qual plataforma sai?

Agente: **Binario tre.**
bi-*na*-ri-o tre
Plataforma três.

Palavras a Saber

binario [m]	bi-<u>na</u>-ri-o	plataforma
biglietto [m]	bi-lhi-<u>e</u>-to	ticket, bilhete
andata [f]	an-<u>da</u>-ta	só ida
ritorno [m]	ri-<u>tor</u>-no	retorno
supplemento [m]	su-ple-<u>men</u>-to	sobretaxa

Indo de ônibus ou de bonde

Para ir do ponto A ao ponto B sem carro, você terá que caminhar ou pegar um ônibus, um bonde ou o metrô nas grandes cidades. Nesta seção, apresentamos o vocabulário adequado em italiano para essas situações.

Algumas cidades italianas têm bondes, e a maioria possui linhas de ônibus. A propósito, na Itália, o bonde é chamado de **il tram** (il tram). A palavra italiana para ônibus é **l'autobus** (*lau*-to-bus) — e para micro-ônibus é **il pullmino** (il pul-*mi*-no). Os ônibus intermunicipais são chamados de **il pullman** (il *pul*--man) ou **la corriera** (la ko-ri-*e*-ra).

Passagens de ônibus e de trem podem ser compradas em bares italianos, **dal giornalaio** (dal djior-na-*la*-io) (*na banca de jornal*) ou **dal tabaccaio** (dal ta-ba--*kai*-o) (*na tabacaria*). Tabacarias são pequenas lojas onde se compram cigarros, selos, jornais, entre outros itens. Você pode encontrá-las em qualquer esquina da Itália: são identificadas por um símbolo em preto e branco ou em azul e branco com um T grande.

Tendo uma Conversa

Gerardo quer ir até a estação de trem. Ele está no ponto de ônibus, mas não sabe direito qual ônibus deve pegar. Ele pergunta a um senhor que também aguarda.

Gerardo:	**Mi scusi, signore.** mi *sku*-zi si-*nho*-re Com licença, senhor.
Senhor:	**Prego?** *pre*-go Pois não?
Gerardo:	**Quest'autobus va alla stazione?** kues-*tau*-to-bus va *a*-la sta-tzi-*o*-ne Este ônibus vai para a estação?
Senhor:	**Sì.** si Sim.
Gherardo:	**Dove si comprano i biglietti?** *do*-ve si *kom*-pra-no i bi-*lhie*-ti Onde compro a passagem?
Senhor:	**In questo bar.** in *kues*-to bar Neste bar.

É bem provável que você queira pegar os meios de transporte mais convenientes e rápidos. Para saber qual é qual, vai precisar experimentar e saber qual faz o melhor trajeto. Caso não conheça, você poderá encontrar alguém gentil que o ajude.

Tendo uma Conversa

ÁUDIO

Tom, um turista canadense, quer visitar a catedral no centro. Ele pergunta qual ônibus deve pegar, mas uma mulher o aconselha a ir de metrô, por ser mais rápido. Há metrô em Milão, Roma, Catânia e Nápoles. (Faixa 31)

Tom:	**Scusi, che autobus va al Duomo?** *sku*-zi ke *au*-to-bus va al du-*o*-mo Com licença, qual ônibus vai para a Catedral?
Mulher:	**Perché non prende la metropolitana?** per-*ke* non *pren*-de la me-tro-po-li-*ta*-na Por que não pega o metrô?
Tom:	**È meglio?** é *me*-lhio É melhor?

Mulher:	**Sì, ci mette cinque minuti!**
	si tchi *me*-te *tchin*-kue mi-*nu*-ti
	Sim, leva cinco minutos!

Tom:	**Dov'è la fermata della metropolitana?**
	do-*vé* la fer-*ma*-ta *de*-la me-tro-po-li-*ta*-na
	Onde fica a estação do metrô?

Mulher:	**Dietro l'angolo.**
	di-*e*-tro *lan*-go-lo
	Virando a esquina.

No metrô, Tom pergunta a um estudante onde deve saltar. Observe que ele usa **tu**, o modo informal, agora.

Tom:	**Scusa, sai qual è la fermata per il Duomo?**
	sku-za sai kua-*lé* la fer-*ma*-ta per il du-*o*-mo
	Com licença, sabe qual a parada para a Catedral?

Estudante:	**La prossima fermata.**
	la *pro*-si-ma fer-*ma*-ta
	A próxima parada.

Tom:	**Grazie!**
	gra-tzie
	Obrigado!

Estudante:	**Prego.**
	pre-go
	De nada.

Lendo mapas e horários

Não é preciso saber muito sobre mapas, exceto o vocabulário escrito neles. Já ler horários pode ser um pouco mais complicado, pois normalmente eles estão escritos apenas em italiano. Costumam-se encontrar as seguintes palavras:

- » **l'orario** (lo-*ra*-ri-o) (*horário*)
- » **partenze** (par-*ten*-tze) (*partidas*)
- » **arrivi** (a-*ri*-vi) (*chegadas*)
- » **giorni feriali** (*djior*-ni fe-ri-*a*-li) (*dias úteis*)
- » **giorni festivi** (*djior*-ni fes-*ti*-vi) (*domingos e feriados*)
- » **il binario** (il bi-*na*-ri-o) (*a plataforma*)

O horário da Figura 14-1 mostra a estação de partida e de chegada dos trens, a duração da viagem e os diferentes preços para a primeira e a segunda classe.

	ESTAÇÃO DE PARTIDA: BOLONHA (TUTTE LE STAZIONI)	ESTAÇÃO DE CHEGADA: ROMA (TUTTE LE STAZIONI)			DATA: 19/1/2011		

PARTIDA	CHEGADA	DURAÇÃO DA VIAGEM	TREM N°	CATEGORIA DE TREM	1° CLASSE*	2° CLASSE*	SELECIONAR
10:53 BOLONHA	13:13 ROMA TE	02:20	9413 FRECCIARGENTO	🚄	80,00€	58,00€	⬤
10:23 BOLONHA	12:45 ROMA TE	02:22	9519 FRECCIAROSSA	🚄	80,00€	58,00€	⬤
10:38 BOLONHA	12:55 ROMA TE	02:17	9415 FRECCIARGENTO	🚄	80,00€	58,00€	⬤
11:18 BOLONHA	15:24 ROMA TE	04:06	589	IC	52,00€	38,50€	⬤
13:00 BOLONHA	15:22 ROMA TE	02:22	9521 FRECCIAROSSA	🚄	80,00€	58,00€	⬤

FIGURA 14-1: Típico cronograma de partidas de trens na Itália.

SABEDORIA CULTURAL

Tenha em mente que os europeus usam o sistema de 24 horas, assim como no Brasil. Portanto, não é preciso decifrar se o horário se refere ao turno da manhã ou da tarde.

Chegando Adiantado ou Atrasado

Nem sempre você chegará na hora, então aprenda a avisar quando está adiantado ou atrasado e a desculpar-se com alguém pelo atraso. A próxima lista contém termos importantes para fazer isso:

» **essere in anticipo** (*e*-se-re in an-*ti*-tchi-po) (*adiantar-se*)

» **Probabilmente sarò in anticipo.** (pro-ba-bil-*men*-te sa-*ro* in an-*ti*-tchi-po) (*Provavelmente chegarei cedo.*)

» **essere puntuale** (*e*-se-re pun-tu-*a*-le) (*ser pontual*)

- **» L'autobus non è mai puntuale.** (*lau*-to-bus non é mai pun-tu-*a*-le) (*O ônibus nunca é pontual.*)

- **» essere in ritardo** (*e*-se-re in ri-*tar*-do) (*atrasar-se*)

- **» L'aereo è in ritardo.** (la-*e*-re-o é in ri-*tar*-do) (*O avião está atrasado.*)

Estes exemplos usam as frases anteriores em sentenças:

- **» Mi scusi, sono arrivata in ritardo.** (mi *sku*-zi *so*-no a-ri-*va*-ta in ri-*tar*-do) (*Desculpe, me atrasei.*)

- **» Meno male che sei puntuale.** (*me*-no *ma*-le ke sei pun-tu-*a*-le) (*Ainda bem que você é pontual.*)

Ao falar sobre o atraso de alguém, você não conseguirá evitar o verbo **aspettare** (as–pe–*ta*–re) (*esperar*). A seguir, alguns exemplos:

- **» Aspetto l'autobus da un'ora.** (as-*pe*-to *lau*-to-bus da u-*no*-ra) (*Estou esperando o ônibus há uma hora.*)

- **» Aspetta anche Lei il ventitré?** (as-*pe*-ta *an*-ke Lei il *ven*-ti-*tre*) (*O senhor também está esperando o ônibus 23?*)

- **» Aspetto mia madre** (as-*pe*-to *mi*-a *ma*-dre) (*Estou esperando minha mãe.*)

SABEDORIA
CULTURAL

Perceba que **aspettare** não pede preposição, como pode acontecer com o verbo em português.

Diversão & Jogos

Que confusão! Este horário está uma bagunça. As palavras em italiano para **trem**, **ônibus**, **parada**, **estação de trem**, **passagem**, **apenas ida**, **retorno** e **sobretaxa** estão escondidas no quebra-cabeça. Se quiser pegar seu trem no horário, precisa resolver isso logo. Corra! Veja o Apêndice D para as respostas.

CAÇA-PALAVRAS

B	S	M	T	A	T	A	M	R	E	F	O
I	T	U	D	H	G	L	T	X	L	N	C
N	S	Y	P	V	X	L	A	B	E	D	G
A	P	J	Y	P	B	E	I	R	S	H	D
R	K	D	A	J	L	G	T	X	F	X	V
I	V	D	U	Y	L	E	M	R	C	D	Q
O	I	D	Y	I	K	A	M	G	G	D	R
R	Z	J	E	L	X	S	T	E	E	L	K
B	C	T	C	P	M	D	Q	A	N	C	I
B	T	H	P	R	S	P	U	F	D	T	K
O	R	I	T	O	R	N	O	S	O	N	O
S	T	A	Z	I	O	N	E	Z	A	G	A

Capítulo 15

Encontrando um Lugar para Ficar

Para conhecer de verdade os italianos e seu idioma e para curtir o estilo de vida dos habitantes, deve-se realmente viajar à Itália. Se não tiver amigos italianos que possam hospedá-lo, você precisará escolher onde ficar. Este capítulo mostra como pedir para reservar um quarto ou fazer *check-in* no hotel. Além disso, damos um curso intensivo sobre pronomes possessivos e modo imperativo (ou de comando).

Onde se Hospedar

Faça uma pesquisa sobre os diferentes locais onde você pode se hospedar quando estiver na Itália e tente encontrar aquele que tiver um toque autêntico. Há uma ampla variedade de hospedagens para todos os gostos. Existem os tradicionais **alberghi** (al-*ber*-gui) (*hotéis*) três estrelas e os **villaggi turistici** (vi-*la*-dji tu-*ris*-ti-tchi) (*resorts*) em locais badalados como a Sardenha, que oferecem **mezza pensione** (*me*-tza pen-*sio*-ne) (*meia pensão*, em que se incluem café da manhã e uma refeição) ou **pensione completa** (pen-*sio*-ne kom-*ple*-ta) (*pensão completa*, incluindo café da manhã, almoço e jantar). Há também as acomodações menores, mais pessoais, como as pousadas familiares, chamadas de **bed and breakfasts**, as **pensioni** (pen-*sio*-ne) (*pensões*, pequenos hotéis ou parte da casa de uma família, que normalmente incluem o café da manhã), os **rifugi** (ri-*fu*-dji) (*cabanas* nas montanhas que podem ser tanto muito simples quanto estilo spa) e o cada vez mais popular **agriturismo** (a-gri-tu-*ris*-mo) (*hospedagem em fazendas*). E não se esqueça dos antigos monastérios e conventos!

Reservando um Quarto

Ao reservar um quarto no hotel, você usará a maioria dos termos aprendidos para **prenotare/fare una prenotazione** (pre-no-*ta*-re/*fa*-re u-na pre-no-ta-*t-zi*-o-ne) (*resevar/fazer uma reserva*) em um restaurante. Peça por uma **camera** (*ka*-me-ra) ou uma **stanza** (*stan*-tza) (*quarto*). Os termos de hotelaria em italiano são um pouco diferentes dos que você está acostumado, então reserve um tempo para entender como você deve pedir algo que deseja.

La camera singola (la *ka*-me-ra *sin*-go-la) é um quarto com uma cama de solteiro. **La camera doppia** (la *ka*-me-ra *do*-pi-a) é um quarto com duas camas de solteiro, enquanto **la camera matrimoniale** (la *ka*-me-ra *ma*-tri-mo-ni-*a*-le) tem uma cama de casal.

Na Itália, as pessoas costumam se referir aos quartos simplesmente como **una doppia**, **una matrimoniale** e **una singola**. Todos entendem que são quartos de hotel. O café da manhã costuma estar incluso na maioria dos hotéis, mas é melhor perguntar para ter certeza. Não é preciso dizer que é importante fazer reservas com antecedência, ainda mais na **alta stagione** (*al*-ta sta-*djio*-ne) (*alta temporada*), ou seja, durante o verão italiano.

Ao fazer reservas ou se hospedar em um hotel, você precisa questionar algumas coisas sobre o quarto e o serviço. As frases e expressões a seguir são bastante úteis para essa situação. Ouça na Faixa 33 palavras comuns que podem ajudar você a planejar sua viagem.

- **»** **La stanza è con bagno?** (la *stan*-tza é kon *ba*-nho) (*O quarto tem banheiro?*)

- **»** **Posso avere una stanza con doccia?** (*po*-so a-*ve*-re *u*-na *stan*-tza kon *do*-tcha) (*Posso ficar em um quarto com ducha?*)

- **»** **Non avete stanze con la vasca?** (non a-*ve*-te *stan*-tze kon la *vas*-ka) (*Vocês não têm quartos com banheira?*)

- **»** **Avete una doppia al primo piano?** (a-*ve*-te *u*-na *do*-pi-a al *pri*-mo *pia*-no) (*Vocês têm um quarto duplo no primeiro andar?*)

- **»** **È una stanza tranquillissima e dà sul giardino.** (é *u*-na *stan*-tza tran-kui-*li*-si-ma e da sul djiar-*di*-no) (*É um quarto muito tranquilo e dá para o jardim.*)

- **»** **La doppia viene duecento Euro a notte.** (la *do*-pi-a *vie*-ne du-e-*tchen*-to *eu*-ro a *no*-te) (*O quarto duplo sai por 200 euros por noite.*)

- **»** **La colazione è compresa?** (la ko-la-tzi-*o*-ne é kom-*pre*-za) (*O café da manhã está incluso?*)

- **»** **Può darmi una camera con aria condizionata?** (puo *dar*-mi *u*-na *ka*-me-ra kon *a*-ri-a kon-di-tzi-o-*na*-ta) (*Pode me dar um quarto com ar-condicionado?*)

- **»** **Dove sono i suoi bagagli?** (*do*-ve *so*-no i suoi ba-*ga*-lhi) (*Onde está sua bagagem?*)

- **»** **Può far portare le mie borse in camera, per favore?** (puo far por-*ta*-re le *mi*-e *bor*-se in *ka*-me-ra per fa-*vo*-re) (*Pode mandar levar minhas malas para o quarto, por favor?*)

Tendo uma Conversa

Donatella está fazendo reservas para **il soggiorno** (il so–*djior*–no) (*a estadia*) para cinco pessoas. A recepcionista diz que apenas dois quartos estão disponíveis, então Donatella precisa decidir como acomodar todo mundo.

Donatella:	**Buonasera.**
	buo-na-*se*-ra
	Boa noite.

Recepcionista:	**Buonasera, prego.**
	buo-na-*se*-ra *pre*-go
	Boa noite. Pois não?

Donatella:	**Avete stanze libere?**
	a-*ve*-te *stan*-tze *li*-be-re
	Vocês têm quartos disponíveis?

Recepcionista:	**Non ha la prenotazione?**
	no-na la pre-no-ta-tzi-*o*-ne
	Não fez reserva?

Donatella:	**Eh, no...**
	e no...
	Não...

Recepcionista:	**Abbiamo soltanto due doppie.**
	a-*bia*-mo sol-*tan*-to *du*-e *do*-pi-e
	Temos apenas dois quartos duplos.

Donatella:	**Non c'è una stanza con tre letti?**
	non *tché u*-na *stan*-tza kon tre *le*-ti
	Não há um quarto com três camas?

Recepcionista:	**Possiamo aggiungere un letto.**
	po-si-*a*-mo a-*djiun*-dje-re un *le*-to
	Podemos acrescentar uma cama.

Donatella:	**Benissimo, grazie.**
	be-*ni*-si-mo *gra*-tzie
	Muito bem. Obrigada.

Palavras a Saber

aria condizionata [f]	*a*-ri-a kon-di-tzi-o-*na*-ta	ar-condicionado
camera [f] / stanza [f]	*ka*-me-ra / *stan*-tza	quarto
camera singola [f]	*ka*-me-ra *sin*-go-la	quarto de solteiro
camera doppia [f]	*ka*-me-ra *do*-pi-a	quarto duplo de solteiro
camera matrimoniale [f]	*ka*-me-ra ma-tri-mo-ni-*a*-le	quarto de casal
colazione [f]	ko-la-tzi-*o*-ne	café da manhã
culla [f]	*ku*-la	berço
letto supplementare [m]	*le*-to su-ple-men-*ta*-re	cama extra
servizio in camera [m]	ser-*vi*-tzi-o in *ka*-me-ra	serviço de quarto
mezza pensione	*me*-tza pen-si-*o*-ne	meia pensão
pensione completa	pen-si-*o*-ne kom-*ple*-ta	pensão completa
servizio sveglia [m]	ser-*vi*-tzi-o *sve*-lhi-a	serviço de despertar

Realizando o *Check-In*

Registrar-se em um hotel na Itália não é tão difícil quanto se imagina. O recepcionista pedirá **un documento** (un do-ku-*men*-to), por exemplo, um passaporte, com o qual ficará por algumas horas. Não se preocupe, ele o devolverá depois!

Já no quarto você talvez descubra que se esqueceu de trazer algo de que precisa ou necessita de algo além do que trouxe. Muitos quartos possuem **una cassaforte** (*u*-na ka-sa-*for*-te) (*um cofre*), para que você guarde seus objetos de valor, ou **un frigorifero** (un fri-go-ri-fe-ro) (*uma geladeira*). Pergunte na recepção como eles funcionam. Se precisar de um **fon** (fon) (*secador de cabelo*) ou outra coisa, peça ao recepcionista, ao *concierge* ou à camareira. As frases a seguir ensinam a você a pedir tudo. Não se esqueça de dizer **scusi** (*sku*-zi) (*com licença*) e **per favore** (per fa-*vo*-re) (*por favor*)!

> » **Non trovo l'asciugacapelli/il fon.** (non *tro*-vo la-chu-ga-ka-*pe*-li/il *fon*) (*Não consigo encontrar o secador de cabelo.*)

> » **Manca la carta igenica.** (*man*-ka la *car*-ta i-*djie*-ni-ka) (*Não tem papel higiênico.*)

> » **È ancora aperto il bar?** (é an-*ko*-ra a-*per*-ti il bar) (*O bar está aberto agora?*)

> » **Vorrei un'altra coperta, per favore.** (vo-*rei* u-*nal*-tra ko-*per*-ta per fa-*vo*-re) (*Gostaria de mais um cobertor, por favor.*)

> » **Dov'è la farmacia più vicina?** (do-*vé* la far-ma-*tcha* piu vi-*tchi*-na) (*Onde fica a farmácia mais próxima?*)

> » **Vorrei la sveglia domattina.** (vo-*rei* la *sve*-lhi-a do-ma-*ti*-na) (*Gostaria do serviço de despertador amanhã de manhã.*)

> » **C'è il telefono nella mia stanza?** (*tché* il te-*le*-fo-no *ne*-la *mi*-a stan-tza) (*Tem telefone no meu quarto?*)

FALANDO DE GRAMÁTICA

Se você deseja outra coisa, lembre-se de que a forma feminina se escreve **un'altra** (u-*nal*-tra), diferente do masculino **un altro** (u-*nal*-tro). Palavras no feminino requerem apóstrofe; palavras no masculino, não. Isso vale também para todas as outras palavras que começam com vogal.

A lista a seguir contém mais palavras que podem ser úteis durante a sua estada:

» **fazzolettino di carta** (fa-tzo-le-*ti*-no di *kar*-ta) (*lenços de papel*)

» **lettino** (le-*ti*-no) (*cama de armar*)

» **negozio di regali** (ne-*go*-tzi-o di re-*ga*-li) (*loja de presentes*)

» **parrucchiere** (pa-ru-*kie*-re) (*cabelereiro*)

» **portacenere** (por-ta-*tche*-ne-re) (*cinzeiro*)

» **piscina** (pi-*chi*-na) (*piscina*)

Tendo uma Conversa

O Sr. Baricco chega ao hotel no qual fez reservas há duas semanas. Ele se dirige à recepcionista. (Faixa 32)

Sig. Baricco: **Buonasera, ho una stanza prenotata.**
buo-na-*se*-ra o *u*-na *stan*-tza pre-no-*ta*-ta
Boa noite, tenho uma reserva.

Recepcionista: **Il suo nome, prego?**
il *su*-o *no*-me *pre*-go
Seu nome, por favor?

Sig. Baricco: **Baricco.**
ba-*ri*-ko
Baricco.

Recepcionista: **Sì, una singola per due notti.**
si *u*-na *sin*-go-la per *du*-e *no*-ti
Sim, um quarto simples para duas noites.

Può riempire la scheda, per favore?
puo ri-em-*pi*-re la *ske*-da per fa-*vo*-re
Pode preencher o formulário, por favor?

Sig. Baricco: **Certo. Vuole un documento?**
tcher-to vu-*o*-le un do-ku-*men*-to
Claro. Quer um documento?

Recepcionista:	**Sì, grazie... Bene, la sua chiave, la stanza numero quarantadue al quarto piano.**
	si *gra*-tzie *be*-ne la *su*-a *kia*-ve la *stan*-tza *nu*-me-ro kua-*ran*-ta-*du*-e al *kuar*-to *pia*-no
	Sim, obrigado. Aqui está a chave para o quarto número 42 no quarto andar.
Sig. Baricco:	**Grazie. A che ora è la colazione?**
	gra-tzie a ke *o*-ra é la ko-la-tzi-*o*-ne
	Obrigado. A que horas é o café da manhã?
Recepcionista:	**Dalle sette alle nove.**
	da-le *se*-te *a*-le *no*-ve
	Das sete às nove.
Sig. Baricco:	**Grazie. Buonanotte.**
	gra-tzie *buo*-na-*no*-te
	Obrigado. Boa noite.
Recepcionista:	**Buonanotte.**
	buo-na-*no*-te
	Boa noite.

Palavras a Saber

avete	a-<u>ve</u>-te	você têm (plural)
dov'è	do-<u>vé</u>	onde está
dove sono	<u>do</u>-ve <u>so</u>-no	onde estão
Può ripetere per favore?	pu-<u>o</u> ri-<u>pe</u>-te-re per fa-<u>vo</u>-re	Poderia repetir, por favor?
saldare il conto	sal-<u>da</u>-re il <u>kon</u>-to	pagar a conta
indirizzo [m]	in-di-<u>ri</u>-tzo	endereço

A Tabela 15–1 mostra as formas singular e plural de diversas palavras relativas a hotelaria com seus artigos adequados. Para mais informações sobre a formação de artigos e substantivos no singular e no plural, reveja o Capítulo 2.

TABELA 15-1 Formando Plurais

Singular Plural	Pronúncia	Tradução
la cameriera, le cameriere	la ka-me-*rie*-ra/ le ka-me-*rie*-re	*camareira/s, garçonete/s,*
il bagno, i bagni	il *ba*-nho/ i *ba*-nhi	*banheiro/os*
la chiave, le chiavi	la *kia*-ve, le *kia*-vi	*chave/s*
il cameriere, i camerieri	il ka-me-*rie*-re/ i ka-me-*rie*-ri	*garçom/garçons*
lo specchio, gli specchi	lo *spe*-kio/ lhi *spe*-ki	*espelho/s*
l'albergo, gli alberghi	lal-*ber*-go/ lhi al-*ber*-gui	*hotel, hotéis*
la stanza, le stanze	la *stan*-tza/ le *stan*-tze	*quarto, quartos*
la camera, le camere	la *ka*-me-ra/ le *ka*-me-re	*quarto, quartos*
la persona, le persone	la per-*so*-na/ le per-*so*-ne	*pessoa, pessoas*
il letto, i letti	il *le*-to/ i *le*-ti	*cama/s*
la notte, le notti	la *no*-te/ le *no*-ti	*noite/s*
l'entrata, le entrate	len-*tra*-ta/ le en-*tra*-te	*entrada/s*

Personalizando Pronomes

Como você sabe, um pronome é uma palavra que se usa no lugar de um substantivo: quando se diz "eu vou", seu nome está sendo substituído por *eu*. **Eu** é um pronome pessoal. Às vezes é usado um pronome que não apenas substitui o substantivo, mas que também indica a quem ele pertence. Por exemplo, ao dizer "Minha bolsa é vermelha e a sua é preta", o pronome possessivo **sua** representa **bolsa** ao mesmo tempo que indica a quem ela pertence.

Este ou estes: pronomes demonstrativos

FALANDO DE GRAMÁTICA

Em português, usamos os pronomes *este*, *esta*, *estes* e *estas* (os pronomes demonstrativos) para indicar ou especificar do que se está falando. *Este/esta* estão no singular, e *estes/estas*, no plural. Em português, eles são usados para acompanhar substantivos com os quais concordam em gênero e número: este livro, estas meninas, etc. A mesma regra vale para o italiano. O pronome demonstrativo **questo** (*kues*–to) tem quatro formas para concordar com o substantivo que o precede ou substitui: **questo**, **questa**, **questi**, **queste**. Considere os exemplos:

> » **Questa è la sua valigia?** (*kues*-ta *é* la *su*-a va-*li*-djia) (*Esta é a sua mala?*)

> » **No, le mie sono queste.** (no le *mi*-e *so*-no *kues*-te) (*Não, as minhas são estas.*)

No exemplo anterior, você viu a versão feminina para singular e plural (**questa** e **queste**, respectivamente). A seguir, a versão masculina no singular e no plural (**questo** e **questi**).

> » **Signore, questo messaggio è per Lei.** (si-*nho*-re *kues*-to me-*sa*-djio *é* per Lei) (*Este recado é para o senhor.*)

> » **Questi spaghetti sono ottimi!** (*kues*-ti spa-*gue*-ti *so*-no o-ti-mi) (*Este espaguete está ótimo!*; literalmente: *Estes espaguetes estão ótimos!*)

Seu, meu e nosso: pronomes possessivos

FALANDO DE GRAMÁTICA

Pronomes possessivos (*meu*, *seu*, *dele*) indicam a posse de algo (do substantivo). Em italiano, essas palavras variam de acordo com o gênero e com o número do item a que se referem. Assim como em português, quase sempre o artigo vem na frente do determinante possessivo. A próxima tabela mostra os artigos no singular e no plural para cada gênero.

Gênero	Número	Artigo
Feminino	Singular	la/l'
Feminino	Plural	le
Masculino	Singular	il/l'/lo
Masculino	Plural	i/gli

Quando você quer dizer que algo lhe pertence e que esse algo é um substantivo feminino, o possessivo **mia** termina em **a**, assim como em **la mia valigia** (la mi-a va-*li*-djia) (a *minha mala*). Ao se referir a uma palavra no masculino, o possessivo terminará em **o**, como em **il mio letto** (il *mi*-o *le*-to) (a *minha cama*).

Então, esses pronomes recebem sua forma a partir do possuidor — **il mio** (il *mi*-o) (*o meu*), **il tuo** (il *tu*-o) (*o seu*) — e seu número e gênero a partir da coisa possuída. Por exemplo, em **è la mia chiave** (*é* la *mi*-a *kia*-ve) (*é a minha chave*), **la chiave** é singular e feminino e pode ser, portanto, substituída pelo pronome possessivo **mia**. A Tabela 15-2 lista os pronomes possessivos e seus artigos.

TABELA 15-2 — Pronomes Possessivos

Pronome Possessivo	Singular Masculino	Singular Feminino	Plural Masculino	Plural Feminino
meu/minha	il mio	la mia	i miei	le mie
teu/tua	il tuo	la tua	i tuoi	le tue
seu/sua (formal)	il suo	la sua	i suoi	le sue
dele/dela	il suo	la sua	i suoi	le sue
nosso/nossa	il nostro	la nostra	i nostri	le nostre
teus/tuas	il vostro	la vostra	i vostri	le vostre
deles/delas	il loro	la loro	i loro	le loro

A seguir, alguns exemplos práticos usando pronomes possessivos:

» **È grande la vostra stanza?** (é *gran*-de la *vos*-tra *stan*-tza) (*É grande o quarto de vocês?*)

» **Dov'è il tuo albergo?** (do-*vé* il *tu*-o al-*ber*-go) (*Onde fica o seu hotel?*)

» **Ecco i vostri documenti.** (*e*-ko i *vos*-tri do-ku-*men*-ti) (*Aqui estão os documentos de vocês.*)

» **Questa è la sua chiave.** (*kues*-ta é la *su*-a *kia*-ve) (*Esta é a sua chave.*) (formal) ou (*Esta é a chave dele/dela.*)

» **La mia camera è molto tranquilla.** (la *mi*-a *ka*-me-ra é *mol*-to tran-ku-*i*-la) (*Meu quarto é muito silencioso.*)

» **Anche la nostra. E la tua?** (*an*-ke la *nos*-tra e la *tu*-a) (*O nosso também. E o seu?*)

Tendo uma Conversa

Os pronomes possessivos são usados com frequência, portanto é necessário saber empregá-los. O diálogo a seguir acontece entre membros de uma família que estão tentando descobrir quem está com a bagagem de quem.

Mamma: **Dove sono le vostri bagagli?**
do-ve *so*-no le *vos*-tri ba-*ga*-lhi
Onde estão as suas bagagens?

Michela: **Il mio è questo.**
il *mi*-o é *kues*-to
A minha é esta.

Mamma:	**E il tuo, Carla?** e il *tu*-o *kar*-la E a sua, Carla?
Carla:	**La porta Giulio.** la *por*-ta *djiu*-li-o Giulio está trazendo.
Mamma:	**No, Giulio porta il suo.** no *djiu*-li-o *por*-ta il *su*-o Não, Giulio está trazendo a dele.
Carla:	**Giulio, hai il mio bagaglio?** *djiu*-li-o ai il *mi*-o ba-*ga*-lhio Giulio, está com minha bagagem?
Giulio:	**No, questi sono i miei!** no *kues*-ti *so*-no i *mi*-ei Não, estas são minhas!
Carla:	**Sei sicuro?** sei si-*ku*-ro Tem certeza?
Giulio:	**Com'è la tua valigia?** ko-*mé* la *tu*-a va-*li*-djia Como é a tua mala?
Carla:	**È rossa.** é *ro*-sa É vermelha.

Palavras a Saber

bagaglio [m]	ba-*ga*-lhi-o	bagagem
borsa [f]	*bor*-sa	sacola
cameriera [f]	ka-me-ri-*e*-ra	camareira
garage [m]	ga-*ra*-dje	garagem
messaggio [m]	me-*sa*-djio	recado
portiere [m]	por-ti-*e*-re	porteiro
valigia [f]	va-*li*-djia	mala

Fazendo os Outros se Curvarem à sua Vontade: Imperativos

Quando seu chefe diz **Venga nel mio ufficio!** (*ven*-ga nel *mi*-o u-*fi*-tcho) (*Venha ao meu escritório!*) ou quando você diz aos seus filhos **Mettete in ordene le vostre camere!** (me-*te*-te in or-di-ne le *vos*-tre *ka*-me-re) (*Arrumem seus quartos!*), está usando o imperativo: um modo verbal que expressa uma ordem, um pedido ou um convite. Existem quatro formas de imperativo:

>> **Singular informal:** você fala (e ordena) informalmente que uma pessoa conhecida — por exemplo, um amigo ou familiar — faça algo.

Em italiano, se o verbo é terminado em -are, como em **mandare** (man-*da*-re) (*mandar*), o imperativo informal termina em -a, como em **Manda!** (*man*-da) (*Manda!*). Se o verbo termina em -ere ou -ire, como em **prendere** (pren-*de*-re) (*pegar/tomar*) e **finire** (fi-*ni*-re) (*terminar*), o imperativo informal termina em -i, como em **Prendi!** (*pren*-di) (*Pega!/Toma!*) e **Finisci!** (fi-*ni*-chi) (*Termina!*).

>> **Singular formal:** você ordena formalmente a uma pessoa que não conhece bem. O comando é diferente nesse caso. Se o verbo termina em -are, como em **mandare**, o imperativo formal termina em -i, como em **Mandi!** (*man*-di) (*Mande!*). Se o verbo termina em -ere ou -ire, como em **prendere**, **aprire** e **finire**, o imperativo formal termina em -a, como em **Prenda!** (*pren*-da) (*Pegue!*), **Apra!** (*a*-pra) (*Abra!*) e **Finisca!** (fi-*nis*-ka) (*Termine!*). Como você pode perceber, basta trocar as terminações.

>> **Plural:** você ordena/fala para mais de uma pessoa.

Usa-se o imperativo plural para se dirigir a duas ou mais pessoas, mesmo quando se dirigir a cada uma delas individualmente de modo formal. Os verbos terminados em -are, como **mandare**, têm o imperativo plural terminado em -ate, como **Mandate!** (man-*da*-te) (*Mandem!*). Os verbos terminados em -ere trocam a terminação para -ete, como **Prendete!** (pren-de-te) (*Peguem!/Tomem!*). Os verbos terminados em -ire trocam a terminação para -ite, como **Finite!** (fi-*ni*-te) (*Terminem!*).

>> **Plural, incluindo a si mesmo:** você inclui a si mesmo, por exemplo, quando diz "Vamos!"

Boa notícia! Todos os verbos, incluindo os exemplos anteriores, **mandare**, **prendere**, **aprire** e **finire**, mudam suas terminações para a forma imperativa terminada em -iamo — por exemplo, **Mandiamo!** (man-di-*a*-mo) (*Mandemos!*), **Prendiamo!** (pren-di-*a*-mo) (*Tomemos!*), **Apriamo!** (a-pri-*a*-mo) (*Abrimos!*) e **Finiamo!** (fi-ni-*a*-mo) (*Terminemos!*). Esse é fácil, não é?

Caso você ainda esteja lutando para entender o esquema, a Tabela 15-3 mostra um resumo rápido.

TABELA 15-3 ## Terminações dos Verbos Imperativos

Forma	Terminação -are	Terminação -ere	Terminação -ire
Informal singular	-a	-i	-i
Formal singular	-i	-a	-a
Plural	-ate	-ete	-ite
Forma Nós	-iamo	-iamo	-iamo

Não podemos deixar de lado algumas exceções comuns às regras anteriores. A Tabela 15-4 apresenta algumas. Elas são exceções ao padrão regular.

FALANDO DE
GRAMÁTICA

TABELA 15-4 ## Exceções nos Imperativos

Informal Singular	Formal Singular	Tradução
Abbi pazienza! (*a*-bi pa-tzi-*en*-tzah)	**Abbia pazienza!** (*a*-bi-a pa-tzi-*en*-tza)	*Tenha paciência!*
Da'! (*da*)	**Dia!** (*di*-a)	*Dê!*
Di' qualcosa! (di kual-*ko*-za)	**Dica qualcosa!** (*di*-ka kual-*ko*-za)	*Diga alguma coisa!*
Fa' qualcosa! (fa kual-*ko*-za)	**Faccia qualcosa!** (*fa*-tcha kual-*ko*-za)	*Faça alguma coisa!*
Sii buono! (si *buo*-no)	**Sia buono!** (*si*-a *buo*-no)	*Seja bom/boa*
Sta' fermo! (sta *fer*-mo)	**Stia fermo!** (*sti*-a *fer*-mo)	*Fique parado!*
Stai tranquillo! (stai tran-ku-*i*-lo)	**Stia tranquillo** (*sti*-a tran-ku-*i*-lo)	*Fique tranquilo!*
Va via! (va *vi*-a)	**Vada via!** (*va*-da *vi*-a)	*Vá embora!*
Vieni qua! (*vie*-ni kua)	**Venga qua!** (*ven*-ga kua)	*Venha aqui!*

Ainda não estudamos os comandos negativos, mas estas duas frases são muito populares na Itália:

Non ti preoccupare! (non ti pre-o-ku-*pa*-re) (*Não se preocupe!*) (informal)

Non si preoccupi! (non si pre-*o*-ku-pi) (*Não se preocupe!*) (formal)

Diversão & Jogos

Desembaralhe as palavras a seguir e tente combiná-las com suas definições na coluna à direita. Veja as respostas no Apêndice D.

gorblea	cama
oinpnsee	bagagem
rcaaem	malas
asznat	quarto
glevia	banheiro
aneoepozirtn	quarto
tnloaireimma	hotel pequeno
lucal	berço
cniapsi	piscina
aehicv	chave
ttelo	quarto com cama de casal
ricmeaear	reserva
bgoan	camareira
ggbalaoi	pensão

Capítulo 16

Lidando com Emergências

P edir ajuda nunca é divertido, pois você apenas precisa de ajuda quando está numa situação de perigo. Para os propósitos deste capítulo, pense nos infortúnios que poderiam lhe acontecer e nas dificuldades que você poderia ter que enfrentar. Algumas situações são mais simples, outras, muito mais graves. Damos a você as ferramentas linguísticas necessárias para comunicar seus problemas a quem possa socorrê-lo.

Aqui está uma amostra de sentenças para pedir ajuda. As duas primeiras devem ser usadas em situações de emergências reais:

>> **Aiuto! (a-iu-to) (Socorro!)**

>> **Aiutami! (a-iu-ta-mi) (Ajude-me!) informal**

>> **Mi aiuti, per favore. (mi a-iu-ti per fa-vo-re) (Me ajude, por favor.) formal**

>> **Chiamate la polizia! (kia-ma-te la po-li-tzi-a) (Chamem a polícia!)**

>> **Ho bisogno di un medico. (o bi-zo-nho di un me-di-ko) (Preciso de um médico.)**

>> **Dov'è il pronto soccorso?** (do-*vé* il *pron*-to so-*kor*-so) (*Onde fica o pronto-socorro?*)

>> **Chiamate un'ambulanza!** (kia-*ma*-te u-nam-bu-*lan*-tza) (*Chamem uma ambulância!*)

LEMBRE-SE

Como você deve ter notado, as sentenças estão no plural, direcionadas a um grupo de pessoas, na forma plural **voi** (**chiamate**). Em uma situação emergencial, você deve se dirigir a qualquer um que o possa ouvi-lo.

Em algumas situações, procure uma autoridade competente que fale o seu idioma. Diga:

>> **Mi scusi, parla inglese?/spagnolo?/portoghese?** (mi *sku*-zi *par*-la in-*gle*-ze/ spa-*nho*-lo/por-to-*gue*-ze) (*Com licença, fala inglês/espanhol/português?*)

>> **C'è un medico che parli inglese?/spagnolo?/portoghese?** (*tché* un *me*-di-ko ke *par*-li in-*gle*-ze/spa-*nho*-lo/por-to-*gue*-ze) (*Tem um médico que fale inglês/ espanhol/português?*)

>> **Dove posso trovare un avvocato che parli inglese?/spagnolo?/ portoghese?** (*do*-ve *po*-so tro-*va*-re un a-vo-*ka*-to ke *par*-li in-*gle*-ze/spa-*nho*-lo/por-to-*gue*-ze) (*Onde posso encontrar um advogado que fale inglês/ espanhol/português?*)

Se não conseguir encontrar um profissional que fale o idioma no qual você seja fluente, peça a **un interprete** (un in-*ter*-pre-te) (*um intérprete*) para ajudá-lo.

Conversando com Médicos

Quando for a **l'ospedale** (los-pe-*da*-le) (*o hospital*) ou **il medico** (il *me*-di-ko) (*o médico*), você precisará explicar onde dói ou qual é o problema que o levou até lá. Esta tarefa nem sempre é fácil, pois apenas apontar para o local pode não ser o suficiente. Mas não se preocupe, não vamos deixá-lo na mão. Esta seção mostra, entre outras coisas, como se referir às partes do corpo em italiano (Tabela 16-1) e o que dizer em uma emergência.

TABELA 16-1   **Principais Partes do Corpo**

Italiano	Pronúncia	Tradução
il braccio	il *bra*-tcho	o braço
il collo	il *ko*-lo	o pescoço
la gamba	la *gam*-ba	a perna
la mano	la *ma*-no	a mão
l'occhio	*lo*-kio	o olho
la pancia	la *pan*-tcha	a barriga
il petto	il *pe*-to	o peito
il piede	il *pie*-de	o pé
lo stomaco	lo *sto*-ma-ko	o estômago
la testa	la *tes*-ta	a cabeça

Descrevendo a dor

As frases a seguir indicam como dizer que algo está doendo. Existem duas maneiras: a primeira usa a estrutura **fare male** (*fa*-re *ma*-le) (*doer*). Use **fa** (*fa*) para as partes do corpo no singular.

Mi fa male la gamba. (mi fa *ma*-le la *gam*-ba). (*Minha perna dói.*)

Mi fa male lo stomaco. (mi fa *ma*-le lo *sto*-ma-ko) (*Meu estômago dói.*)

Mi fa male tutto il corpo. (mi fa *ma*-le *tu*-to il *kor*-po) (*Meu corpo todo dói.*)

Use **fanno** (*fa*-no) para coisas no plural.

Mi fanno male gli occhi. (mi *fa*-no *ma*-le lhi *o*-ki) (*Meus olhos doem.*)

A outra forma de dizer que algo dói é **avere mal di** (a-*ve*-re mal di), mas você precisa conjugar o verbo **avere** (a-*ve*-re) (*ter/haver*) dependendo da parte em que sente dor. Veja alguns exemplos:

Ho mal di schiena. (o mal di *skie*-na) (*Estou com dor nas costas.*)

Ho mal di testa. (o mal di *tes*-ta) (*Estou com dor de cabeça.*)

Mia figlia ha mal di denti. (*mi*-a *fi*-lhia a mal di *den*-ti) (*Minha filha está com dor de dente.*)

Ainda existem outras formas de descrever a dor que você está sentindo e explicar seus sintomas.

» **Mi sono rotto/rotta una gamba.** (mi *so*-no *ro*-to/*ro*-ta *u*-na *gam*-ba) (*Quebrei minha perna.*) (Use o particípio no feminino caso você seja mulher.)

» **Ho la gola arrossata.** (o la *go*-la a-ro-*sa*-ta) (*Estou com dor de garganta.*)

» **Ho la pelle irritata.** (o la *pe*-le i-ri-*ta*-ta) (*Minha pele está irritada.*)

» **Mi sono storto/storta il piede/la caviglia.** (mi *so*-no *stor*-to/*stor*-ta il *pie*-de/la ca-*vi*-lhia) (*Torci meu pé/tornozelo.*)

» **Ho disturbi al cuore.** (o dis-*tur*-bi al *kuo*-re) (*Tenho problemas cardíacos.*)

» **Mi bruciano gli occhi.** (mi *bru*-tcha-no lhi *o*-ki) (*Meus olhos estão ardendo.*)

» **Mi sono slogata la spalla.** (mi *so*-no slo-*ga*-ta la *spa*-la (*Desloquei meu ombro.*)

» **Mi sono fatta/o male alla mano.** (mi *so*-no *fa*-ta/o *ma*-le *a*-la *ma*-no). (*Machuquei minha mão.*)

» **Sono caduta/o.** (*so*-no ca-*du*-ta/o) (*Eu caí*).

» **Mia figlia ha questa brutta orticaria.** (*mi*-a *fi*-lhia a *kues*-ta *bru*-ta or-ti-ka-ri-a) (*Minha filha está com uma coceira terrível.*)

» **Mio figlio ha la febbre a 40.** (*mi*-o *fi*-lhio a la *fe*-bre a kua-*ran*-ta) (*Meu filho está com 40 graus de febre.*)

Quando quiser indicar o lado esquerdo ou o direito, você precisa saber o gênero da parte do corpo a que se refere. Para uma parte masculina, diga **destro** (*des*-tro) (*direito*) e **sinistro** (si-*nis*-tro) (*esquerdo*); para uma parte feminina, diga **destra** (*des*-tra) e **sinistra** (si-*nis*-tra).

Outra pequena dificuldade é a forma plural. No que diz respeito às partes do corpo, existem muitos plurais irregulares. A Tabela 16-2 mostra algumas das formas mais frequentes.

TABELA 16-2 ## Plurais das Partes do Corpo

Singular (Pronúncia)	Plural (Pronúncia)	Tradução
il braccio (il *bra*-tcho)	**le braccia** (le *bra*-tcha)	*braço(s)*
il dito (il *di*-to)	**le dita** (le *di*-ta)	*dedo(s)*
il dito del piede (il *di*-to del *pie*-de)	**le dita del piede** (le *di*-ta del *pie*-de)	*dedo(s) do pé*
il labbro (il *la*-bro)	**le labbra** (le *la*-bra)	*lábio(s)*

Singular (Pronúncia)	Plural (Pronúncia)	Tradução
il ginocchio (il dji-*no*-kio)	**le ginocchia** (le dji-*no*-kia)	*joelho(s)*
la mano (la *ma*-no)	**le mani** (le *ma*-ni)	*mão(s)*
l'orecchio (lo-*re*-kio)	**le orecchie** (le o-*re*-kie)	*orelha(s)*
l'osso (*lo*-so)	**le ossa** (le *o*-sa)	*osso(s)*

De modo geral, se você precisa dizer a alguém que não está se sentindo bem, fale **mi sento male** (mi *sen*-to *ma*-le) (*me sinto mal*), cujo verbo deriva de **sentirsi male** (sen-*tir*-si *ma*-le) (*sentir-se mal*). Você pode ainda dizer **non mi sento bene** (non mi *sen*-to *be*-ne) (*não me sinto bem*), que vem de **non sentirsi bene** (non sen-*tir*-si *be*-ne) (*não se sentir bem*). A seguir mostramos a conjugação completa para esse verbo reflexivo bastante comum. Para mais informações, veja os capítulos 11 e 17.

Conjugação	Pronúncia	Português
mi sento male	mi *sen*-to *ma*-le	*Me sinto mal.*
ti senti male	ti *sen*-ti *ma*-le	*Você se sente mal.*
si sente male	si *sen*-te *ma*-le	*Ele/ela se sente mal.*
ci sentiamo male	tchi sen-ti-*a*-mo *ma*-le	*Nos sentimos mal.*
vi sentite male	vi sen-*ti*-te *ma*-le	*Você se sentem mal.*
si sentono male	si *sen*-to-no *ma*-le	*Eles/Elas se sentem mal.*

FALANDO DE GRAMÁTICA

Você deve ter notado que **fa male** é precedido de **mi** (*mi*) (*me*). Essa palavra muda de acordo com quem fala e com a pessoa que sente a dor. Um médico pode perguntar **Cosa le fa male?** (*ko*-za le fa *ma*-le) (*Onde dói?*). **Le** é o pronome objeto indireto para o uso formal de "você".

Tendo uma Conversa

ÁUDIO

Gloria vai ao médico pois sua perna está inchada. Mesmo fazendo exames, o médico não consegue determinar qual é o problema. (Faixa 34)

Gloria: **Mi fa molto male questa gamba.**
mi fa *mol*-to *ma*-le *kues*-ta *gam*-ba
Esta perna dói muito.

Médico: **Vedo che è gonfia.**
ve-do ke é *gon*-fi-a
Sim, vejo que está inchada.

Gloria:	**Devo andare all'ospedale?**
	de-vo an-*da*-re a-los-pe-*da*-le
	Tenho que ir ao hospital?
Médico:	**Sì, necessita fare i raggi.**
	si ne-ce-*si*-ta *fa*-re i ra-gi
	Sim, você precisa bater um raio X.

Palavras a Saber

aiuto [m]	ai-u-to	ajuda
pronto soccorso	pron-to so-kor-so	pronto-socorro
un'ambulanza	u-nam-bu-lan-tza	uma ambulância
chiamate	ki-a-ma-te	chamem
fare male	fa-re ma-le	dói
ospedale [m]	os-pe-da-le	hospital
lastre [f/pl]	las-tre	raio-x
sinistra/o [f/m]	si-nis-tra/tro	esquerda/o
gonfia/o [f/m]	gon-fi-a/o	inchada/o
muscolo [m]	mus-ko-lo	músculo
tendine [m]	ten-di-ne	tendão
mi gira la testa	mi gi-ra la tes-ta	sinto tontura
mi sento svenire	mi-sen-to sve-ni-re	vou desmaiar
avere mal di	a-ve-re mal di	ter dor de
stomaco	sto-ma-ko	estômago
febbre	fe-bre	febre

Entendendo o jargão médico

Diversos profissionais — nem todos são médicos — podem lhe oferecer cuidados médicos. Eles incluem:

» **il medico** (il *me*-di-ko) (*médico*, homem ou mulher)

» **il dottore** (il do-*to*-re) (*médico*, homem ou mulher)

A forma feminina do último substantivo, **la dottoressa** (la do-to-*re*-sa), é menos comum.

Você pode usar qualquer uma dessas palavras para dizer "médico".

» **la/lo specialista [f/m]** (la/lo spe-tcha-*lis*-ta) (*a/o especialista*)

» **la/il dentista [f/m]** (la/il den-*tis*-ta) (*a/o dentista*)

» **il chirurgo [f/m]** (il ki-*rur*-go) (*o cirurgião*)

» **l'infermiera** (lin-fer-*mie*-ra) (*a enfermeira*)

» **l'infermiere** (lin-fer-*mie*-re) (*o enfermeiro*)

Perguntas que talvez você tenha que fazer ao médico e suas possíveis respostas:

» **Devo prendere qualcosa?** (*de*-vo pren-*de*-re kual-*ko*-za) (*Tenho que tomar alguma coisa?*)

No, si riposi e beva molta acqua. (no si ri-*po*-zi e *be*-va *mol*-ta *a*-kua) (*Não, descanse e beba muita água.*)

Ecco la ricetta. (*e*-ko la ri-*tche*-ta) (*Aqui está a receita.*)

Comprando na Farmácia

Se precisar de **una medicina** (*u*-na me-di-*tchi*-na) (*um remédio*), procure a **farmacia** (far-ma-*tchi*-a) (*farmácia*) mais próxima. As farmácias costumam funcionar das 8h30 às 20h, com uma pausa para o almoço das 13h às 16h. Mas sempre há uma farmácia aberta em caso de emergência! Encontre o endereço e o telefone da **farmacia di turno** (far-ma-*tchi*-a di *tur*-no) (*farmácia de plantão*) indicado nas portas das lojas.

SABEDORIA CULTURAL

Na Itália, os farmacêuticos ainda dão aconselhamento médico: são as farmácias autênticas, que vendem apenas remédios, e não itens de perfumaria e higiene que encontramos em drogarias. Além disso, não é possível que você mesmo escolha os produtos mais comuns, como aspirina, direto das prateleiras. Isso também acontece em outras lojas, especialmente na **profumeria** (pro-fu-me--ri-a) (*perfumaria*), em sapatarias e em pequenas lojas de roupas. Muitos itens são guardados atrás de um balcão. Assim, se não é uma emergência, apenas uma pequena indisposição, você pode ir direto na farmácia para conseguir ajuda.

Tendo uma Conversa

Anna entrou na **farmacia** com sua filha de seis anos, Maria, que tinha levado muitas picadas de pernilongo na noite anterior.

Farmacêutico:
Prego. Mi dica.
pre-go mi *di*-ka
Olá. Como posso ajudar?

Anna:
Mia figlia è stata punta dalle zanzare ieri notte.
mi-a *fi*-lhi-a é *sta*-ta *pun*-ta *da*-le dzan-*dza*-re *ie*-ri *no*-te
Minha filha foi picada por pernilongos na noite passada.

Farmacêutico:
Sì questo lo vedo.
si *kues*-to lo *ve*-do
Sim, estou vendo.

Le do una pomata contro il prurito.
le do *u*-na *po*-ma-ta *kon*-tro il pru-*ri*-to
Vou lhe dar uma pomada para a coceira.

Anna:
Ha un prodotto anti-zanzara per i bambini?
a un pro-*do*-to *an*-ti-dzan-d*za*-ra per i bam-*bi*-ni
Você tem algum repelente seguro para crianças?

Farmacêutico:
Si, ecco uno spray anti-zanzara molto sicuro per i bambini.
si *e*-ko *u*-no *sprei an*-ti-*dzan*-dza-ra *mol*-to si-*ku*-ro per i bam-*bi*-ni
Sim. Tenho um repelente muito seguro para crianças.

Enfrentando o dentista

Você pode precisar de algum atendimento dentário de emergência enquanto estiver na Itália. A primeira coisa a perguntar ao recepcionista do hotel, ao farmacêutico ou a um **barista** gentil de onde toma seu café da manhã: **Scusi, mi può consigliare un dentista di fiducia?** (*sku*-zi mi puo *kon*-si-*lhia*-re un den--*tis*-ta di fi-*du*-tcha) (*Com licença, você poderia me recomendar um dentista de confiança?*).

Tendo uma Conversa

Giancarlo está no dentista com uma terrível dor de dente.

Giancarlo:
Dottore, ho un terribile dolore al molare.
do-*to*-re o un te-*ri*-bi-le do-*lo*-re al mo-*la*-re
Doutor, estou com uma dor terrível no molar.

Dentista:
Vediamo. Purtroppo è infetto.
ve-*dia*-mo pur-*tro*-po é in-*fe*-to
Vamos ver. Infelizmente, está inflamado.

Non posso fare altro che darle un antibiotico.
non *po*-so *fa*-re *al*-tro ke *dar*-le un *an*-ti-bi-o-ti-ko
Não posso fazer nada além de lhe dar um antibiótico.

Lo prenda due volte al giorno.
lo *pren*-da *du*-e *vol*-te al *djior*-no
Tome-o duas vezes ao dia.

Reportando um Acidente à Polícia

Há outros tipos de emergência além das médicas. Você pode ligar para a polícia para relatar algo que testemunhou.

Tendo uma Conversa

Elena acaba de testemunhar um acidente envolvendo uma senhora em sua bici-cleta e uma *scooter*. Ela liga para a polícia. (Faixa 35)

Policial:	**Polizia.**
	po-li-*tzi*-a
	Polícia.
Elena:	**C'è stato un incidente.**
	tché sta-to un in-tchi-*den*-te
	Houve um acidente.
Policial:	**Dove?**
	do-ve
	Onde?
Elena:	**Piazza Mattei.**
	pia-tza ma-*tei*
	Piazza Mattei.
Policial:	**Ci sono feriti?**
	tchi *so*-no fe-*ri*-ti
	Há alguém ferido?
Elena:	**C'è una persona ferita incosciente.**
	tché u-na per-*so*-na fe-*ri*-ta in-ko-*chen*-te
	Há uma pessoa ferida e inconsciente.
Policial:	**Mandiamo subito un'ambulanza**
	man-di-*a*-mo *su*-bi-to unam-bu-*lan*-tza
	Mandaremos uma ambulância agora mesmo

Se estiver na Itália e tiver uma emergência, disque 113, da Polícia Nacional italiana, que enviará também uma ambulância, se for necessário. Esse número é válido em toda a Itália.

Palavras a Saber

ambulanza [f]	am-bu-<u>lan</u>-tza	ambulância
Che è successo?	ke é su-<u>tche</u>-so	O que aconteceu?
emergenza [f]	e-mer-d<u>jen</u>-tza	emergência
incidente [m]	in-tchi-<u>den</u>-te	acidente
le lenti a contatto	le <u>len</u>-ti a kon-<u>ta</u>-to	lentes de contato
soluzione [f]	so-lu-tzi-<u>o</u>-ne	solução
ferito [m]	fe-<u>ri</u>-to	ferido
pomata [f]	po-<u>ma</u>-ta	pomada/creme
ricetta [f]	ri-<u>tche</u>-ta	receita

Fui Roubado! Saiba o que Fazer e o que Dizer Quando a Polícia Chegar

Que você nunca seja vítima de um assalto! Mas caso isso aconteça, esteja preparado para dizer frases importantes quando a polícia chegar.

» **Sono stata/o derubata/o.** (*so*-no *sta*-ta/to de-ru-*ba*-ta/to) (*Fui roubado/ roubada*).

» **C'è stato un furto nel mio appartamento.** (*tché sta*-to un *fur*-to nel *mi*-o a-par-ta-*men*-to) (*Houve um roubo no meu apartamento.*)

» **Sono entrati dei ladri in casa nostra.** (*so*-no en-*tra*-ti dei *la*-dri in *ka*-za *nos*-tra) (*Ladrões entraram em nossa casa.*)

» **Mi hanno rubato la macchina.** (mi *a*-no ru-*ba*-to la *ma*-ki-na) (*Roubaram meu carro.*)

» **Mi hanno scippata.** (mi *a*-no chi-*pa*-ta) (*Levaram minha bolsa.*)

Tendo uma Conversa

Um motociclista roubou a **borsa** (*bor*-sa) (*bolsa*) de Anna. Perturbada, ela disca 113 para **denunciare** (de-nun-*tcha*-re) (*denunciar*) **il furto** (il *fur*-to) (*o roubo*) à polícia.

Policial:
> **Polizia.**
> po-li-*tzi*-a
> Polícia.

Anna:
> **Mi hanno appena scippata!**
> mi *a*-no a-*pe*-na chi-*pa*-ta
> Acabaram de levar minha bolsa!

Policial:
> **Si calmi e venga in questura.**
> si *kal*-mi e *ven*-ga in kues-*tu*-ra
> Acalme-se e venha à delegacia.

Anna:
> **È stato un uomo sul motorino.**
> é *sta*-to un *uo*-mo sul mo-to-*ri*-no
> Foi um homem de lambreta.

Policial:
> **Ho capito, ma deve venire.**
> o ka-*pi*-to ma *de*-ve ve-*ni*-re
> Entendi, mas precisa vir.

Anna:
> **Dov'è la questura?**
> do-*vé* la kues-*tu*-ra
> Onde fica a delegacia?

Policial:
> **Dietro la posta centrale.**
> di-*e*-tro la *pos*-ta tchen-*tra*-le
> Atrás da agência central dos correios.

Anna:
> **Vengo subito.**
> *ven*-go *su*-bi-to
> Vou imediatamente.

Palavras a Saber

borsa [f]	<u>bor</u>-sa	bolsa
furto [m]	<u>fur</u>-to	roubo
denunciare	de-nun-tchi-<u>a</u>-re	denunciar
motorino [m]	mo-to-<u>ri</u>-no	lambreta
questura [f]	ku-es-<u>tu</u>-ra	delegacia
scippare	chi-<u>pa</u>-re	agarrar uma bolsa
scippo [m]	<u>chi</u>-po	roubo de uma bolsa

Quando você precisar denunciar alguém e descrever o ladrão, saiba algumas palavras essenciais, como cor dos cabelos, altura, entre outras características. Sentenças descritivas podem ser formadas como segue:

La persona era... (la per-*so*-na e-ra) (*A pessoa era...*)

» **alta** (*al*-ta) (*alta*)

» **bassa** (*ba*-sa) (*baixa*)

» **di media statura** (di *me*-di-a sta-*tu*-ra) (*de estatura mediana*)

» **grassa** (*gra*-sa) (*gorda*)

» **magra** (*ma*-gra) (*magra*)

Observação: os adjetivos anteriores terminam em **-a**, pois se referem ao substantivo **persona**, que é feminino.

I capelli erano... (i ka-*pe*-li e-ra-no) (*Os cabelos eram...*)

» **castani** (kas-*ta*-ni) (*castanhos*)

» **biondi** (*bion*-di) (*louros*)

» **neri** (*ne*-ri) (*pretos*)

» **rossi** (*ro*-si) (*ruivos*)

» **scuri** (*sku*-ri) (*escuros*)

» **chiari** (ki-*a*-ri) (*claros*)

» **lisci** (*li*-chi) (*lisos*)

» **ondulati** (on-du-*la*-ti) (*ondulados*)

» **ricci** (*ri*-tchi) (*cacheados*)

» **corti** (*kor*-ti) (*curtos*)

» **lunghi** (*lun*-gui) (*longos*)

Aveva gli occhi... (a-*ve*-va lhi *o*-ki) (*Tinha olhos...*)

» **azzurri** (a-*dzu*-ri) (*azuis*)

» **grigi** (*gri*-dji) (*cinzentos*)

» **marroni** (ma-*ro*-ni) (*castanhos*)

» **neri** (*ne*-ri) (*pretos*)

» **verdi** (*ver*-di) (*verdes*)

Era... (*e*–ra) (*Era...*)

- » **calvo** (*kal*-vo) (*careca*)
- » **rasato** (ra-*za*-to) (*[cabelo] raspado*)

Aveva... (a–*ve*–va) (*Tinha...*)

- » **la barba** (la *bar*-ba) (*barba*)
- » **i baffi** (i *ba*-fi) (*bigode*)
- » **la bocca larga** (la *bo*-ka *lar*-ga) (*boca grande*)
- » **la bocca stretta** (la *bo*-ka *stre*-ta) (*lábios finos*)
- » **la bocca carnosa** (la *bo*-ka kar-*no*-za) (*lábios carnudos*)
- » **il naso lungo** (il *na*-zo *lun*-go) (*nariz comprido*)
- » **il naso corto** (il *na*-zo *kor*-to) (*nariz achatado*)

Resolvendo Problemas Mecânicos

Você não precisa se envolver em um acidente automobilístico para ter problemas com o carro. Talvez algum tipo de problema faça seu carro parar. Nesses casos, será preciso chamar um mecânico para ajudá-lo nessa situação.

Tendo uma Conversa

O carro de Raffaella quebrou. Ela chama **il soccorso stradale** (il so-*kor*-so stra--*da*-le) (*assistência rodoviário*) em seu celular.

Mecânico: **Pronto.**
pron-to
Alô.

Raffaella: **Pronto, ho bisogno d'aiuto!**
pron-to o bi-*zo*-nho da-*iu*-to
Alô, preciso de ajuda!

Mecânico: **Che succede?**
ke su-*tche*-de
O que há?

Raffaella: **Mi si è fermata la macchina.**
mi si *é* fer-*ma*-ta la *ma*-ki-na
Meu carro parou.

Mecânico:	**Dove si trova?**	
	do-ve si *tro*-va	
	Onde se encontra?	

Raffaella:	**Sull'autostrada A1 prima dell'uscita Firenze Nord.**	
	su-*lau*-tos-*tra*-da a *u*-no *pri*-ma de-lu-*chi*-ta fi-*ren*-tze nor	
	Na estrada A1, antes da saída norte de Florença.	

Mecânico:	**Bene. Mando un carro attrezzi.**	
	be-ne *man*-do un *ka*-ro a-*tre*-tzi	
	Certo, vou mandar um guincho.	

Raffaella:	**Ci vorrà molto?**	
	tchi vo-*ra mol*-to	
	Demora muito?	

Mecânico:	**Depende dal traffico. Al massimo mezz'ora.**	
	de-*pen*-de dal *tra*-fi-ko al *ma*-si-mo me-*tzo*-ra	
	Depende do trânsito. No máximo meia hora.	

Raffaella:	**Venite il più presto possibile, per favore!**	
	ve-*ni*-te il piu *pres*-to po-*si*-bi-le per fa-*vo*-re	
	Venham o mais rapidamente possível, por favor!	

Palavras a Saber

fermare	fer-<u>ma</u>-re	parar
macchina [f]	<u>ma</u>-ki-na	carro
il più presto possibile	il pi-u <u>pres</u>-to po-<u>si</u>-bi-le	o mais rápido possível
soccorso stradale [m]	so-<u>kor</u>-so stra-<u>ta</u>-da-le	socorro rodoviário
corsia di emergenza	kor-<u>si</u>-a di e-mer-<u>djen</u>-tza	faixa de emergência
traffico [m]	<u>tra</u>-fi-ko	tráfego
meccanico [m]	me-<u>ka</u>-ni-ko	mecânico
una gomma a terra	<u>u</u>-na <u>go</u>-ma a <u>te</u>-ra	um pneu furado
carro attrezzi [m]	<u>ka</u>-ro a-<u>tre</u>-tzi	guincho

Quando Você Precisa de um Advogado: Protegendo seus Direitos

Muitos momentos desagradáveis na vida requerem a ajuda de uma autoridade. Geralmente essa pessoa é um advogado, que poderá ajudá-lo em situações complicadas. Portanto, é muito importante saber como contatar o profissional. Você pode usar as seguintes sentenças para solicitar ajuda legal em italiano.

» **Mi serve l'aiuto di un avvocato.** (mi *ser*-ve la-*iu*-to di un a-vo-*ka*-to) (*Preciso do auxílio de um advogado.*)

» **Ho bisogno di assistenza legale.** (o bi-*zo*-nho di a-sis-*ten*-tza le-*ga*-le) (*Preciso de assistência legal.*)

» **Vorrei consultare il mio avvocato.** (vo-*rei* kon-sul-*ta*-re il *mi*-o a-vo-*ka*-to) (*Gostaria de consultar meu advogado.*)

» **Chiamate il mio avvocato, per favore.** (kia-*ma*-te il *mi*-o a-vo-*ka*-to per fa-*vo*-re) (*Liguem para meu advogado, por favor.*)

Depois de encontrar um advogado, você pode conversar com ele a respeito da sua situação. Aqui estão alguns exemplos:

» **Sono stato truffato.** (*so*-no *sta*-to tru-*fa*-to) (*Fui vítima de um golpe.*)

» **Voglio denunciare un furto.** (*vo*-lhio de-nun-*tcha*-re un *fur*-to) (*Quero denunciar um roubo.*)

» **Devo stipulare un contratto.** (*de*-vo sti-pu-*la*-re un kon-*tra*-to) (*Preciso fazer um contrato.*)

» **Ho avuto un incidente stradale.** (o a-*vu*-to un in-tchi-*den*-te stra-*da*-le) (*Tive um acidente de trânsito.*)

» **Voglio che mi vengano risarciti i danni.** (*vo*-lhio ke mi *ven*-ga-no ri-sar-*tchi*-ti i *da*-ni) (*Quero ser ressarcido pelos danos.*)

» **Sono stato arrestato/a.** (*so*-no *sta*-to a-res-*ta*-to/a) (*Fui preso.*)

Palavras a Saber

danno [m]	da-no	dano
denunciare	de-nun-tchi-a-re	denunciar/relatar
denuncia [f]	de-nun-tchi-a	relato/denúncia
		boletim de ocorrência
incidente stradale [m]	in-tchi-den-te stra-da-le	acidente de trânsito
macchina [f]	ma-ki-na	carro
targa [f]	tar-ga	placa de carro
patente [f]	pa-ten-te	habilitação
libretto [m]	li-bre-to	documento do carro
assicurazione [f]	a-si-ku-ra-tzi-o-ne	seguro

Informando o Roubo ou a Perda do Passaporte

Imagine que seu passaporte é roubado ou você o perca durante um cochilo no trem. Essas coisas acontecem! A conversa a seguir ajuda você a conseguir um novo documento.

Tendo uma Conversa

Quando Diane desce do trem em Florença, percebe que não está com seu passaporte. Ela vai imediatamente a uma delegacia de políca.

Diane: **Ho perso il passaporto! Non so cosa fare!**
o *per*-so il pa-sa-*por*-to non so *ko*-za *fa*-re
Perdi meu passaporte, não sei o que fazer!

Policial: **Sa dirmi dove, come, quando?**
sa *dir*-mi *do*-ve *ko*-me *kuan*-do
Sabe me dizer onde, como e quando?

Diane:	**Penso di averlo perso in treno.**
	pen-so di a-*ver*-lo *per*-so in *tre*-no
	Acho que perdi no trem.

Policial:	**Ora facciamo la denuncia.**
	o-ra fa-*tcha*-mo la de-nun-*tcha*
	Vamos fazer um boletim de ocorrência.

Con questa denuncia, deve rivolgersi alla sua ambasciata o consolato.
kon *kues*-ta de-nun-*tcha* de-ve ri-*vol*-djer-si *a*-la *su*-a am-ba-*cha*-ta o kon-so-*la*-to
Com o boletim de ocorrência, você deve se dirigir até sua Embaixada ou Consulado.

Diane:	**Grazie.**
	gra-tzie
	Obrigada.

(na Embaixada ou Consulado)

Agente do Consulado:	**Dica?**
	di-ka
	Como posso ajudar?

Diane: (nervosa)	**Mi serve un nuovo passaporto! Subito!**
	mi *ser*-ve un *nuo*-vo pa-sa-*por*-to *su*-bi-to
	Preciso de um novo passaporte imediatamente!

Agente do Consulado:	**Si calmi. Necessitano due foto tessera...**
	si *kal*-mi. Ne-*tche*-si-ta-no *du*-e *fo*-to *te*-se-ra
	Acalme-se. Precisamos de duas fotos três por quatro . . .

La denuncia della polizia, una copia del passaporto originale...
la de-*nun*-tcha de-la po-li-*tzi*-a *u*-na *ko*-pi-a del pa-sa-*por*-to o-ri-dji-*na*-le...
O boletim de ocorrência, uma cópia do passaporte original (seu hotel deve ter uma cópia)...

... e un altro documento.
e un *al*-tro do-ku-*men*-to
... e outra forma de identidade.

Diversão & Jogos

Veja quantas partes do corpo você consegue lembrar, identificando cada uma, como mostrado na figura. Confira as respostas no Apêndice D.

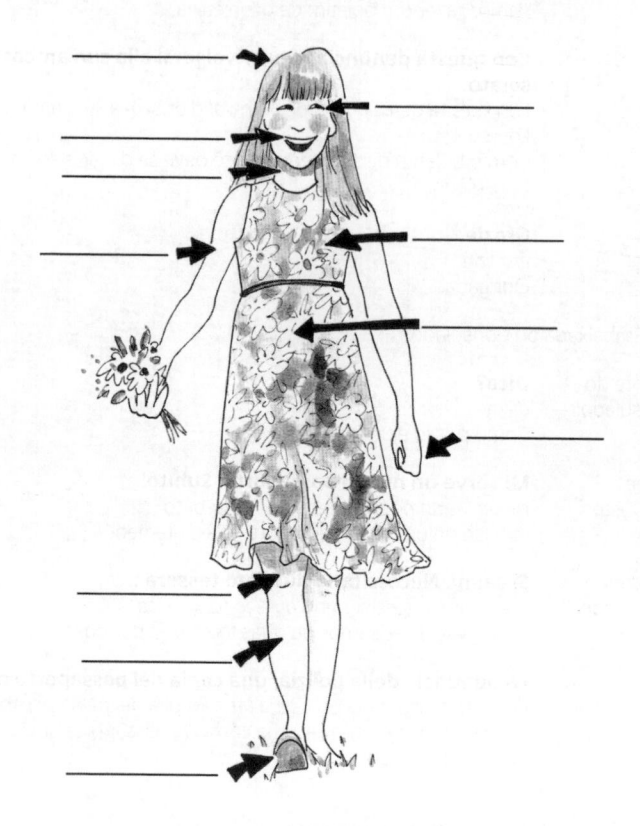

Capítulo 17

Batendo Papo

E ste capítulo apresenta alguns elementos básicos essenciais que foram explicados brevemente ao longo do livro, mas que merecem um espaço só para eles. Neste ponto, você já deve construir perguntas, mas aqui você encontra tudo de que precisa para uma rápida revisão e referência. No final deste capítulo, damos um curso expresso sobre verbos reflexivos, com alguns dos mais comuns e sobre os quais ainda não falamos.

Descobrindo Pronomes Interrogativos

Em italiano, assim como em português, as perguntas têm a mesma estrutura das afirmações. As perguntas são identificadas apenas pela entonação na linguagem oral e pelo uso de um ponto de interrogação na linguagem escrita. Por exemplo:

Luca va a scuola.

lu-ka va a sku-*o*-la

Luca vai à escola.

Mangi la carne.

man-dji la *kar*-ne

Você come carne.

Luca va a scuola?

lu-ka va a sku-*o*-la

Luca vai à escola?

Mangi la carne?

man-dji la *kar*-ne

Você come carne?

O italiano também contém pronomes interrogativos (quando, onde, o que, etc.) com os quais se iniciam as perguntas.

» **Chi?** (ki) (*Quem?*)

» **Che?** (ke) (*O quê?*)

» **Cosa?** (*ko*-za) (*O quê?*)

» **Quando?** (*kuan*-do) (*Quando?*)

» **Quanto?** (*kuan*-to) (*Quanto?*)

» **Quanti/e?** (*kuan*-ti/te) (*Quantos/as?*)

» **Quale/i?** (*kua*-le/i) (*Qual/is?*) (singular/plural)

» **Dove?** (*do*-ve) (*Onde?*)

» **Perché?** (per-*ke*) (*Por quê?*)

» **Come?** (*ko*-me) (*Como?*)

Che, **cosa** e **che cosa** são usados de modo intercambiável.

Alguns exemplos de perguntas usando esses pronomes interrogativos:

» **Chi è?** (ki *é*) (*Quem é?*)

» **Cosa stai facendo?** (*ko*-za stai fa-*tchen*-do) (*O que você está fazendo?*)

» **Quando arrivi?** (*kuan*-do a-*ri*-vi) (*Quando você chega?*)

- » **Dov'è la stazione?** (do-*vé* la sta-tzi-o-ne) (*Onde fica a estação?*)

- » **Perché non sei venuto?** (per-*ke* non sei ve-*nu*-to) (*Por que você não veio?*)

- » **Come stai?** (*ko*-me stai) (*Como vai?*)

- » **Come si dice "chuva" in italiano?** (*ko*-me si *di*-tche ... in i-ta-li-*a*-no) (*Como se diz "chuva" em italiano?*)

Fazendo perguntas simples

Ao perguntar usando um pronome interrogativo, não é preciso usá-lo na resposta. Por exemplo:

Dov'è la Cappella Sistina? (do-*vé* la ka-*pe*-la sis-*ti*-na) (*Onde fica a Capela Sistina?*)

La Cappella Sistina è a Roma. (la ka-*pe*-la sis-*ti*-na é a *ro*-ma) (*A Capela Sistina fica em Roma.*)

Quante regioni ci sono in Italia? (*kuan*-te re-*djio*-ni tchi *so*-no in i-*ta*-li-a) (*Quantas regiões existem na Itália?*)

Ci sono 20 regioni. (tchi *so*-no *ven*-ti re-*djio*-ni) (*Existem 20 regiões.*)

DICA

Os pronomes interrogativos **dove** (*do*-ve) e **come** (*ko*-me) podem ser contraídos com o verbo **essere** (*e*-se-re) (*ser/estar*) na terceira pessoa do singular. Note que a pronúncia e a sílaba tônica também mudam. Observe os seguintes pronomes interrogativos com verbos na terceira pessoa do singular e do plural.

Dov'è Mario. (do-*vé* ma-ri-o) (*Onde está o Mario?*)

Dove sono i ragazzi? (*do*-ve *so*-no i ra-*ga*-tzi) (*Onde estão os rapazes?*)

Com'è quel ristorante? (ko-*mé* ku-el ris-to-*ran*-te) (*Como é aquele restaurante?*)

Come sono gli gnocchi? (*ko*-me *so*-no lhi *nho*-ki) (*Como está o gnocchi?*)

DICA

Use **quale** (*kua*-le) no singular e **quali** (*kua*-li) no plural, mas **qual è** (kua-*lé*) quando combinado com a terceira pessoa do singular de **essere**.

Quale (*kua*-le): **Quale film vuoi vedere?** (*kua*-le film vuoi ve-*de*-re) (*Qual filme você quer ver?*)

Qual è (kua-*lé*): **Qual è il mare più profondo in Italia?** (kua-*lé* il ma-re piu pro-*fon*-do in i-*ta*-li-a) (*Qual é o mar mais profundo da Itália?*)

Quali amici hai invitato? (*kua*-li a-*mi*-tchi ai in-*vi*-ta-to) (*Quais amigos você convidou?*)

C'È E CI SONO

Embora aparentemente insignificantes, é impossível se virar na Itália sem esses termos essenciais: **c'è** (*tché*) (*tem/há/existe*) e **ci sono** (*tchi so-*no) (*tem/há/existem*), muito úteis para perguntar e responder. Apenas lembre-se de que ambos têm o som de "tch"!

Cosa c'è nel frigo? (*ko-*za *tché* nel *fri-*go) (*O que há na geladeira?*)

C'è un esame domani? (*tché* un e-*za-*me do-*ma-*ni) (*Há uma prova amanhã?*)

Si, c'è italiano. (si *tché* i-ta-li-*a-*no) (*Sim, há a de italiano.*)

Ci sono ancora dei ravioli? (tchi *so-*no an-*ko-*ra dei ra-vi-o-li) (*Ainda tem ravióli?*)

Si, ci sono. (si tchi *so-*no) (*Sim, tem.*)

Cuidando das necessidades básicas

Às vezes precisamos perguntar uma coisa muito simples, mas extremamente necessária. Veja a seguir algumas frases que podem ajudá-lo:

Scusi, dov'è il bagno per favore? (*sku-*zi do-*vé* il *ba-*nho per fa-*vo-*re) (*Com licença, onde fica o banheiro, por favor?*). Algumas pessoas são mais refinadas e perguntam onde é **la toilette** com um sotaque francês; entretanto **bagno** atende muito bem às suas necessidades (sem duplo sentido!).

Scusi, dov'è la farmacia più vicina? (*sku-*zi do-*vé* la far-ma-*tchi-*a piu vi-*tchi-*na) (*Com licença, onde fica a farmácia mais próxima?*)

Scusi, dov'è una banca? (*sku-*zi do-*vé* u-na *ban-*ka) (*Com licença, onde fica o banco?*)

Ho bisogno di/Mi serve (singular)/**Mi servono** (plural) (o bi-*zo-*nho di/mi *ser-*ve/mi *ser-*vo-no) (*preciso*)

   un parucchiere (un pa-ru-*kie-*re) (*um cabeleireiro*)

   un'estetista (per fare la ceretta) (u-nes-te-*tis-*ta per *fa-*re la tche-*re-*ta) (*uma esteticista para depilação*)

Sto cercando (sto tcher-*kan-*do) (*Estou procurando*)

   il dentifricio (il den-ti-*fri-*tcho) (*pasta de dente*)

   la crema solare (la *kre-*ma so-*la-*re) (*o protetor solar*)

i tamponi (i tam-*po*-ni) (*absorvente interno*)

la carta igienica (la *kar*-ta i-*djie*-ni-ka) (*papel higiênico*)

qualcosa per le zanzare (kual-*ko*-za per le dzan-*dza*-re) (*algo para pernilongos*)

qualcosa per mal di testa (kual-*ko*-za per mal di *tes*-ta) (*algo para dor de cabeça*)

Vorrei (vo-*rei*) (*Gostaria de*)

Mi può/potrebbe consigliare...? (mi puo/po-*tre*-be kon-si-*lhia*-re) (*Poderia me recomendar...?*)

Può ripetere lentamente, per favore? (puo ri-*pe*-te-re len-ta-*men*-te per fa-*vo*-re) (*Poderia repetir devagar, por favor?*)

Non capisco. (non ka-*pis*-ko) (*Não entendo.*)

Non lo so. (non lo so) (*Não sei.*)

Tendo uma Conversa

Massimo e Isa, dois colegas de trabalho, estão se conhecendo melhor enquanto tomam um cappuccino pela manhã e, é claro, precisam usar muitos pronomes interrogativos recordados neste capítulo. (Faixa 36)

Massimo: **Cosa prendi?**
ko-za *pren*-di
O que você pediu?

Isa: **Un cappuccio e una pasta.**
un ka-pu-*tchi*-no e *u*-na *pas*-ta
Um cappuccino e um doce.

Massimo: **Quando hai cominciato il lavoro qui?**
kuan-do ai ko-min-*tcha*-to il la-*vo*-ro ku-*i*
Quando você começou a trabalhar aqui?

Isa: **Due mesi fa.**
du-e *me*-zi fa
Faz dois meses.

Massimo: **Dov'eri prima?**
do-*ve*-ri *pri*-ma
Onde estava antes?

Isa: **Lavoravo per la succursale veneta.**
la-vo-*ra*-vo per la su-kur-*sa*-le *ve*-ne-ta
Eu trabalhava para a filial da região de Veneto.

Massimo:	**Come ti trovi?** *ko*-me ti *tro*-vi Como está se saindo?
Isa:	**Mi piace abbastanza.** mi *pia*-tche a-bas-*tan*-tza Estou gostando bastante.
	E tu, da quanto tempo lavori per la compagnia? e tu da *kuan*-to *tem*-po la-*vo*-ri per la kom-pa-*nhi*-a E você, há quanto tempo trabalha para a empresa?
Massimo:	**Da sei anni.** da sei *a*-ni Há seis anos.
	Da quando mi sono laureato. da *kuan*-do mi *so*-no lau-re-*a*-to Desde que me formei.
	Da quale università ti sei laureata? da *kua*-le u-ni-ver-si-*ta* ti sei lau-re-*a*-ta Em que universidade você se formou?
Isa:	**Dall'Università di Urbino. E tu?** da-lu-ni-ver-si-*ta* di ur-*bi*-no e tu Na Universidade de Urbino. E você?
Massimo:	**Bologna.** bo-*lo*-nha Bolonha.
Isa:	**Vuoi tornare a Bologna?** vuoi tor-*na*-re a bo-*lo*-nha Você quer voltar a Bolonha?
Massimo:	**Non lo so.** non lo so Não sei.
	Sì, un giorno vorrei tornarci. si un *djior*-no vo-*rei* tor-*nar*-tchi Sim, algum dia gostaria de voltar lá.

FALANDO DE GRAMÁTICA

Pronto (*pron*-to) significa mais do que apenas "alô" quando você atende o telefone. Ele pode significar "pronto", funcionando como adjetivo e, portanto, muda de acordo com o substantivo que descreve. Em outras palavras, quando o substantivo que ele modifica é masculino, o adjetivo termina em **–o** — **pronto**. Se o substantivo é feminino, ele termina em **–a** — **pronta** (*pron*-ta). Ao modificar substantivos no plural, ele termina em **–i** (i) (masculino plural) e **–e** (e) (feminino plural). Considere estes exemplos:

> » **Ragazzi, siete pronti?** (ra-*ga*-tzi si-e-te *pron*-ti) (*Rapazes/garotos, vocês estão prontos?*)
>
> » **La cena è pronta.** (la *tche*-na é *pron*-ta) (*O jantar está pronto.*)

Outro uso de **pronto**, com o qual você já deve estar familiarizado, é **pronto soccorso** (*pron*-to so-*kor*-so) (*pronto-socorro*). Neste contexto, **pronto** significa "rápido", assim como em português.

Presto (*pres*-to), por outro lado, significa "breve" ou "cedo" e, por ser um advérbio, é invariável (terminando sempre em **-o**): **Siamo arrivati presto.** (si-*a*-mo a-ri-*va*-ti *pres*-to) (*Chegamos cedo.*)

Palavras a Saber

consigliare	kon-si-lhi-_a_-re	recomendar
pronto	_pron_-to	pronto, alô (telefone)
presto	_pres_-to	cedo, breve
non lo so	non lo so	Não sei
da quanto tempo?	da ku-_an_-to _tem_-po	Quanto tempo?
gemello/a	dje-_me_-lo/la	gêmeo/a
ditta	_di_-ta	empresa, companhia
come ti trovi	_ko_-me ti _tro_-vi	Você gosta...? (usada apenas em algumas situações, em um emprego ou uma nova cidade)
abbastanza	a-bas-_tan_-tza	bastante, suficiente
il bagno	il _ba_-nho	banheiro
partita	par-_ti_-ta	partida (jogo)
vorrei	vo-_rei_	gostaria

Contando sobre Você e Sua Família — Pronomes Possessivos (Parte 2)

Você já aprendeu como os pronomes possessivos funcionam no Capítulo 15, mas a história não acaba lá.

Há algumas regras específicas para os pronomes possessivos com membros da família. No singular, não se usa artigo, mas no plural, sim:

Mia sorella (sem artigo definido) (*mi*–a so–*re*–la) (*minha irmã*)

Le mie sorelle (com artigo definido) (le *mi*–e so–*re*–le (*minhas irmãs*)

A Tabela 17-1 mostra outros parentescos.

TABELA 17-1   **Parentescos**

Parentesco	Pronúncia	Definição
marito	ma-*ri*-to	*marido*
moglie	*mo*-lhie	*mulher/esposa*
figlio	*fi*-lhio	*filho*
figlia	*fi*-lhia	*filha*
figli	*fi*-lhi	*filhos/as*
nipote	ni-*po*-te	*sobrinha/o, neta/o*
nipoti	ni-*po*-ti	*sobrinhos/as, netas/os*
suocera	*suo*-tche-ra	*sogra*
nuora	*nuo*-ra	*nora*
genero	*dje*-ne-ro	*genro*
zia	*dzi*-a	*tio*
zio	*dzi*-o	*tia*
cugina/o/e/i	ku-*dji*-na/o/e/i	*prima/o/os*
nonna/o/i	*no*-na/no/i	*avó/avô/avós/avôs*
madre	*ma*-dre	*mãe*
padre	*pa*-dre	*pai*
genitori	dje-ni-*to*-ri	*pais (pai e mãe)*

Tendo uma Conversa

Teresa e Amy são duas amigas de longa data que estão conversando sobre suas famílias depois de 15 anos sem se falar. Observe que elas usam artigos definidos antes de membros da família no plural, mas não no singular.

Teresa: **Ciao, Amy. Sono Teresa.**
tcha-o *ei*-mi *so*-no te-*re*-za
Oi, Amy. Sou eu, Teresa.

Amy: **Da quanto tempo non ti sento!**
da *kuan*-to *tem*-po non ti *sen*-to
Há quanto tempo!

Teresa: **Come stai?**
ko-me stai
Como vai?

Amy: **Sto bene!**
sto *be*-ne
Estou bem!

Raccontami di te!
ra-*kon*-ta-mi di te
Me conta de você!

Teresa: **Mi sono sposata undici anni fa.**
mi *so*-no spo-*za*-ta *un*-di-tchi *a*-ni fa
Me casei há 11 anos.

Ho due figli.
o *du*-e *fi*-lhi
Tenho dois filhos.

Abito a Ravenna.
a-bi-to a ra-*ve*-na
Moro em Ravenna.

Amy: **Quanti anni hanno i tuoi figli?**
kuan-ti *a*-ni *a*-no i tuoi *fi*-lhi
Quantos anos têm seus filhos?

Teresa: **Mia figlia Emilia Rosa ha dieci anni.**
mi-a *fi*-lhia e-*mi*-lia *ro*-za a *die*-tchi *a*-ni
Minha filha Emilia Rosa tem 10 anos.

E mio figlio Pietro ne ha otto.
e *mi*-o *fi*-lhio pi-e-tro ne a *o*-to
E meu filho Pietro tem 8.

Come sta la tua famiglia?
ko-me sta la *tu*-a fa-*mi*-lhia
Como vai a sua família?

Amy:	**Mio marito Sandro è sempre in giro per il mondo.**
	mi-o ma-*ri*-to *san*-dro é *sem*-pre in *dji*-ro per il *mon*-do
	Meu marido Sandro está sempre viajando pelo mundo.

Mia figlia Tania adesso ha diciotto anni e frequenta l'università
mi-a *fi*-lhia *ta*-ni-a a-*de*-so a di-*tcho*-to *a*-ni e fre-*kuen*-ta lu-ni-ver-si-*ta*
Minha filha Tania tem 18 anos e frequenta a universidade.

E mio figlio Luca ne ha ventidue.
e *mi*-o *fi*-lhio *lu*-ka ne a *ven*-ti-*du*-e
E meu filho Luca tem 22.

Teresa:	**Come passano gli anni.**
	ko-me *pa*-sa-no lhi *a*-ni
	Como os anos passam!

Amy:	**Eh si. Come stanno i tuoi genitori?**
	e si *ko*-me *sta*-no i tuoi dje-ni-*to*-ri
	É verdade. Como estão seus pais?

Teresa:	**Stanno bene grazie.**
	sta-no *be*-ne *gra*-tzie
	Estão bem, obrigada.

Mio padre è in pensione finalmente.
mi-o *pa*-dre é in pen-si-o-ne fi-nal-*men*-te
Meu pai finalmente se aposentou.

E tua sorella? Dove abita?
e *tu*-a so-*re*-la *do*-ve *a*-bi-ta
E sua irmã? Onde ela mora?

Amy:	**Mia sorella sta benone.**
	mi-a so-*re*-la sta be-*no*-ne
	Minha irmã está muito bem.

Fa l'oculista nello studio di mio padre.
fa lo-ku-*lis*-ta *ne*-lo *stu*-di-o di *mi*-o *pa*-dre
Ela é oculista no consultório de meu pai.

Abita vicino a me.
a-bi-ta vi-*tchi*-no a me
Ela mora perto de mim.

Teresa:	**Allora, quando possiamo vederci?**
	a-*lo*-ra *kuan*-do po-*sia*-mo ve-*der*-tchi
	Então, quando podemos nos ver?

Amy:	**Molto presto, spero.**
	mol-to *pres*-to *spe*-ro
	Muito em breve, espero.

Falando de Modo Reflexivo

Quando dizemos "divirta-se", estamos usando um verbo reflexivo. Isto é, a ação volta para o sujeito que a pratica. O mesmo acontece em italiano. Mas nem todos os verbos reflexivos em italiano são reflexivos em português, e vice--versa. Alguns, como **svegliarsi** (sve-*lhiar*-si) (*acordar*), não são reflexivos em português, mas sim em italiano.

Em italiano, dá para saber se um verbo é reflexivo olhando sua forma infinitiva. Se a última sílaba do infinitivo for **-si** (si), que é o mesmo que "-se" em português, o verbo é reflexivo. Ao conjugá-los, deve-se remover a última sílaba **-si** e substituí-la por um pronome reflexivo na frente do verbo (na maioria dos casos). Depois, basta conjugá-lo conforme a terminação **-are**, **-ere** ou **-ire** (veja o Capítulo 2 e o Apêndice A).

A conjugação do verbo **vestirsi** (ves-*tir*-si) (*vestir-se*) a seguir segue o padrão regular. Ao cortar a sílaba **-si** do verbo **divertirsi** (di-ver-*tir*-si) (*divertir-se*), este fica igual ao verbo **divertire** e é, portanto, conjugado como o verbo **partire** (par-*ti*-re) (*partir*). A única diferença é o acréscimo do pronome reflexivo, que se refere à pessoa (sujeito). Repita esses pronomes algumas vezes, como um mantra, até que consiga decorá-los (**mi**, **ti**, **si**, **ci**, **vi**, **si**).

Conjugação	Pronúncia	Tradução
mi vesto	mi *ves*-to	*me visto*
ti vesti	ti *ves*-ti	*ti veste/se veste*
si veste	si *ves*-te	*se veste*
ci vestiamo	tchi ves-*tia*-mo	*nos vestimos*
vi vestite	vi ves-*ti*-te	*se vestem*
si vestono	si *ves*-to-no	*se vestem*

Veja mais alguns exemplos:

» **Mi diverto molto.** (mi di-*ver*-to *mol*-to) (*Me divirto muito.*)

» **Vi annoiate in campagna?** (vi a-noi-*a*-te in kam-*pa*-nha) (*Você se sentiu entediado no campo?*)

» **A che ora ti svegli?** (a ke *o*-ra ti sve-lhi) (*A que horas você acorda?*)

A Tabela 17-2 mostra uma lista com os verbos reflexivos mais usados no dia a dia.

TABELA 17-2 Verbos Reflexivos

Verbo	Pronúncia	Significado
accomodarsi	a-ko-mo-*dar*-si	acomodar-se
alzarsi	al-*dzar*-si	levantar-se
arrabbiarsi	a-ra-bi-*ar*-si	irritar-se
innamorarsi	i-na-mo-*rar*-si	apaixonar-se
farsi la barba	*far*-si la *bar*-ba	barbear-se
fermarsi	fer-*mar*-si	parar
laurearsi	lau-re-*ar*-si	graduar-se/formar-se
lavarsi	la-*var*-si	lavar-se
mettersi	me-*ter*-si	colocar (luvas, óculos)
pettinarsi	pe-ti-*nar*-si	pentear-se
sedersi	se-*der*-si	sentar-se
svegliarsi	sve-*lhiar*-si	acordar
trasferirsi	tras-fe-*rir*-si	transferir-se (de cidade)
vestirsi	ves-*tir*-si	vestir-se

Conversando sobre trabalho

O trabalho toma grande parte da vida, então é importante saber falar sobre o assunto ao conhecer novas pessoas.

O verbo **lavorare** (la-vo-*ra*-re) (*trabalhar*) é muito útil neste contexto, assim como outros termos essenciais:

Che lavoro fa/fai? (ke la-*vo*-ro fa/fai) (*Qual é seu trabalho?*) (formal/informal)

Che mestiere fa/fai? (ke mes-*tie*-re fa/fai) (*Qual é sua profissão?*) (formal/Informal)

Normalmente, é possível responder a essa pergunta de duas maneiras: observe os verbos e os artigos definidos usados no primeiro exemplo.

Faccio il/la dentista. (*fa*-tcho il/la den-*tis*-ta) (*Sou dentista.*) (m./f.)

Sono dentista. (*so*-no den-*tis*-ta) (*Sou dentista.*)

Falando sobre seu emprego

Em italiano, existem pelo menos três palavras para "empresa" — **la compagnia** (la kom-pa-*nhi*-a), **la ditta** (la *di*-ta) (que também significa "a firma") e **la società** (la so-tche-*ta*). Essas palavras são intercambiáveis.

L'ufficio (lu-*fi*-tcho) quer dizer "escritório". As sentenças a seguir mostra algumas frases que você costuma ouvir em **uffici** (u-*fi*-tchi) (*escritórios*):

» **È una grande società?** (é u-na *gran*-de so-tche-*ta*) (*É uma grande empresa?*)

Non proprio, diciamo media. (non *pro*-pri-o di-*tcha*-mo *me*-di-a (*Na verdade não, digamos de médio porte.*)

» **Lavoro per una piccola agenzia.** (la-*vo*-ro per *u*-na *pi*-ko-la a-djen-*dzi*-a) (*Trabalho para uma empresa pequena.*)

» **Mi piace il mio lavoro.** (mi *pia*-tche il *mi*-o la-*vo*-ro) (*Eu gosto do meu emprego.*)

A Tabela 17-3 lista algumas profissões e carreiras.

TABELA 17-3 **Profissões/Empregos**

Profissão	Pronúncia	Significado
agronomo	a-*gro*-no-mo	*agrônomo*
archeologo	ar-ke-o-lo-go	*arqueólogo*
architetto	ar-ki-*te*-to	*arquiteto*
avvocato	a-vo-*ka*-to	*advogado*
bracciante	bra-*tchan*-te	*fazendeiro*
chirurgo	ki-*rur*-go	*cirurgião*
commesso	ko-*me*-so	*comerciante*
dentista	den-*tis*-ta	*dentista*

(continua)

Profissão	Pronúncia	Significado
falegname	fa-le-*nha*-me	*carpinteiro*
giornalista	djior-na-*lis*-ta	*jornalista*
impiegato	im-pie-*ga*-to	*funcionário/empregado*
ingengnere	in-dje-*nhe*-re	*engenheiro*
insegnante	in-se-*nhan*-te	*professor*
meccanico	me-*ka*-ni-ko	*mecânico*
medico	*me*-di-ko	*médico*
operaio	o-pe-*rai*-o	*operário*
pasticciere	pas-ti-*tche*-re	*padeiro*
psicologo	psi-*ko*-lo-go	*psicólogo*
professore	pro-fe-*so*-re	*professor (ensino médio e universitário)*
segretaria	se-gre-*ta*-ri-a	*secretária*
stilista	sti-*lis*-ta	*estilista*

As palavras a seguir podem ser bastante úteis em conversas sobre profissão:

Che lavoro vuoi fare da grande? (ke la-*vo*-ro vuoi *fa*-re da *gran*-de (*O que você quer fazer/ser quando crescer?*)

Cosa vuoi diventare? (*ko*-za vuoi di-ven-*ta*-re) (*O que você quer ser?*)

fabbrica	*fa*-bri-ka	*fábrica*
capo	*ka*-po	*chefe*
padrone	pa-*dro*-ne	*patrão/proprietário*
direttore	di-re-*to*-re	*gerente/ diretor*
sciopero	*cho*-pe-ro	*greve*
stipendio	sti-*pen*-di-o	*salário*

DICA

A palavra **sciopero** (*cho*-pe-ro) (*greve*) é muito importante na Itália, pois os trabalhadores entram em greve a todo momento.

Tendo uma Conversa

A professora Lucia, que dá aula para o ensino médio, está perguntando aos seus jovens alunos italianos o que eles querem ser quando crescerem.

Lucia:	**Ermanna, che lavoro vuoi fare da grande?** er-*ma*-na ke la-*vo*-ro vuoi *fa*-re da *gran*-de Ermanna, o que você quer ser quando crescer?
Ermanna:	**Voglio fare la veterinaria.** *vo*-lhio *fa*-re la ve-te-ri-*na*-ri-a Quero ser veterinária.
Lucia:	**Perché?** per-*ke* Por quê?
Ermanna:	**Perché amo gli animali.** per-*ke* *a*-mo lhi a-ni-*ma*-li Porque eu amo os animais.
Lucia:	**Clara, tu cosa vuoi diventare?** *kla*-ra tu *ko*-za vuoi di-ven-*ta*-re Clara, o que você quer ser?
Clara:	**Voglio fare la scrittrice.** *vo*-lhio *fa*-re la skri-*tri*-tche Eu quero ser escritora.
Lucia:	**So che ti piace scrivere.** so ke ti *pia*-tche skri-*ve*-re Sei que você gosta de escrever. **Riccardo, e tu?** ri-*kar*-do e tu E você, Riccardo?
Riccardo:	**Voglio fare il medico come il mio babbo.** *vo*-lhio *fa*-re il *me*-di-ko *ko*-me il *mi*-o *ba*-bo Quero ser médico como meu pai.
Lucia:	**Emilia, che lavoro ti interessa?** e-*mi*-li-*a* ke la-*vo*-ro ti in-te-*re*-sa Emilia, por qual tipo de trabalho você se interessa?
Emilia:	**Vorrei fare l'insegnante delle elementari.** vo-*rei* *fa*-re lin-se-*nhan*-te *de*-le e-le-men-*ta*-ri Eu gostaria de ser professora de ensino fundamental.
Lucia:	**Bravi, ragazzi!** *bra*-vi ra-*ga*-tzi Muito bem, crianças!

DICA

Há uma exceção à regra sobre membros da família no singular. Enquanto a maioria não usa artigo definido (**mia madre** e **mio padre**) (*mi*-a *ma*-dre e *mi*-o *pa*-dre), algumas expressões de carinho o fazem, como **la mia mamma** (la *mi*-a *ma*-ma) (*mamãe*) e **il mio babbo/il mio papà** (il *mi*-o *ba*-bo/il *mi*-o pa-*pa*) (*papai*).

Palavras a Saber

lavoro	la-<u>vo</u>-ro	trabalho/profissão
insegnante	in-se-<u>nhan</u>-te	professor
babbo	<u>ba</u>-bo	papai
medico	<u>me</u>-di-ko	médico
direttore	di-re-<u>to</u>-re	diretor, gerente
fabbrica	<u>fa</u>-bri-ka	fábrica
sciopero	chi-<u>o</u>-pe-ro	greve
stipendio	sti-<u>pen</u>-di-o	salário
ti interessa	ti in-te-<u>re</u>-sa	se interessa
mi interessa	mi in-te-<u>re</u>-sa	me interesso
tasse	<u>ta</u>-se	taxas/mensalidade

Jogos & Diversão

A seguir temos dez questões de preencher a lacuna. Escolha palavras e termos da árvore genealógica para completar cada uma das frases. Você pode precisar do plural de alguns pronomes possessivos e parentescos. Veja o Apêndice D para as respostas.

1. I miei genitori sono _____ e _____.

2. Il figlio di mia madre è _____.

3. I figli di mio fratello sono _____.

4. La madre della mia mamma è _____.

5. La sorella di mia madre è_____.

6. Il marito di mia sorella è _____.

7. La moglie di mio figlio è _____.

8. La sorella di mio figlio è _____.

9. I figli di mia zia sono _____.

10. La mamma di mio marito è _____.

4

A Parte
dos Dez

Estes capítulos ajudam a dar aquele polimento aos fundamentos do livro. Mostramos dez maneiras para aprender italiano rapidamente, desde ler rótulos de alimentos até cantarolar sua canção italiana favorita. E mais: dez coisas que nunca se deve dizer em italiano e dez frases que farão as outras pessoas pensarem que você é um italiano. Estes capítulos podem ser curtinhos, mas têm um valor inestimável!

Capítulo 18

Dez Formas de Aprender Italiano Rapidamente

Claro, você já escolheu uma das formas mais rápidas para aprender italiano: escolheu este livro! Para outros bocadinhos de italiano, saboreie uma ou todas as sugestões deste capítulo. E, acima de tudo, pratique, pratique, pratique!

Leia Rótulos de Alimentos em Italiano

Hoje em dia é fácil encontrar alimentos originários da Itália. Ao comprar produtos italianos, leia o rótulo original antes de se desfazer do pacote. Às vezes há a tradução para o português. Em algumas semanas você não vai mais precisar ler a tradução!

Peça Comida em Italiano

Se for a um restaurante italiano ou a uma pizzaria, não tenha vergonha! Peça seus pratos favoritos dizendo os nomes originais e pronunciando corretamente. Não esqueça que **bruschetta** pronuncia-se brus-*ke*-ta, com som de **k**, assim como **porchetta** (por-*ke*-ta)!

Ouça Músicas Italianas

É muito fácil aprender as palavras e as pronúncias apenas ouvindo música italiana e cantando junto com **la canzone** (la kan-*tzo*-ne) (*a canção*). Na internet, você pode assistir a uma enorme quantidade de cantores italianos (especialmente no YouTube). É fácil encontrar as letras das músicas, seja buscando no Google ou acrescentando a palavra "karaoke" no YouTube. Coloque a maior quantidade possível de músicas em seu iPod, e ouça (e cante) sempre que puder!

Leia Publicações Italianas

Pode ser frustrante tentar ler um jornal em uma língua estrangeira! Não se preocupe: os especialistas dizem que a linguagem jornalística é bem complicada. Os artigos de cultura, fofoca, crime e clima são, sem dúvida, os mais fáceis de entender, e muitos jornais online também oferecem pequenos vídeos. Há diversas publicações italianas na web. Aliás, os italianos chamam o jornal de **il giornale** (il djior-*na*-le).

Assista a Filmes Italianos

Você gosta de cinema, certo? Ver um filme falado no idioma original é uma forma agradável de aprender palavras, expressões e nomes, e você poderá até descobrir algo sobre o país onde a história se passa. Você pode encontrar vários filmes italianos com legendas em português, desde o clássico **neorealismo** (ne-o-re-a-*lis*-mo) (*neorrealismo*) até os lançamentos mais recentes. É possível achar antigos desenhos famosos dublados em italiano. Não vai nem precisar de legenda!

Ouça Programas de Rádio e Assista à TV Italiana

Muitos países têm programas de rádio em italiano (especialmente notícias). Encontre-os e ouça sempre que puder. Você conseguirá entender o essencial do que está sendo noticiado, pois os narradores costumam falar de modo bastante articulado e pausado, e você verá o noticiário local, mas talvez com perspectivas diferentes. É facil aprender palavras sem muito esforço.

Com um bom acesso à internet, é possível ouvir estações diretamente da Itália. Comece com estas:

www.international.rai.it

http://italiansinfonia.com/stations.htm

Escute Gravações em Língua Italiana

Você pode ouvir gravações em italiano — ou os áudios que acompanham este livro — em quase todos os momentos: durante sua corrida matinal, ao limpar a casa, ao cozinhar ou quando preferir. E, por favor, não se esqueça de *repetir em voz alta tudo* que ouvir.

Compartilhe seu Interesse

Consideramos esta dica válida ao aprender *qualquer* idioma: é muito mais agradável (e mais fácil!) ter companhia ao ampliar seu conhecimento de italiano. Isso será útil não apenas porque a língua é primeiramente uma forma de se comunicar com os demais, mas também porque a diversão é um elemento vital em todo o processo de aprendizagem. Escreva um anúncio, deixe-o na biblioteca ou na livraria da sua cidade e crie um grupo de conversação ou de leitura — muitas portas podem se abrir para você!

Navegue na Internet

Nada é mais fácil do que procurar informações na internet. Se quiser saber mais sobre a Itália, digite **Italia** (i-*ta*-li-a) (*Itália*) ou o nome de uma cidade ou monumento italiano famoso, como **Venezia** (ve-*ne*-tzi-a) (*Veneza*) ou **Colosseo** (ko-lo-*se*-o) (*Coliseu*), apenas para mencionar dois deles. Toda cidade e região tem seu próprio site oficial repleto de informações. O melhor lugar para começar é com o www.google.it, o Google italiano.

Cozinhe!

Um dos melhores sites para começar é o www.oraviaggiando.com. A princípio, você pode achar complicado e se assustar com todo o conteúdo em língua italiana que encontrará na página, mas, com seu conhecimento prévio do idioma, um bom tradutor ou dicionário e a linguagem acessível dos artigos e vídeos que recheiam o site, você usufruirá de todo o seu exclusivo conteúdo sem dor ou espanto.

A página é um guia dos melhores restaurantes italianos, com críticas exclusivas feitas pelos mais renomados chefs da Itália. Lá, você não apenas encontra ótimas dicas de restaurantes para visitar em sua irresistível viagem à Itália, mas também vídeos de culinária, no idioma original, a que você pode assistir quantas vezes quiser enquanto cozinha junto com os chefs.

Capítulo 19

Dez Coisas que Nunca Devem Ser Ditas em Italiano

N ão ache o título deste capítulo muito dramático! Lembre-se de que o aprendizado de um idioma deve sempre ser encarado como algo divertido. Se você não é fluente em italiano, pode acabar dizendo algo errado — o que pode criar uma situação engraçada ou embaraçosa. Não se preocupe: cometer erros não é nenhuma tragédia! Pelo contrário, a maioria dos nativos gosta quando um estrangeiro tenta aprender seu idioma e permite erros, tanto na fala quanto no comportamento. No entanto, daremos alguns conselhos para ajudá-lo a evitar tais situações.

Cuidado com o *Ciao*

LEMBRE-SE

Ciao (*tcha*-o) é uma forma comum de dizer "oi" e "tchau" que mesmo quem não fala italiano fluentemente conhece. No entanto, lembre-se de que os italianos só o usam com as pessoas a quem se dirigem usando o **tu** (*você* informal) — veja no Capítulo 2 uma discussão do uso do **tu**. Muitos estrangeiros usam o formal **Lei** (*lei*) e usam o **ciao**; novamente, esse engano não é nenhuma tragédia, mas, quando estiver se dirigindo a alguém de maneira formal, é mais natural dizer **buongiorno** (buon-*djior*-no) (*bom dia*) ou **arrivederci** (a-ri-ve--*der*-tchi) (*até logo*).

Não Seja Literal

Uma tradução literal do português para o italiano pode não dar certo em alguns casos. Aqui está um exemplo típico: talvez você queira perguntar a seu amigo italiano "Você gosta de São Paulo?". Como já aprendeu bastante, talvez você traduza sua pergunta como **Tu piace São Paulo?** (tu *pia*-tche São Paulo), sabendo que **piace** é o verbo usado para "gostar". Mas esta pergunta não soa bem em italiano. O certo seria **Ti piace São Paulo?** (ti *pia*-tche São Paulo) (*Você gosta de São Paulo?*). Bem fácil, não é?

Cinco "Falsos Amigos" Incômodos

São os famosos falsos cognatos. Essas palavras soam e se parecem com palavras de outro idioma, mas infelizmente não têm o mesmo significado. Um exemplo é a palavra "testa". Em italiano, **testa** (*tes*-ta) significa a cabeça inteira, não apenas a parte acima dos olhos. "Testa" em italiano é **fronte**.

Outro falso cognato é a palavra **palestra** (pa-*les*-tra). Em italiano, não significa uma conferência, uma apresentação formal sobre um assunto. **Palestra** é traduzida como "ginásio", "academia", um local para práticas esportivas.

As surpresas não terminam por aí. Adivinhe o significado da palavra **greve** (*gre*-ve). Em vez de designar a paralisação de uma escola, fábrica etc. até que reivindicações de alunos e funcionários sejam atendidas pela diretoria do estabelecimento, **greve**, em italiano, significa algo opressivo, incômodo. A palavra "greve" em português pode ser traduzida para o italiano por **sciopero** (*cho*-pe-ro).

A palavra "burro" existe em italiano, mas não tem nada a ver com o animal, nem faz qualquer alusão à falta de inteligência. **Burro** quer dizer "manteiga". O adjetivo **vecchio** (m.) (*ve*-kio)/**vecchia** (f.) (*ve*-kia) é traduzido como "velho/a", mas evite usá-lo para se referir a pessoas. Você pode usar **vecchio** para objetos (um carro, um livro), mas, para se referir a uma pessoa, diga **anziano** (m.) (an-t-zi-*a*-no) ou **anziana** (f.) (an-tzi-*a*-na). **Anziano** significa que a pessoa não é mais jovem — sem soar de forma pejorativa.

Etiqueta Gastronômica

Se você estiver tentando se integrar à cultura e aos hábitos locais e parecer um autêntico italiano, não peça um **cappuccino** depois das, digamos, 11h da manhã. **Cappuccino** é uma bebida matinal.

Não peça queijo **parmigiano** para sua **pasta** com peixe, mariscos ou camarão. Misturar queijos com frutos do mar é como comer picles com leite!

E não se surpreenda se não tiver **spaghetti** com almôndegas no menu. É quase certo de que não encontrará — e não peça isso no restaurante!

O Problema com "Brincar"

O verbo "brincar" possui muitas traduções problemáticas. Em português, este verbo pode ter significados diferentes. O mais comum (e o primeiro dado nos dicionários) corresponde ao italiano **giocare** (djio-*ka*-re): "divertir-se" ou "entreter-se".

Mas *não* use **giocare** quando estamos céticos sobre algo. Quando se quer perguntar a alguém se "está brincando", no sentido de não falar a sério, a tradução correta é **scherzare** (sker-*tza*-re). Portanto, a sentença correta é **stai scherzando?** (stai sker-*tzan*-do).

Mais Cuidado com os Falsos Cognatos

As armadilhas dos cognatos podem se transferir para expressões idiomáticas que ficam muito engraçadas ao ouvido de um estrangeiro. Basta pensar na expressão "está chovendo canivetes", que é um dos melhores exemplos de uma expressão que fica engraçada para quem não fala português. Agora saiba que não se diz **Sta piovendo temperini** (sta pio-*ven*-do tem-pe-*ri*-ni), e sim **Piove a catinelle** (*pio*-ve a ka-ti-*ne*-le).

O mesmo acontece na expressão "Vou tomar banho". Em italiano, você "faz" o banho, portanto diz-se **Faccio la doccia** (*fa-tcho* la *do*-tcha).

Capítulo 20

Dez Expressões Favoritas dos Italianos

Seria uma experiência interessante contar quantas vezes um italiano fala algumas das próximas expressões! Todas são bastante típicas e podem ser ouvidas com frequência em situações coloquiais. Então, se você se lembrar de algumas delas e utilizá-las na ocasião adequada, parecerá bem italiano. Lógico, como em todos os idiomas, há expressões que soam estranhas na boca de um estrangeiro, mas as que vamos mostrar podem ser usadas sem preocupação. Considere **mamma mia** e **uffa** exceções, porque são muito espontâneas. Mas o uso de qualquer uma das outras pode fazer você soar como um italiano de verdade.

Mamma mia!

Mamma mia! (*ma*-ma *mi*-a). Não pense que todos os italianos são infantis só porque eles chamam pelas mães o tempo todo! Na verdade, a tradução literal seria algo como "Minha mãe!". Os italianos usam essa expressão para exprimir surpresa, impaciência, felicidade, tristeza, e daí por diante — em geral, uma emoção forte. A tradução figurada é algo como "Minha nossa!".

Che bello!

Che bello! (ke *be*-lo) (*Que adorável!* — literalmente: *que lindo!*). O uso desta frase demonstra entusiasmo por algo.

Uffa!

Uffa! (*u*-fa) é uma forma bastante clara de expressar que se está aborrecido, entediado, irritado ou cansado. Em português, você provavelmente expressaria a mesma coisa dizendo "Afe!".

Che ne so!/Boh!

Quando os italianos querem dizer que não têm ideia acerca de um assunto, eles encolhem os ombros e dizem **Che ne so!** (ke ne so) (*Como vou saber?*) ou **Boh!** (*bo*). São duas expressões bastante comum.

Magari!

Magari! (ma-*ga*-ri): uma única palavra, mas que expressa tanto! Indica um desejo forte ou uma esperança. É uma boa resposta, por exemplo, se alguém pergunta se você gostaria de ganhar na loteria. Uma boa tradução para esta palavra é "Tomara!".

Ti sta bene!

Ti sta bene! (ti sta *be*-ne): é a forma italiana de dizer "Bem feito!". Mas, dependendo do contexto, pode significar "Fica bem em você!".

Non te la prendere!

Se você perceber que uma pessoa está triste, preocupada ou chateada, tente consolá-la dizendo **Non te la prendere!** (non te la *pren*-de-re) (*Não fique assim!*). Às vezes funciona.

Che macello!

Não é muito difícil descobrir a derivação desta frase. A tradução literal de **Che macello!** (ke ma-*tche*-lo) é "Que matadouro!". Os italianos costumam exclamar isso nas situações em que um brasileiro diria "Que bagunça!".

Non mi va!

Non mi va! (non mi va) é uma das primeiras frases que uma criança aprende em italiano. Significa que você não quer fazer algo. A melhor tradução é "Não estou a fim!".

Mi raccomando!

Com **Mi raccomando!** (mi ra-ko-*man*-do) se expressa uma ênfase especial em um pedido — como quem diz "Por favor, eu imploro!". Um exemplo é **Telefonami, mi raccomando!** (te-*le*-fo-na-mi mi ra-ko-*man*-do) (*Não se esqueça de me ligar, por favor!*).

Capítulo 21

Dez Frases para Parecer Italiano

No Capítulo 20, mostramos dez expressões típicas que os italianos adoram falar. Elas podem ajudá-lo a parecer um autêntico italiano. Aqui, apresentamos expressões mais sofisticadas: são expressões idiomáticas legítimas. Elas deixarão os italianos de boca aberta! Divirta-se!

In bocca al lupo!

Seu amigo italiano está enfrentando uma situação complicada e você quer desejar boa sorte. A tradução literal **buona fortuna!** (*buo*-na for-*tu*-na) pode até funcionar, mas a frase que faz você parecer um italiano autêntico é: **In bocca al lupo!** (in *bo*-ka al *lu*-po), que significa, literalmente, "Na boca do lobo!" — a dificuldade que está por vir parece um grande lobo, esperando de boca aberta. Seu amigo provavelmente irá responder **Crepi il lupo!** (*kre*-pi il *lu*-po), ou seja, "Que o lobo morra!".

Acqua in bocca!

Se você quiser compartilhar um segredo, mas não quer que a pessoa conte para ninguém, diga **acqua in bocca!** (*a*-kua in *bo*-ka). Esta expressão significa literalmente "água na boca", mas não no sentido que usamos em português. Se sua boca está cheia d'água, você não consegue falar. É o equivalente em português para "boca de siri" ou "de bico fechado".

Salute!

Se alguém espirrar, diga **salute!** (sa-*lu*-te), que significa "saúde!". Como no português, você deseja que a pessoa se recupere logo. E, da mesma forma, a expressão também pode ser usada ao fazer um brinde.

Macché!

Os italianos adoram falar, ninguém duvida disso. No entanto, existem situações em que eles preferem dizer apenas uma palavra. Um bom exemplo é **macché!** (ma-*ke*). É um modo enfático e determinado de dizer "É claro que não!", "De jeito nenhum!".

Neanche per sogno!

Parecida com a expressão interior, **neanche per sogno** (ne-*an*-ke per *so*-nho) significa literalmente "Nem em sonho". É outra forma de dizer "De jeito nenhum!" ou "Vai sonhando!", como costumamos falar em português.

Peggio per te!

Não é uma frase muito reconfortante. A expressão significa algo como "Azar o seu", "O problema é seu".

Piantala!

Este é um jeito informal de dizer "Pare com isso!" ou "Não enche!". A tradução literal de **piantala** (*pian*-ta-la) é "plante isso!", algo como "Vá plantar batatas!".

Vacci piano!

"Vá devagar!" é a tradução literal dessa expressão. **Vacci piano!** (*va*-tchi *pia*-no) é usada quando alguém está muito acelerado ou muito entusiasmado com alguma coisa. Em português, diríamos "Vá com calma!".

Eccome!

Esta palavra de ênfase resume as seguintes expressões: "Sem sombra de dúvida", "Muito", "Com certeza", "Isso e mais um pouco". Por exemplo, se você perguntar para um amigo se certa pessoa a quem você achou interessante é casada, ele pode responder: **Eccome!**

Lascia perdere!

Digamos que algo está deixando seu amigo italiano muito preocupado. Um rápido **Lascia perdere!** (*la*-cha per-*de*-re) (*Deixa para lá! Esqueça isso!*) ajudará a colocar as coisas sob nova perspectiva. Não conseguiu conquistar a garota que estava paquerando? Seu filho destruiu o carro, mas está são e salvo? **Lascia perdere!**

5
Apêndices

Colocamos o essencial aqui: tabelas de conjugação verbal, um minidicionário italiano-português/português-italiano, instruções de como usar as faixas de áudio, bem como uma lista de todas as faixas contidas nele. E, por último, mas não menos importante, você encontra as respostas para os exercícios das seções "Diversão & Jogos" do final dos capítulos.

Apêndice A
Tabelas de Verbos

Verbos em Italiano

Verbos Regulares Terminados em -are
Por exemplo: parlare (falar);
Particípio passado: parlato (falado) (junto com avere)

	Presente	Passado	Futuro
io (eu)	parlo	ho parlato	parlerò
tu (você)	parli	hai parlato	parlerai
lui/lei/Lei (ele/ela, Sr./Sra.)	parla	ha parlato	parlerà
noi (nós)	parliamo	abbiamo parlato	parleremo
voi (vocês)	parlate	avete parlato	parlerete
loro (eles/elas)	parlano	hanno parlato	parleranno

Outros verbos comuns terminados em **–ARE**: **mangiare** (*comer*), **studiare** (*estudar*), **imparare** (*aprender*), **insegnare** (*ensinar*), **suonare** (*tocar instrumento*), **giocare** (*jogar*), **disegnare** (*desenhar*), **cucinare** (*cozinhar*), **lavorare** (*trabalhar*).

Verbos Regulares Terminados em -ere
Por exemplo: vendere (vender);
Particípio passado: venduto (vendido) (junto com avere)

	Presente	Passado	Futuro
io (eu)	vendo	ho venduto	venderò
tu (você)	vendi	hai venduto	venderai
lui/lei/Lei (ele/ela, Sr./Sra.)	vende	ha venduto	venderà
noi (nós)	vendiamo	abbiamo venduto	venderemo
voi (vocês)	vendete	avete venduto	venderete
loro (eles/elas)	vendono	hanno venduto	venderanno

Outros verbos comuns terminados em **-ERE**: **leggere** (*ler*), **scrivere** (*escrever*), **mettere** (*colocar*), **prendere** (*pegar*), **vivere** (*viver*), **vedere** (*ver*), **chiudere** (*fechar*), **ripetere** (*repetir*). Ao contrário do exemplo, a maioria dos particípios passados são irregulares: **letto**, **scritto**, **messo**, **preso**, **vissuto**, **visto/veduto**, **chiuso**. Apenas **ripetuto** é regular.

Verbos Regulares Terminados em *–ire* *
Por exemplo: partire (*partir*);
Particípio passado: partito (*partido*) (junto com *essere*)

	Presente	Passado	Futuro
io (eu)	parto	sono partito/a	partirò
tu (você)	parti	sei partito/a	partirai
lui/lei/Lei (ele/ela, Sr./Sra.)	parte	è partito/a	partirà
noi (nós)	partiamo	siamo partiti/e	partiremo
voi (vocês)	partite	siete partiti/e	partirete
loro (eles/elas)	partono	sono partiti/e	partiranno

Outros verbos comuns terminados em **-IRE**: **aprire** (*abrir*), **dormire** (*dormir*), **coprire** (*cobrir*), **sentire** (*sentir, ouvir, tocar*). Observe que **aprire** e **coprire** têm particípios passados irregulares (**aperto** e **coperto**).

Observe que os verbos terminados em **-IRE** que levam **ISC** aparecem mais adiante neste Apêndice.

Verbo *avere* (ter)
Particípio passado: avuto (*tido*) (com *avere*)

	Presente	Passado	Futuro
io (eu)	ho	ho avuto	avrò
tu (você)	hai	hai avuto	avrai
lui/lei/Lei (ele/ela, Sr./Sra.)	ha	ha avuto	avrà
noi (nós)	abbiamo	abbiamo avuto	avremo
voi (vocês)	avete	avete avuto	avrete
loro (eles/elas)	hanno	hanno avuto	avranno

Verbo *essere* (ser)
Particípio passado: stato (*estado*) (com *essere*)

	Presente	Passado	Futuro
io (eu)	sono	sono stato/a	sarò
tu (você)	sei	sei stato/a	sarai
lui/lei/Lei (ele/ela, Sr./Sra.)	è	è stato/a	sarà
noi (nós)	siamo	siamo stati/e	saremo
voi (vocês)	siete	siete stati/e	sarete
loro (eles/elas)	sono	sono stati/e	saranno

Verbos Reflexivos
Por exemplo: lavarsi (*lavar-se*)
Particípio passado: lavato (*lavado*) (junto com *essere*)

	Presente	Passado	Futuro
io (eu)	mi lavo	mi sono lavato/a	mi laverò
tu (você)	ti lavi	ti sei lavato/a	ti laverai
lui/lei/Lei (ele/ela, Sr./Sra.)	si lava	si è lavato/a	si laverà
noi (nós)	ci laviamo	ci siamo lavati/e	ci laveremo
voi (vocês)	vi lavate	vi siete lavati/e	vi laverete
loro (eles/elas)	si lavano	si sono lavati/e	si laveranno

Outros verbos reflexivos comuns incluem: **alzarsi** (*levantar-se*), **divertirsi** (*divertir-se*), **sentirsi** (*sentir-se*), **innamorarsi** (*apaixonar-se*), **metttersi** (*colocar (algo) em*), **addormentarsi** (*adormecer*), **pemettersi** (*permitir-se/arcar*).

Verbos Irregulares em Italiano

	Presente	Futuro	Particípio Passado
io	vado	andrò	
tu	vai	andrai	
lui/lei/Lei	va	andrà	andato/a/i/e
noi	andiamo	andremo	(com *essere*)
voi	andate	andrete	
loro	vanno	andranno	

andare
ir

	Presente	Futuro	Particípio Passado
io	bevo	berrò	
tu	bevi	berrai	
lui/lei/Lei	beve	berrà	bevuto (com *avere*)
noi	beviamo	berremo	
voi	bevete	berrete	
loro	bevono	berranno	

bere
beber

	Presente	Futuro	Particípio Passado
io	do	darò	
tu	dai	darai	
lui/lei/Lei	dà	darà	dato (com *avere*)
noi	diamo	daremo	
voi	date	darete	
loro	danno	daranno	

dare
dar

dire
dizer, contar

	Presente	Futuro	Particípio Passado
io	dico	dirò	
tu	dici	dirai	
lui/lei/Lei	dice	dirà	detto
noi	diciamo	diremo	(com *avere*)
voi	dite	direte	
loro	dicono	diranno	

dovere
ter que, dever

	Presente	Futuro	Particípio Passado
io	devo	dovrò	
tu	devi	dovrai	
lui/lei/Lei	deve	dovrà	dovuto (com *avere*)
noi	dobbiamo	dovremo	
voi	dovete	dovrete	
loro	devono	dovranno	

fare
fazer

	Presente	Futuro	Particípio Passado
io	faccio	farò	
tu	fai	farai	
lui/lei/Lei	fa	farà	fatto (com *avere*)
noi	facciamo	faremo	
voi	fate	farete	
loro	fanno	faranno	

	Presente	Futuro	Particípio Passado
io	muoio	morirò	
tu	muori	morirai	
lui/lei/Lei	muore	morirà	morto/a/i/e (com *essere*)
noi	moriamo	moriremo	
voi	morite	morirete	
loro	muoiono	moriranno	

morire
morrer

	Presente	Futuro	Particípio Passado
io	piaccio	piacerò	
tu	piaci	piacerai	
lui/lei/Lei	piace	piacerà	piaciuto/a/i/e
noi	piacciamo	piaceremo	(com *essere*)
voi	piacete	piacerete	
loro	piacciono	piaceranno	

piacere
gostar

O verbo **piacere** pede pronomes objeto indiretos, e normalmente só precisamos da terceira pessoa do singular e do plural deste verbo.

	Presente	Futuro	Particípio Passado
io	pongo	porrò	
tu	poni	porrai	
lui/lei/Lei	pone	porrà	posto (com *avere*)
noi	poniamo	porremo	
voi	ponete	porrete	
loro	pongono	porranno	

porre
pôr

Outros verbos conjugados como **porre** incluem: **opporsi** (*opor*), **imporre** (*impor*) e **proporre** (*propor, sugerir*).

	Presente	Futuro	Particípio Passado
io	posso	potrò	
tu	puoi	potrai	
lui/lei/Lei	può	potrà	potuto/a/i/e
noi	possiamo	potremo	(com *avere*)
voi	potete	potrete	
loro	possono	potranno	

potere
poder

	Presente	Futuro	Particípio Passado
io	rimango	rimarrò	
tu	rimani	rimarrai	
lui/lei/Lei	rimane	rimarrà	rimasto/a/i/e
noi	rimaniamo	rimarremo	(com *essere*)
voi	rimanete	rimarrete	
loro	rimangono	rimarranno	

rimanere
ficar, permanecer

	Presente	Futuro	Particípio Passado
io	salgo	salirò	
tu	sali	salirai	
lui/lei/Lei	sale	salirà	salito/a/i/e (com *essere*)
noi	saliamo	saliremo	
voi	salite	salirete	
loro	salgono	saliranno	

salire
subir

	Presente	Futuro	Particípio Passado
io	so	saprò	
tu	sai	saprai	
sapere saber / *lui/lei/Lei*	sà	saprà	saputo (com *avere*)
noi	sappiamo	sapremo	
voi	sapete	saprete	
loro	sanno	sapranno	

	Presente	Futuro	Particípio Passado
io	scelgo	sceglierò	
tu	scegli	sceglierai	
scegliere escolher / *lui/lei/Lei*	sceglie	sceglierà	scelto (com *avere*)
noi	scegliamo	sceglieremo	
voi	segliete	sceglierete	
loro	scelgono	sceglieranno	

	Presente	Futuro	Particípio Passado
io	mi siedo	sederò	
tu	ti siedi	sederai	
sedersi sentar(-se) / *lui/lei/Lei*	si siede	sederà	seduto
noi	ci sediamo	sederemo	(com *essere*)
voi	vi sedete	sederete	
loro	si siedono	sederanno	

stare
estar

	Presente	Futuro	Particípio Passado
io	sto	starò	
tu	stai	starai	
lui/lei/Lei	sta	starà	stato/a/i/e
noi	stiamo	staremo	(com *essere*)
voi	state	starete	
loro	stanno	staranno	

tacere
calar-se

	Presente	Futuro	Particípio Passado
io	taccio	tacerò	
tu	taci	tacerai	
lui/lei/Lei	tace	tacerà	taciuto
noi	taciamo	taceremo	(com *avere*)
voi	tacete	tacerete	
loro	tacciono	taceranno	

tenere
segurar

	Presente	Futuro	Particípio Passado
io	tengo	terrò	
tu	tieni	terrai	
lui/lei/Lei	tiene	terrà	tenuto
noi	teniamo	terremo	(com *avere*)
voi	tenete	terrete	
loro	tengono	terranno	

	Presente	Futuro	Particípio Passado
io	tolgo	toglierò	
tu	togli	toglierai	
lui/lei/Lei	toglie	toglierà	tolto
noi	togliamo	toglieremo	(com *avere*)
voi	togliete	toglierete	
loro	tolgono	toglieranno	

togliere
tirar

	Presente	Futuro	Particípio Passado
io	esco	uscirò	
tu	esci	uscirai	
lui/lei/Lei	esce	uscirà	uscito/a/i/e
noi	usciamo	usciremo	(com *essere*)
voi	uscite	uscirete	
loro	escono	usciranno	

uscire
sair

	Presente	Futuro	Particípio Passado
io	vengo	verrò	
tu	vieni	verrai	
lui/lei/Lei	viene	verrà	venuto/a/i/e
noi	veniamo	verremo	(com *essere*)
voi	venite	verrete	
loro	vengono	verranno	

venire
vir

	Presente	Futuro	Particípio Passado
io	voglio	vorrò	
tu	vuoi	vorrai	
volere querer			
lui/lei/Lei	vuole	vorrà	voluto
noi	vogliamo	vorremo	(com *avere*)
voi	volete	vorrete	
loro	vogliono	vorranno	

Verbos em Italiano -IRE com Padrão Especial (-isc-)

	Presente	Futuro	Particípio Passado
io	capisco	capirò	
tu	capisci	capirai	
capire entender			
lui/lei/Lei	capisce	capirà	capito
noi	capiamo	capiremo	(com *avere*)
voi	capite	capirete	
loro	capiscono	capiranno	

	Presente	Futuro	Particípio Passado
io	finisco	finirò	
tu	finisci	finirai	
finire terminar			
lui/lei/Lei	finisce	finirà	finito
noi	finiamo	finiremo	(com *avere*)
voi	finite	finirete	
loro	finiscono	finiranno	

	Presente	Futuro	Particípio Passado
io	preferisco	preferirò	
tu	preferisci	preferirai	
preferire preferir — lui/lei/Lei	preferisce	preferirà	preferito
noi	preferiamo	preferiremo	(com *avere*)
voi	preferite	preferirete	
loro	preferiscono	preferiranno	

Outros verbos comuns com padrão **–ISC–** incluem: **pulire** (*limpar*), **interferire** (*interferir*) e **construire** (*construir*).

Particípios Irregulares Mais Comuns

	Particípio Passado	Definição
cuocere (*cozinhar*)	cotto	cozido
decidere (*decidir*)	deciso	decidido
leggere (*ler*)	letto	lido
mettere (*colocar*)	messo	colocado
morire (*morrer*)	morto	morrido/morto
nascere (*nascer*)	nato	nascido
perdere (*perder*)	perso, perduto	perdido
prendere (*prender, pegar*)	preso	preso, pego
rispondere (*responder*)	risposto	respondido
scogliere (*derreter*)	sciolto	derretido
scrivere (*escrever*)	scritto	escrito
vedere (*ver*)	visto, veduto	visto
vivere (*viver*)	vissuto	vivido

Apêndice B

Minidicionário Italiano-Português

A

a destra / a *des*-tra / (à) direita
a domani / a do-*ma*-ni / até amanhã
a dopo / a *do*-po / até depois
a sinistra / a si-*nis*-tra / (à) esquerda
abitare / a-bi-*ta*-re / morar
abito /m/ a-*bi*-to / terno
acqua /f/ *a*-kua / água
aereo /m/ a-*e*-re-o / avião
aeroporto /m/ a-e-ro-*por*-to / aeroporto
affittare / a-fi-*ta*-re / alugar
agosto / a-*gos*-to / agosto
albergo /m/ al-*ber*-go / hotel
amare / a-*ma*-re / amar
americana /f/ **americano** /m/ a-me-ri-*ka*-na / a-me-ri-*ka*-no / americana, americano
amica /f/ **amico** /m/ a-*mi*-ka / a-*mi*-ko/ amiga, amigo
amore /m/ a-*mo*-re / amor
anche / an-ke / também
andare / an-*da*-re / ir
andata /f/ an-*da*-ta / ida (passagem)
andata /f/ **e ritorno** /m/ an-*da*-ta e ri-*tor*-no / ida e volta (passagem)
anno /m/ *a*-no / ano
antipasti /m/ an-ti-*pas*-ti / aperitivos
anziana /f/ **anziano** /m/ an-tzi-*a*-na / an-tzi-*a*-no / velha, velho (para pessoas)
appartamento /m/ a-par-ta-*men*-to / apartamento
aprile / a-*pri*-le / abril
architetto /m/ ar-ki-*te*-to / arquiteto
arrivare / a-ri-*va*-re / chegar

arrivederci / a-ri-ve-*der*-tchi / tchau, adeus
assegno /m/ a-*se*-nho / cheque
autobus /m/ *au*-to-bus / ônibus
automobile /f/ au-to-*mo*-bi-le / carro
avere / a-*ve*-re / ter
avvocato /m/ a-vo-*ka*-to / advogado

B

bambina /f/ **bambino** /m/ bam-*bi*-na / bam-*bi*-no / menina, menino
banca /f/ *ban*-ka / banco
bella /f/ **bello** /m/ *be*-la/ *be*-lo / linda, lindo
bene / *be*-ne / bem, bom (advérbio)
bere / *be*-re / beber
bianca /f/ **bianco** /m/ bi-*an*-ka / bi-*an*-ko / branca, branco
bicchiere /m/ bi-ki-*e*-re / copo
bicicletta /f/ bi-tchi-*kle*-ta / bicicleta
biglietto /m/ bi-*lhie*-to / ingresso, passagem
birra /f/ *bi*-ra/ cerveja
blu /f/m/ blu / azul
borsa /f/ *bor*-sa / bolsa
bottiglia /f/ bo-*ti*-lhia / garrafa
braccio /m/ *bra*-tcho / braço
buona /f/ **buono** /m/ *buo*-na / *buo*-no / boa, bom
buonanotte / buo-na-*no*-te / boa noite
buonasera / buo-na-*se*-ra / boa noite
buongiorno / buon-*djior*-no / bom dia

C

c'è / *tché* / há, tem (singular)
caffè /m/ ka-*fé* / café

calcio /m/ *kal*-tcho / futebol

calda /f/ **caldo** /m/ *kal*-da/ *kal*-do / quente

cambiare /kam-bi-*a*-re / trocar

cameriera /f/ **cameriere** /m/ ka-me-ri-*e*-ra/ ka-me-ri-*e*-re / garçonete, garçom

camicia /f/ ka-*mi*-tcha/ camisa

campagna /f/ kam-*pa*-nha/ campo

canadese /f/m/ ka-na-*de*-ze/ canadense

cane /m/ *ka*-ne / cão

capelli /m.pl./ ka-*pe*-li / cabelos

cappello /m/ ka-*pe*-lo / chapéu

cappotto /m/ ka-*po*-to / casaco

cara /f/ **caro** /m/ *ka*-ra/ *ka*-ro / querida; caro, querido

carina /f/ **carino** /m/ ka-*ri*-na/ ka-*ri*-no / bonita, bonito

carta di credito /f/ *kar*-ta di *kre*-di-to / cartão de crédito

casa /f/ *ka*-za / casa; lar

cassa /f/ *ka*-sa / caixa registradora

cavallo /m/ ka-*va*-lo / cavalo

cena /f/ *tche*-na / jantar

cento / *tchen*-to / cem

chi / ki / quem

chiara /f/ **chiaro** /m/ ki-*a*-ra/ ki-*a*-ro / clara, claro

ci sono / tchi *so*-no / há, tem (plural)

ciao / *tchia*-o / olá; tchau

cinema /m/ *tchi*-ne-ma / cinema

cinquanta / tchin-*kuan*-ta / cinquenta

cinque / *tchin*-kue / cinco

cioccolato /f/ tcho-ko-*la*-to / chocolate

città /f/ tchi-*ta* / cidade

codice postale /m/ *ko*-di-tche pos-*ta*-le / código de endereçamento postal (CEP)

colazione /f/ ko-la-tzi-*o*-ne / café da manhã

collo /m/ *ko*-lo / pescoço

colore /m/ ko-*lo*-re / cor

come / *ko*-me / como

commessa /f/ **commesso** /m/ ko-*me*-sa / ko-*me*-so / vendedora, vendedor

comprare / kom-*pra*-re / comprar

costume da bagno /m/ kos-*tu*-me da *ba*-nho / roupa de banho

cravatta /f/ kra-*va*-ta / gravata

crema /f/ *kre*-ma / creme

D

d'accordo / da-*kor*-do / de acordo; ok

dai! / dai / ora, vamos!

dare / *da*-re / dar

dentista /f/m/ *den*-tis-ta/ dentista

dicembre / di-*tchem*-bre / dezembro

diciannove / di-tcha-*no*-ve / dezenove

diciassette / di-tcha-*se*-te / dezessete

diciotto / di-*tcho*-to / dezoito

dieci / di-*e*-tchi / dez

dire / *di*-re / dizer

dito /m/ *di*-to / dedo

dodici / *do*-di-tchi / doze

dolce /f/m/ *dol*-tche/ doce

domani / do-*ma*-ni / amanhã

donna /f/ *do*-na/ mulher

dormire / dor-*mi*-re / dormir

dottore /m/ do-*to*-re / médico

dove / *do*-ve / onde

dovere / do-*ve*-re / dever

due / *du*-e / dois

E

emergenza /f/ e-mer-*djen*-tza / emergência

entrata /f/ en-*tra*-ta / entrada

entrare / en-*tra*-re / entrar

essere / *e*-se-re / ser

est /m/ est / leste

F

faccia /f/ *fa*-tcha / rosto

facile /f/m/ *fa*-tchi-le/ fácil

fame /f/ *fa*-me / fome

fare / *fa*-re / fazer

febbraio / fe-*brai*-o / fevereiro

festa /f/ *fes*-ta / festa

figlia /f/ *fi*-lhia / filha

figlio /m/ *fi*-lhio / filho

fine /f/ *fi*-ne / fim

finestra /f/ fi-*nes*-tra / janela

finire / fi-*ni*-re / terminar

fiore /m/ fi-*o*-re / flor

formaggio /m/ for-*ma*-djio / queijo

fragola /f/ *fra*-go-la / morango

fratello /m/ fra-*te*-lo / irmão

fredda /f/ **freddo** /m/ *fre*-da / *fre*-do / fria, frio
frutta /f/ *fru*-ta / fruta

G

gatto /m/ *ga*-to / gato
gelato /m/ dje-*la*-to / sorvete
gennaio / dje-*nai*-o / janeiro
gente /f/ *djen*-te / gente
ghiaccio /m/ *guia*-tcho / gelo
giacca /f/ *djia*-ka / jaqueta; paletó
gialla /f/ **giallo** /m/ *djia*-la / *djia*-lo / amarela, amarelo
giardino /m/ djiar-*di*-no / jardim
ginocchio /m/ dji-*no*-kio / joelho
giocare / djio-*ka*-re / jogar
gioco /m/ *djio*-ko / jogo
giornale /m/ djior-*na*-le / jornal
giorno /m/ *djior*-no / dia
giovane /f/m/ *djio*-va-ne/ jovem
giugno / *djiu*-nho / junho
gonna /f/ *go*-na / saia
grande /f/m/ *gran*-de/ grande
grande magazzino /m/ *gran*-de ma-ga-*tzi*-no/ loja de departamentos
grazie /*gra*-tzie/ obrigado
grigia /f/ **grigio** /m/ *gri*-djia / *gri*-djio / cinza; grisalho

I

ieri /i-*e*-ri / ontem
impermeabile /m/ im-per-me-*a*-bi-le / capa de chuva
impiegata /f/ **impiegato** /m/ im-pi-e-*ga*-ta / im-pi-e-*ga*-to / funcionária, funcionário
in ritardo / in ri-*tar*-do / atrasado
indirizzo /m/ in-di-*ri*-tzo / endereço
infermiera /f/ in-fer-mi-*e*-ra / enfermeira
ingegnere /m/ in-dje-*nhe*-re / engenheiro
insalata /f/ in-sa-*la*-ta / salada
invito /m/ in-*vi*-to / convite
io / *i*-o / eu
italiana /f/ **italiano** /m/ i-ta-li-*a*-na / i-ta-li-*a*-no / italiana, italiano

J

jeans /m/ *dins* / jeans

L

lago /m/ *la*-go / lago
lana /f/ *la*-na / lã
larga /f/ **largo** /m/ *lar*-ga / *lar*-go / larga, largo
latte /m/ *la*-te / leite
lavoro /m/ la-*vo*-ro / trabalho
Lei / *le*-i / ela; você, formal
libro /m/ *li*-bro / livro
loro / *lo*-ro / eles
luglio / *lu*-lhio / julho
lui / *lu*-i / ele

M

ma / ma / mas
macchina /f/ *ma*-ki-na / carro
madre /f/ *ma*-dre / mãe
maggio / *ma*-djio / maio
mai / *ma*-i / nunca
malata /f/ **malato** /m/ ma-*la*-ta / ma-*la*-to / doente
mamma /f/ *ma*-ma / mamãe
mangiare / man-*djia*-re / comer
mano /f/ *ma*-no / mão
mare /m/ *ma*-re / mar
marito /m/ ma-*ri*-to / marido
marrone /f/m/ ma-*ro*-ne/ marrom
marzo / *mar*-tzo / março
me / me / me
medicina /f/ me-di-*tchi*-na / remédio
medico /m/ *me*-di-ko / médico
mercato /m/ mer-*ka*-to / mercado
mese /m/ *me*-ze / mês
metropolitana /f/ me-tro-po-li-*ta*-na / metrô
mettersi / *me*-ter-si / vestir
mia /f/ **mio** /m/ *mi*-a / *mi*-o / minha, meu
mille / *mi*-le / mil
moglie /f/ *mo*-lhie / esposa
montagna /f/ mon-*ta*-nha / montanha

N

naso /m/ *na*-zo / nariz
nebbia /f/ *ne*-bia / neblina
negozio /m/ ne-*go*-dzi-o / loja
nera /f/ **nero** /m/ *ne*-ra / *ne*-ro / negra, negro
neve /f/ *ne*-ve / neve
noi / noi / nós

noiosa /f/ **noioso** /m/ no-*io*-za / no-*io*-zo / chata, chato

nome /m/ *no*-me / nome

nord /m/ nord / norte

nove / *no*-ve / nove

novembre / no-*vem*-bre / novembro

numero /m/ *nu*-me-ro / número

nuoto /m/ nu-*o*-to / natação

O

occhio /m/ *o*-kio / olho

orecchio /m/ o-*re*-kio / orelha

ospedale /m/ os-pe-*da*-le / hospital

otto / *o*-to / oito

ottobre / o-*to*-bre / outubro

ovest /m/ *o*-vest / oeste

P

padre /m/ *pa*-dre / pai

pagare / pa-*ga*-re / pagar

pane /m/ *pa*-ne / pão

pantaloni /m. pl./ pan-ta-*lo*-ni / calças

parlare / par-*la*-re / falar

partire / par-*ti*-re / partir

passaporto /m/ pa-sa-*por*-to / passaporte

pasticceria /f/ pas-ti-tche-*ri*-a / doceria

per favore / per fa-*vo*-re / por favor

perché /per-*ke*/ por que, por quê, porque

pesce /m/ *pe*-che / peixe

piacere / pia-*tche*-re / prazer

piazza /f/ *pia*-tza / praça

piccola /f/ **piccolo** /m/ *pi*-ko-la / *pi*-ko-lo / pequena, pequeno

pioggia /f/ pi-o-djia / chuva

piove / pi-*o*-ve / chove; está chovendo

polizia /f/ po-li-*tzi*-a / polícia

potere /po-*te*-re / poder; ter permissão

pranzo /m/ *pran*-tso / almoço

preferire / pre-fe-*ri*-re / preferir

prego / *pre*-go / de nada; pois não

prendere / *pren*-de-re / pegar; pedir

presentare / pre-zen-*ta*-re / apresentar

Q

qualcosa / kual-*ko*-za / algo

quale / *kua*-le / qual

quando / *kuan*-do / quando

quanti / *kuan*-ti / quantos

quanto / *kuan*-to / quanto

quattro / ku-*a*-tro / quatro

quattordici / kua-tor-*di*-tchi / catorze

qui / ku-*i* / aqui

quindici / ku-*in*-di-tchi / quinze

R

ragazza /f/ ra-*ga*-tza / garota

ragazzo /m/ ra-*ga*-tzo / garoto

ridere / *ri*-de-re / rir

riso /m/ *ri*-zo / arroz

rossa /f/ **rosso** /m/ *ro*-sa / *ro*-so / vermelha; vermelho

S

saldi /m. pl./ *sal*-di / ofertas

sale /m/ *sa*-le / sal

scarpa /f/ *skar*-pa / sapato

scura /f/ **scuro** /m/ *sku*-ra / *sku*-ro / escura, escuro

sede /f/ *se*-de / sede

sedici / *se*-di-tchi / dezesseis

segretaria /f/ **segretario** /m/ se-gre-*ta*-ri-a / se-gre-*ta*-ri-o / secretária, secretário

sei / sei / seis

sempre / *sem*-pre / sempre

sette / *se*-te / sete

settembro / se-*tem*-bro / setembro

settimana /f/ se-ti-*ma*-na / semana

signora /f/ si-*nho*-ra / senhora

signore /m/ si-*nho*-re / senhor

soldi /m. pl./ *sol*-di / dinheiro

sole /m/ *so*-le / sol

solo / *so*-lo / só; apenas

sorella /f/ so-*re*-la / irmã

spalla /f/ *spa*-la / ombro

stanca /f/ **stanco** /m/ *stan*-ka / *stan*-ko / cansada, cansado

stazione /f/ sta-tzi-*o*-ne / estação

strada /f/ *stra*-da / rua; estrada

stretta /f/ **stretto** /m/ *stre*-ta / *stre*-to / estreita, estreito

sud / sud / sul

supermercato /m/ su-per-mer-*ka*-to / supermercado

T

tazza /f/ *ta*-tza / xícara
teatro /m/ te-*a*-tro / teatro
telefono /m/ te-*le*-fo-no / telefone
tempo /m/ *tem*-po / tempo
tre / tre / três
tredici / *tre*-di-tchi / treze
treno /m/ *tre*-no / trem
troppo / *tro*-po / demais
tu / tu / tu; você
tutti / *tu*-ti / todos
tutto / *tu*-to / tudo

U

ufficio /m/ u-*fi*-tcho / escritório
uno / *u*-no / um
uscita /f/ u-*chi*-ta / saída

V

vacanza /f/ va-*kan*-tza / férias
valigia /f/ va-*li*-djia / mala

vedere / ve-*de*-re / ver
vendere / *ven*-de-re / vender
venire / ve-*ni*-re / vir
venti / *ven*-ti / vinte
verde /f/m/ *ver*-de / ver
verdura /f/ ver-*du*-ra / verdura
vestito /m/ ves-*ti*-to / vestido
via /f/ *vi*-a / rua
viaggiare /vi-a-*djia*-re / viajar
viaggio /m/ vi-*a*-djio / viagem
viale /m/ vi-*a*-le / avenida
vino /m/ *vi*-no / vinho
voi / voi / vocês
volere / vo-*le*-re / querer

Z

zero / *dze*-ro / zero
zia /f/ *dzi*-a / tia
zio /m/ *dzi*-o / tio
zucchero /m/ *dzu*-ke-ro / açúcar

Minidicionário Português-Italiano

A

abril / **aprile** / a-*pri*-le
açúcar / **zucchero** /m/ *dzu*-ke-ro
advogado / **avvocato** /m/ a-vo-*ka*-to
aeroporto / **aeroporto** /m/ a-e-ro-*por*-to
agora / **ora** / *o*-ra
agosto / **agosto** / a-*gos*-to
água / **acqua** /f/ *a*-kua
algo / **qualcosa** / kual-*ko*-za
almoço / **pranzo** /m/ *pran*-tzo
alugar / **affittare** / a-fi-*ta*-re

amanhã / **domani** / do-*ma*-ni
amar / **amare** / a-*ma*-re
amarela, amarelo / **gialla** /f/ **giallo** /m/ *djia*-la / *djia*-lo
americana, americano / **americana** /f/ **americano** /m/ a-me-ri-*ka*-na / a-me-ri-*ka*-no
amiga, amigo / **amica** /f/ **amico** /m/ a-*mi*-ka / a-*mi*-ko
amor / **amore** / a-*mo*-re
ano / **anno** / *a*-no
apartamento / **appartamento** /m/ a-par-ta-*men*-to

aperitivos / **antipasti** /m/ an-ti-*pas*-ti

apresentar / **presentare** / pre-zen-*ta*-re

aqui / **qui** / ku-*i*

arquiteto / **architetto** /m/ ar-ki-*te*-to

arroz / **riso** /m/ *ri*-zo

até amanhã / **a domani** / a do-*ma*-ni

até mais / **arrivederci** / a-ri-ve-*der*-tchi

até mais tarde / **a dopo** / a *do*-po

atrasado / **in ritardo** / in ri-*tar*-do

avenida / **viale** /m/ vi-*a*-le

avião / **aereo** /m/ a-*e*-re-o

azul / **blu** / *blu*

B

banco / **banca** /f/ *ban*-ka

beber / **bere** / *be*-re

bem; bom (advérbio) / **bene** / *be*-ne

bicicleta / **bicicletta** /f/ bi-tchi-*kle*-ta

bolsa / **borsa** /f/ *bor*-sa

boa, bom / **buona** /f/ **buono** /m/ *buo*-na / *buo*-no

boa noite / **buonasera** / **buonanotte** / buo-na-*se*-ra / buo-na-*no*-te

bom dia / **buongiorno** / buon-*djior*-no

bonita, bonito / **carina** /f/ **carino** /m/ ka-*ri*-na / ka-*ri*-no

braço / **braccio** /m/ *bra*-tcho

branca, branco / **bianca** /f/ **bianco** /m/ bi-*an*-ka / bi-*an*-ko

brasileira, brasileiro / **brasiliana** /f/ **brasiliano** /m/ bra-zi-li-*a*-na / bra-zi-li-*a*-no

C

cabelos / **capelli** /m/ ka-*pe*-li

café / **caffè** /m/ ka-*fe*

café da manhã / **colazione** /f/ ko-la-tzi-o-ne

caixa registradora / **cassa** /f/ *ka*-sa

calças / **pantaloni** /m/ pan-ta-*lo*-ni

camisa / **camicia** /f/ ka-*mi*-tcha

campo / **campagna** /f/ kam-*pa*-nha

canadense / **canadese** /f/m/ ka-na-*de*-ze

cansada, cansado / **stanca** /f/ **stanco** /m/ *stan*-ka / *stan*-ko

cão / **cane** /m/ *ka*-ne

capa de chuva / **impermeabile** /m/ im-per-me-*a*-bi-le

cara, caro / **cara** /f/ **caro** /m/ *ka*-ra / *ka*-ro

carne / **carne** /f/ *kar*-ne

carro / **automobile** / **macchina** /f/ au-to-*mo*-bi-le / *ma*-ki-na

cartão de crédito / **carta di credito** /f/ *kar*-ta di *kre*-di-to

carteira / **borsa** /f/ *bor*-sa

casa; lar / **casa** /f/ *ka*-za

casaco / **cappotto** /m/ ka-*po*-to

cavalo / **cavallo** /m/ ka-*va*-lo

cem / **cento** / *tchen*-to

CEP / **codice postale** /m/ *ko*-di-tche pos-*ta*-le

cerveja / **birra** /f/ *bi*-ra

chapéu / **cappello** /m/ ka-*pe*-lo

chata, chato / **noiosa** /f/ **noioso** /m/ noi-o-za; noi-*o*-zo

chegar / **arrivare** / a-ri-*va*-re

cheque / **assegno** /m/ a-*se*-nho

chocolate / **cioccolato** /f/ tcho-ko-*la*-to

chuva / **pioggia** /f/ pi-o-djia

cidade / **città** /f/ tchi-*ta*

cinco / **cinque** / *tchin*-kue

cinema / **cinema** /m/ *tchi*-ne-ma

cinquenta / **cinquanta** / tchin-*kuan*-ta

cinza/ grizalho / **grigia** /f/ **grigio** /m/ *gri*-djia / *gri*-djio

clara, claro / **chiara** /f/ **chiaro** /m/ ki-*a*-ra / ki-*a*-ro

comer / **mangiare** / man-*djia*-re

como (adverbios) / **come** / *ko*-me

comprar / **comprare** / kom-*pra*-re

convite / **invito** /m/ in-*vi*-to

copo / **bicchiere** /m/ bi-ki-*e*-re

cor / **colore** /m/ ko-*lo*-re

creme / **crema** /f/ *kre*-ma

D

dar / **dare** / *da*-re

dedo / **dito** / m / *di*-to

demais / **troppo** / *tro*-po

de nada / **prego** / *pre*-go

dentista / **dentista** / f/m / den-*tis*-ta

dever (v.) / **dovere** / do-*ve*-re

dez / **dieci** / di-*e*-tchi

dezembro / **dicembre** / di-*tchem*-bre

dezenove / **diciannove** / di-tcha-*no*-ve

dezesseis / **sedici** / *se*-di-tchi

dezessete / **diciassette** / di-tcha-*se*-te

dezoito / **diciotto** / di-*tcho*-to

dia / **giorno** /m/ *djior*-no

dinheiro / **soldi** /m/ *sol*-di

(à) direita / **a destra** / a *des*-tra

dizer / **dire** / *di*-re

doce / **dolce** /f/m/ *dol*-tche

doente / **malata** /f/ **malato** /m/ ma-*la*-ta / ma-*la*-to

dois / **due** / *du*-e

dormir / **dormire** / dor-*mi*-re

doutor / **dottore** /m/ do-*to*-re

doze / **dodici** / *do*-di-tchi

E

ela / **lei** / *lei*

ele / **lui** / *lu*-i

eles; elas / **loro** / *lo*-ro

emergência / **emergenza** /f/ e-mer-*djen*-tza

endereço / **indirizzo** /m/ in-di-*ri*-tzo

enfermeira / **infermiera** /f/ in-fer-mi-*e*-ra

engenheiro / **ingegnere** /m/ in-dje-*nhe*-re

entrada / **entrata** /f/ en-*tra*-ta

entrar / **entrare** / en-*tra*-re

escritório / **ufficio** /m/ u-*fi*-tcho

escura, escuro / **scura** /f/ **scuro** /m/ *sku*-ra / *sku*-ro

esposa / **moglie** / *mo*-lhie

(à) esquerda / **a sinistra** / a si-*nis*-tra

estação / **stazione** /f/ sta-tzi-*o*-ne

estreita, estreito / **stretta** /f/ **stretto** /m/ *stre*-ta / *stre*-to

eu / **io** / *i*-o

F

faca / **coltello** /m/ kol-*te*-lo

fácil / **facile** /f/m/ *fa*-tchi-le

falar / **parlare** / par-*la*-re

férias / **vacanza** /f/ va-*kan*-tsa

festa; feriado / **festa** / *fes*-ta

fevereiro / **febbraio** / fe-*brai*-o

filha, filho / **figlia** /f/ **figlio** /m/ *fi*-lhia / *fi*-lhio

fim / **fine** /f/ *fi*-ne

flor / **fiore** /m/ fi-o-re

fome / **fame** /f/ *fa*-me

fria, frio / **fredda** /f/ **freddo** /m/ *fre*-da / *fre*-do

fruta / **frutta** /f/ *fru*-ta

funcionário, funcionária / **impiegata** /f/ **impiegato** /m/ im-pi-e-*ga*-ta / im-pi-e-*ga*-to

futebol / **calcio** /m/ *kal*-tcho

G

garçonete, garçom / **cameriera** /f/ **cameriere** /m/ ka-me-ri-*e*-ra / ka-me-ri-*e*-re

garota, garoto / **ragazza** /f/ **ragazzo** /m/ ra-*ga*-tza / ra-*ga*-tzo

garrafa / **bottiglia** /f/ bo-*ti*-lhia

gato / **gatto** /m/ *ga*-to

gelo / **ghiaccio** /m/ *guia*-tcho

gente / **gente** /f/ *djen*-te

grande; alto; largo / **grande** /f/m/ *gran*-de

gravata / **cravatta** /f/ kra-*va*-ta

H

há; tem (sing.) / **c'è** / *tché*

há; tem (pl.) / **ci sono** / tchi *so*-no

hospital / **ospedale** /m/ os-pe-*da*-le

hoje / **oggi** / *o*-dji

hotel / **albergo** /m/ al-*ber*-go

I

ida (viagem) / **andata** / an-*da*-ta

ida e volta (viagem) / **andata** /f/ **e ritorno** /m/ an-*da*-ta e ri-*tor*-no

imposto / **dazio** /m/ *da*-tzi-o

ingresso / **biglietto** /m/ bi-*lhie*-to

ir / **andare** / an-*da*-re

irmã / **sorella** /f/ so-*re*-la

irmão / **fratello** /m/ fra-*te*-lo

italiana, italiano / **italiana** /f/ **italiano** /m/ i-ta-li-*a*-na / i-ta-li-*a*-no

J

janeiro / **gennaio** / dje-*nai*-o

janela / **finestra** / fi-*nes*-tra

jantar / **cena** /f/ *tche*-na

jaqueta; blazer / **giacca** /f/ *djia*-ka

jardim / **giardino** /m/ *djiar*-di-no

jeans / **jeans** /m/ *djins*

jogar / **giocare** / djio-*ka*-re

jogo / **gioco** / *djio*-ko

joelho / **ginocchio** /m/ dji-*no*-kio

jornal / **giornale** /m/ djior-*na*-le

jovem / **giovane** /f/m/ djio-*va*-ne

julho / **luglio** / *lu*-lhio

junho / **giugno** / *djiu*-nho

L

lã / **lana** /f/ *la*-na
lago / **lago** /m/ *la*-go
leite / **latte** /m/ *la*-te
leste / **est** /m/ *est*
linda, lindo / **bella** /f/ **bello** /m/ *be*-la / *be*-lo
livro / **libro** /m/ *li*-bro
loja / **negozio** /m/ ne-*go*-dzio
loja de departamentos / **grande magazzino** /m/
  gran-de ma-ga-*tzi*-no

M

maio / **maggio** / ma-*djio*
mãe / **madre** /f/ *ma*-dre
mala / **valigia** /f/ va-*li*-djia
mamãe / **mamma** /f/ *ma*-ma
mão / **mano** /f/ *ma*-no
mar / **mare** / *ma*-re
março / **marzo** / *mar*-tzo
marido / **marito** / ma-*ri*-to
marrom / **marrone** / ma-*ro*-ne
mas / **ma** / *ma*
mau / **cattivo** / ka-*ti*-vo
me / **me** / *me*
médico / **medico** /m/ *me*-di-ko
menina, menino / **bambina** /f/ **bambino** /m/
  bam-*bi*-na / bam-*bi*-no
mercado / **mercato** /m/ mer-*ka*-to
mês / **mese** /m/ *me*-ze
metrô / **metropolitana** /f/ me-tro-po-li-*ta*-na
mil / **mille** / *mi*-le
minha, meu / **mia** /f/ **mio** /m/ *mi*-a / *mi*-o
montanha / **montagna** /f/ mon-*ta*-nha
morango / **fragola** /f/ *fra*-go-la
morar / **abitare** / a-bi-*ta*-re
morna, morno / **calda** /f/ **caldo** /m/ *ka*-da / *ka*-do
mulher / **donna** /f/ *do*-na

N

nariz / **naso** /m/ *na*-zo
natação / **nuoto** /m/ nu-*o*-to
neblina / **nebbia** /f/ *ne*-bi-a
neve / **neve** /f/ *ne*-ve
nome / **nome** /m/ *no*-me
norte / **nord** /m/ *nord*
nós / **noi** / *noi*
nove / **nove** / *no*-ve
novembro / **novembre** / no-*vem*-bre

número / **numero** /m/ *nu*-me-ro
nunca / **mai** / *ma*-i

O

obrigado / **grazie** / *gra*-tzie
oeste / **ovest** /m/ o-_vest_
oferta / **saldi** /m. pl./ *sal*-di
oito / **otto** / *o*-to
ok; tudo bem / **d'accordo** / da-*kor*-do
olá / **ciao** / *tcha*-o
olho / **occhio** /m/ *o*-kio
ombro / **spalla** /f/ *spa*-la
ônibus / **autobus** /m/ *au*-to-bus
onde / **dove** / *do*-ve
ontem / **ieri** / i-*e*-ri
onze / **undici** / *un*-di-tchi
ora, vamos! / **dai** / *da*-i
orelha / **orecchio** /m/ o-*re*-kio
outubro / **ottobre** / o-*to*-bre

P

padaria / **panetteria** /f/ pa-ne-te-*ri*-a
pagar / **pagare** / pa-*ga*-re
pai / **padre** /m/ *pa*-dre
pão / **pane** /m/ *pa*-ne
partir / **partire** / par-*ti*-re
passagem / **biglietto** /m/ bi-*lhie*-to
passaporte / **passaporto** /m/ pa-sa-*por*-to
pedir (restaurante); pegar / **prendere** / *pren*-
  de-re
peixe / **pesce** /m/ *pe*-che
pequena, pequeno / **piccola** /f/ **piccolo** /m/
  pi-ko-la / *pi*-ko-lo
pescoço / **collo** /m/ *ko*-lo
poder / **potere** / po-*te*-re
polícia / **polizia** / po-li-*tzi*-a
por favor / **per favore** / per fa-*vo*-re
porque; por quê / **perché** / per-*ke*
praça / **piazza** /f/ pi-*a*-tza
praia / **spiaggia** /f/ spi-*a*-djia
prato / **piatto** /m/ *pia*-to
prazer / **piacere** / pia-*tche*-re
preferir / **preferire** / pre-fe-*ri*-re
preta; preto / **nera** /f/ **nero** /m/ *ne*-ra / *ne*-ro

Q

qual / **quale** / *kua*-le
quando / **quando** / *kuan*-do

quantos / **quanti** / *kuan*-ti
quanto / **quanto** / *kuan*-to
quatorze / **quattordici** / kua-*tor*-di-tchi
quatro / **quattro** / ku-*a*-tro
que / **cosa** / *ko*-za
queijo / **formaggio** /m/ for-*ma*-djio
quem / **chi** / *ki*
quente / **calda** /f/ **caldo** /m/ *kal*-da / *kal*-do
querer / **volere** / vo-*le*-re
querida, querido / **cara** /f/ **caro** /m/ *ka*-ra / *ka*-ro
quinze / **quindici** / ku-*in*-di-tchi

R

remédio / **medicina** /f/ me-di-*tchi*-na
rir / **ridere** / *ri*-de-re
rosto / **faccia** /f/ *fa*-tcha
roupa de banho / **costume da bagno** /m/ kos-*tu*-me da *ba*-nho
rua; estrada / **strada** /f/ *stra*-da ou **via** /f/ *vi*-a

S

saia / **gonna** /f/ *go*-na
saída / **uscita** /f/ u-*chi*-ta
sal / **sale** /m/ *sa*-le
salada / **insalata** /f/ in-sa-*la*-ta
sapato / **scarpa** /f/ *skar*-pa
secretária, secretário / **segretaria** /f/ **segretario** /m/ se-gre-*ta*-ri-a / se-gre-*ta*-ri-o
sede / **sede** /f/ *se*-de
seis / **sei** /*sei*
semana / **settimana** /f/ se-ti-*ma*-na
sempre / **sempre** / *sem*-pre
ser / **essere** / *e*-se-re
sete / **sette** / *se*-te
setembro / **settembre** / se-*tem*-bre
só; apenas / **solo** / *so*-lo
sobremesa (doce) / **dolce** /m/ *dol*-tche
socorro / **aiuto** / a-*iu*-to
sol / **sole** /m/ *so*-le
sorvete / **gelato** /m/ dje-*la*-to
sr. / **signore** /m/ si-*nho*-re
sra. / **signora** /f/ si-*nho*-ra
sul / **sud** /m/ *sud*
supermercado / **supermercato** /m/ su-per-mer-*ka*-to

T

também / **anche** / *an*-ke

tchau / **ciao** / *tcha*-o
teatro / **teatro** /m/ te-*a*-tro
telefone / **telefono** /m/ te-*le*-fo-no
tempo; clima / **tempo** /m/ *tem*-po
ter / **avere** / a-*ve*-re
terminar / **finire** / fi-*ni*-re
terno / **abito** /m/ *a*-bi-to
tio / **zio** /m/ *dzi*-o
todos / **tutti** / *tu*-ti
trabalho / **lavoro** /m/ la-*vo*-ro
trem / **treno** /m/ *tre*-no
treze / **tredici** / *tre*-di-tchi
tudo / **tutto** / *tu*-to
três / **tre** / *tre*
trocar / **cambiare** / kam-bi-*a*-re

U

um / **uno** / *u*-no

V

velha, velho (para pessoas) / **anziana** /f/ **anziano** /m/ an-tzi-*a*-na / an-tzi-*a*-no
vendedora, vendedor / **commessa** /f/ **commesso** /m/ ko-*me*-sa / ko-*me*-so
vender / **vendere** / *ven*-de-re
ver / **vedere** / ve-*de*-re
verde / **verde** /f/m/ *ver*-de
verdura / **verdura** /f/ ver-*du*-ra
vermelha, vermelho / **rossa** /f/ **rosso** /m/ ro-sa / ro-so
vestido / **vestito** /m/ ves-*ti*-to
vestir / **mettersi** / *me*-ter-si
viagem / **viaggio** / vi-*a*-djio
viajar / **viaggiare** / vi-a-*djia*-re
vinho / **vino** / *vi*-no
vinte / **venti** / *ven*-ti
vir / **venire** / ve-*ni*-re
você (formal) / **Lei** / *lei*
você (informal) / **tu** / *tu*
vocês / **voi** / *voi*

X

xícara / **tazza** /f/ *ta*-tza

Z

zero / **zero** / *dze*-ro

Apêndice C
Sobre as Faixas de Áudio

Faixas de Áudio

A seguir, uma lista das faixas que aparecem no livro e você pode encontrar os arquivos de áudio online de forma gratuita. Basta entrar em www.altabooks.com.br e buscar pelo nome do livro ou ISBN.

Faixa 1: Apresentação e guia de pronúncia (Capítulo 1)

Faixa 2: Frases comuns (Capítulo 2)

Faixa 3: Pedindo informações (Capítulo 2)

Faixa 4: Puxando papo (Capítulo 2)

Faixa 5: Conversa formal (Capítulo 3)

Faixa 6: Conversando com amigos (Capítulo 3)

Faixa 7: Falando sobre o clima (Capítulo 4)

Faixa 8: Dias da semana (Capítulo 4)

Faixa 9: Meses do ano (Capítulo 4)

Faixa 10: Seguindo uma receita (Capítulo 5)

Faixa 11: Marcando um ponto de encontro (Capítulo 6)

Faixa 12: Voltando à estação de trem (Capítulo 6)

Faixa 13: Fazendo reserva em um restaurante (Capítulo 7)

Faixa 14: Vamos comer! (Si mangia!) (Capítulo 7)

Faixa 15: Desfrutando de um sorvete depois do jantar (Capítulo 7)

Faixa 16: Comprando roupas (Capítulo 8)

Faixa 17: Comprando sapatos (Capítulo 8)

Faixa 18: Indo ao cinema (Capítulo 9)

Faixa 19: Convidando amigos para uma festa (Capítulo 10)

Faixa 20: Falando com um amigo ao telefone (Capítulo 10)

Faixa 21: Marcando uma consulta no médico (Capítulo 10)

Faixa 22: Deixando um recado (Capítulo 10)

Faixa 23: Falando sobre o fim de semana (Capítulo 11)

Faixa 24: Falando sobre esportes (Capítulo 11)

Faixa 25: Discutindo atividades de lazer (Capítulo 11)

Faixa 26: Planejando férias (Capítulo 12)

Faixa 27: Falando sobre horários de voo (Capítulo 12)

Faixa 28: Trocando reais por euros (Capítulo 13)

Faixa 29: Fazendo conexões de trem (Capítulo 14)

Faixa 30: Comprando passagens de trem (Capítulo 14)

Faixa 31: Pegando o metrô (Capítulo 14)

Faixa 32: Fazendo o *check-in* em um hotel (Capítulo 15)

Faixa 33: Italiano básico ao planejar uma viagem (Capítulo 15)

Faixa 34: Consultando um médico (Capítulo 16)

Faixa 35: Relatando um acidente para a polícia (Capítulo 16)

Faixa 36: Usando pronomes interrogativos (Capítulo 17)

Atendimento ao Cliente

Caso tenha problemas com os áudios, por favor, entre em contato com a Editora Alta Books pelo e-mail **altabooks@altabooks.com.br**.

Para outros pedidos e informações, consulte o site **www.altabooks.com.br**.

Apêndice D
Respostas dos Exercícios

A seguir você encontra as respostas para as atividades "Diversão & Jogos".

Capítulo 2: Mergulhando nos Elementos Básicos do Italiano

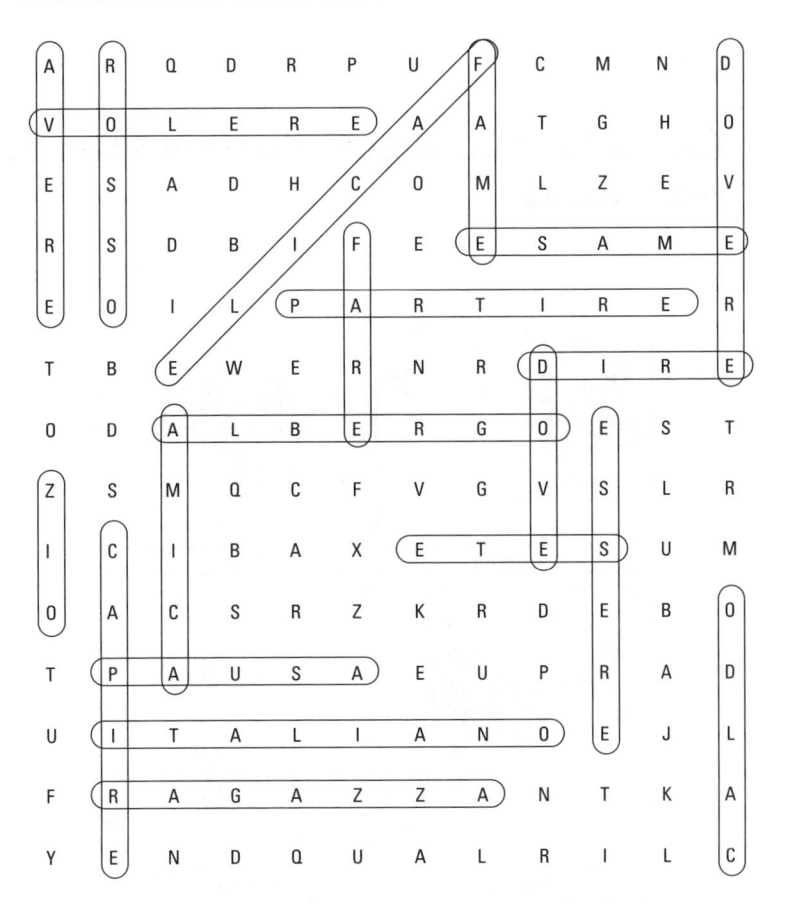

albergo	facile
amica	fame
avere	fare
bici	italiano
caldo	partire
capire	pausa
dire	ragazza
dove	rosso
dovere	sete
esame	volere
essere	zio

Capítulo 3: Buongiorno! Saudações!

come sta	conoscerla
e lei	il piacere
le presento	

Capítulo 4: Conhecendo os Números e as Horas

Capítulo 5: Casa Dolce Casa (Lar Doce Lar)

1. il bagno (o banheiro)
2. la camera da letto (o quarto)
3. il letto (a cama)
4. il soggiorno (a sala de estar)
5. il divano (o sofá)
6. i fornelli (o fogão)
7. la cucina (a cozinha)
8. la tavola (a mesa)

Capítulo 6: Onde fica o Coliseu? Pedindo Informações

1. Via della Vigna Nuova
2. Ponte Santa Trinità e Ponte Vecchio
3. Arno
4. Palazzo Vecchio
5. Piazza Duomo e Piazza San Giovanni
6. Lungarno
7. Piazza della Repubblica

Capítulo 7: Comida, Gloriosa Comida — E Não se Esqueça da Bebida!

1. ananas
2. ciliegia
3. uva
4. pera

5. cocomero

6. fragola

Capítulo 8: Comprando à Moda Italiana

1. cappello

2. camicia

3. cravatta

4. completo

5. pantaloni

6. scarpe

7. gonna

8. camicetta

Capítulo 9: Divertindo-se na Cidade

1. festa

2. invitato

3. sabato

4. ora

5. verso

6. dove

7. perché

8. aspetto

Capítulo 10: Negócios e Comunicações

1. pronto

2. parlo

3. amico

4. C'è

5. appena

6. lasciare un messaggio

7. prego

8. chiamato

Capítulo 11: Diversão e Atividades ao Ar Livre

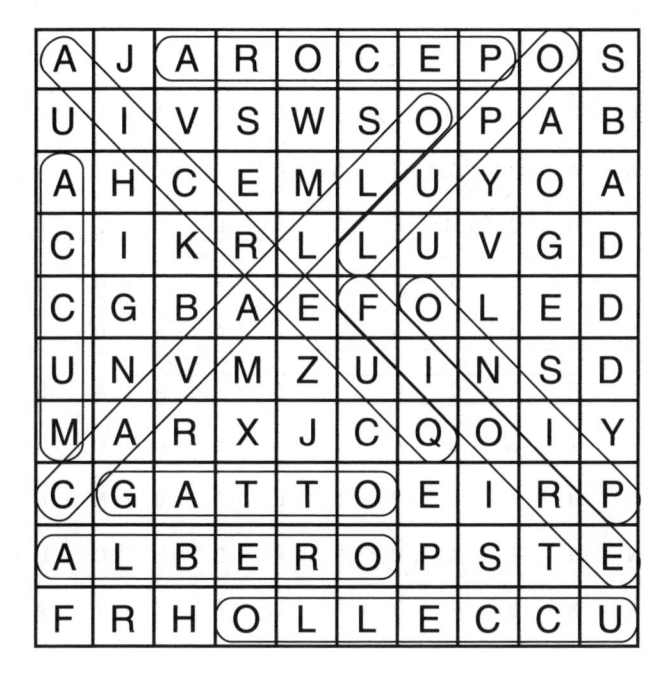

cavallo, fiore, uccello, gatto, lupo, quercia, pino, mucca, pecora, albero

Capítulo 12: Planejando uma Viagem

1. b

2. a

3. b

4. c

5. a

Capítulo 13: Dinheiro, Dinheiro, Dinheiro

C	A	R	T	A	D	I	C	R	E	D	I	T	O	D
S	O	K	S	Z	N	B	O	Y	D	O	Y	Y	D	O
E	R	R	Y	P	A	Z	G	E	C	L	S	A	M	C
T	R	J	U	N	O	G	P	S	D	L	P	N	F	U
A	X	A	C	E	B	R	P	Q	Z	A	K	U	L	M
M	G	A	I	A	M	I	T	Q	S	R	X	K	J	E
O	L	W	A	B	C	T	O	E	Y	O	R	J	I	N
C	H	L	N	C	M	E	N	I	L	R	E	T	S	T
N	C	K	I	E	B	A	I	N	V	L	N	L	H	O
A	J	O	A	S	S	A	C	K	R	A	O	Z	P	H
B	L	T	R	I	C	E	V	U	T	A	A	S	E	K
I	E	H	T	W	N	L	C	N	X	M	K	Q	G	V
Q	J	A	U	Y	C	V	O	Q	A	G	M	N	A	Q
Q	L	N	Q	E	K	C	Y	P	D	F	Q	L	V	W
Z	Q	X	X	B	E	J	M	W	F	Y	Y	A	L	N

Banca — banco

Bancomat — caixa eletrônico

Cambiare — trocar

Cartadicredito — cartão de crédito

Cassa — dinheiro

Contanti — dinheiro

Documento — idenificação

Dollaro — dólar

Euro — euro

Kuna — moeda da Croácia

Ricevuta — recibo

Spiccioli — troco

Sportello — porta

Sterline — libra da Inglaterra

Banco	identificação		troco	dólar
caixa eletrônico	porta		trocar	euro
caixa	cartão de crédito		moeda da Croácia	
libra da Inglaterra	dinheiro (em espécie)	recibo		

Capítulo 14: Passeando por Aí: Aviões, Trens, Táxis e Ônibus

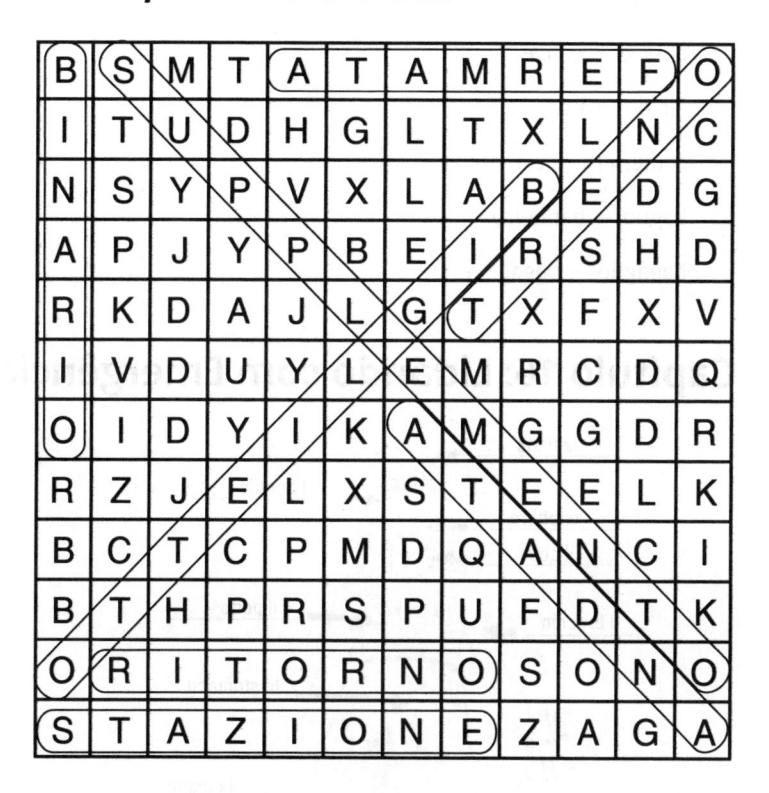

treno, fermata, stazione, binario, biglietto, andata, ritorno, supplemento

Capítulo 15: Encontrando um Lugar para Ficar

albergo — hotel pequeno

pensione — pensão

camera — quarto

stanza — quarto

valige — malas

prenotazione — reserva

matrimoniale — quarto com cama de casal

culla — berço

piscina — piscina

chiave — chave

letto — cama

cameriera — camareira

bagno — banheiro

bagaglio — bagagem

Capítulo 16: Lidando com Emergências

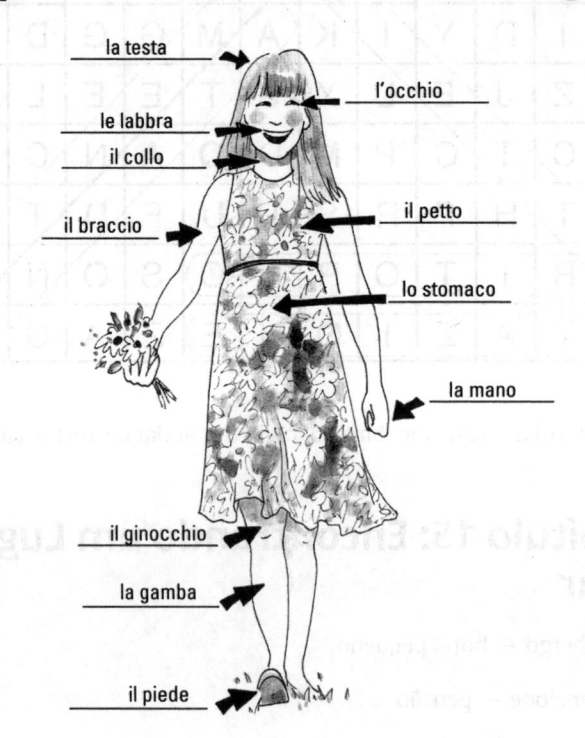

Capítulo 17: Batendo Papo

1. mia madre e mio padre

2. mio fratello

3. i miei nipoti

4. mia nonna

5. mia zia

6. mio cognato

7. mia nuora

8. mia figlia

9. i miei cugini

10. mia suocera

Índice

CONHEÇA OUTROS LIVROS DA PARA LEIGOS!

SEJA AUTOR DA ALTA BOOKS!

Envie a sua proposta para: autoria@altabooks.com.br

Visite também nosso site e nossas redes sociais para conhecer lançamentos e futuras publicações!

www.altabooks.com.br

ALTA BOOKS
EDITORA

 /altabooks ▪ 🔘 /altabooks ▪ 🐦 /alta_books

ROTAPLAN
GRÁFICA E EDITORA LTDA
Rua Álvaro Seixas, 165
Engenho Novo - Rio de Janeiro
Tels.: (21) 2201-2089 / 8898
E-mail: rotaplanrio@gmail.com